FAUT-IL TUER
LES PETITS GARÇONS
QUI ONT LES MAINS
SUR LES HANCHES?

SAN-ANTONIO
(écrivain forain)

FAUT-IL TUER LES PETITS GARÇONS QUI ONT LES MAINS SUR LES HANCHES ?

ROMAN

ÉDITIONS FLEUVE NOIR
6, rue Garancière - PARIS VIᵉ

LIS ÇA !

Essaye d'imaginer ceci.

Un romancier, spécialisé dans la grosse tambouille populaire (sa cuisine préférée), s'efforce, de temps à autre, de changer d'air en écrivant un livre plus important (par son nombre de pages) que ceux de sa production courante. Livre plus réfléchi aussi, car, d'ordinaire, il est du genre éruptif.

Ce romancier invente une histoire qui va lui permettre (espère-t-il) de libérer une partie de ses fantasmes, de ses tourments secrets, de ses chagrins.

Il se met au travail de toute son âme. Un livre est une croisade perdue d'avance, mais la griserie de l'engagement, les transes de l'écriture, le feu du vouloir sont des drogues fortes auxquelles on s'abandonne sans se soucier de leurs conséquences.

Lorsque le romancier a écrit la moitié de son livre, la foudre tombe sur son toit.

Il lui arrive ce qu'il était en train d'écrire !

Différemment sans doute, mais dans les grandes lignes il s'agit bien de son histoire.

Le romancier est doublement terrassé : par le malheur lui-même, mais aussi par l'effroyable malignité du destin. Tout se met à vaciller.

Il s'interroge et s'interrogera jusqu'à son complet silence : « Avais-je *prévu* la réalité, l'avais-je *sentie* ? Bref, s'agit-il d'un phénomène de prémonition ? Ou bien est-ce la réalité qui est venue s'installer dans ma fiction ? Mais après tout, où est la différence ?

Foudroyé par ce drame (qui n'arrive qu'aux autres), le romancier interrompt net son livre, ce livre machiavélique qui est allé provoquer le diable.

Ces pages noircies l'effraient. Il les enfouit dans un placard. Réflexe de créateur qui ne se résout pas à détruire sa création. Et puis voilà que ses personnages se mettent à cogner à la porte du placard. Ils crient. Ils le hèlent. Leurs voix se font de plus en plus pressantes.

Le romancier fait farouchement la sourde oreille.

Un an plus tard, il rouvre le placard pour en exhumer ce qui devrait être un cadavre de livre mais qui s'obstine encore à vouloir exister.

Alors, parce que le romancier est romancier, il engage une feuille blanche dans sa machine à écrire.

Il fera taire son angoisse pour suivre stoïquement ses personnages sur le chemin qu'il leur avait initialement tracé, sans se laisser influencer par ce qu'il a lui-même vécu.

Ce livre ne vaut que ce qu'il vaut, comme tous les livres, comme toutes les œuvres ; mais rarement un ouvrage aura coûté autant d'efforts, de sueur et de larmes à son auteur.

Lorsque le romancier eut écrit la moitié de ce livre, un homme fut reçu chez lui, en même temps que d'autres hommes appartenant à une équipe de télévision.

Depuis plusieurs mois, l'homme en question avait conçu de commettre un rapt (l'instruction devait le prouver). Son cruel projet concernait différentes familles et il hésitait à porter son choix définitif.

Il se trouvait à quelques centimètres de ce livre en chantier lorsqu'il modifia soudain ses plans et arrêta sa décision.

Oui, par un après-midi de février 1983, les deux cents premières pages de ce roman et *l'homme* se trouvèrent réunis dans une pièce. La Fatalité dut ricaner.

A l'issue du tournage, qui n'avait duré que deux heures, le romancier proposa du champagne à l'équipe de TV. Tous ses membres acceptèrent, à l'exception de *l'homme*.

Il avait mieux à demander.

Lorsqu'il fut parvenu à la moitié de ce livre, le romancier et les siens reçurent la foudre sur la tête.

Des gens inoubliables s'employèrent à réparer les dégâts. Ils y parvinrent brillamment.

Et cependant, *après* ce ne fut jamais plus comme *avant*. Jamais plus.

Personne n'était mort dans l'aventure.
Mais *quelque chose,* si.

Frédéric DARD

Un ange du Seigneur lui apparut en songe et dit : « Joseph, fils de David, ne crains pas de prendre avec toi Marie, ta femme, car l'enfant qu'elle a conçu vient du Saint-Esprit. »

(Evangile selon Matthieu)

PREMIÈRE PARTIE

L'ACCEPTATION

Cela ne devait arriver que plus tard, quand la vie ayant commencé à s'écouler plus vite, l'acceptation était venue remplacer la connaissance et la mémoire.

William Faulkner
(Lumière d'Août)

1

Des détonations, en salves irrégulières, importunent Charles. Il sait qu'elles sont produites par le chauffage central mal « purgé » et continue d'écrire.

Il écrit le Petit Garçon à l'école maternelle, avec la grosse institutrice dont l'énorme chignon ressemblait à la charge qu'une négresse porte sur sa tête. Il écrit les préparatifs de la fête de fin d'année, tu te souviens ? Le Petit Garçon devait jouer un page. On lui destinait une réplique, une seule : « C'est une toute jeune fille du nom de Jehanne qui demande à vous parler, Monseigneur. » Mais le Petit Garçon ne peut dire la phrase en question. Les mots dévalent la pente de sa mémoire et choient en tas sur son cœur. Le sire de Baudricourt, dont la mère est concierge au patronage, attend la réplique en ricanant, ce sale petit con de merde, aux yeux en crachat. Il attend, le capitaine de Vaucouleurs à frime de mulot, pinçotant sa bibite du pouce et de l'index, car chez lui c'est un tic. Et quand la maîtresse lui demande pourquoi il se touche ainsi la queue, à toute heure et en tous lieux, le sire Robert de Baudricourt répond que « ça lui démange... ». Le Petit Garçon regarde Marcel toucher sa zézette. Que doit-il dire ? « C'est Jehanne qui... »

La grosse maîtresse sous son énorme chignon qu'à l'époque les dames ne s'étaient pas encore fait couper les cheveux à la mode commode, soupire... Non, non, le Petit Garçon ne pourra pas jouer le page annonciateur de la d'Arc. Il ne pourra rien jouer du tout car il est trop irrémédiablement timide, paralysé, mort d'un indicible effroi. Il n'aspire qu'à l'oubli, à la solitude, à la nuit. Dans le fond, il conviendrait peut-être de mourir, tu te rappelles ?

Charles se surprend à guetter une reprise des détonations, mais un épais silence de conscience écrase à présent le chalet *Trafalgar;* angoissant comme une perte de mémoire.

Charles relit son dernier paragraphe et ressent une misère d'écrivain. C'est toujours pareil : dès qu'il vient de bâtir des phrases, il mesure l'injustice de ce métier. L'expression est une trahison latente ; elle contourne la pensée sans jamais la traduire parfaitement. Il voudrait se cogner la tête contre les murs. Est-ce que ça peut se briser, une pensée ? Ou bien tuer quelqu'un ? Mais qui ? L'on ne tue vraiment que soi-même ; tuer les autres constitue une répétition générale.

Il travaille constamment dos à la fenêtre pour fuir les tentations du dehors. La nature le fascine ; il peut rester des heures à contempler une branche d'arbre en fleur. Le Petit Garçon aussi avait de ces béatitudes du corps et de l'esprit : des points d'arrêt au cours desquels la vie continuait sans lui, charriant des heures et des gens avec leurs détritus, sans parvenir à le faire broncher.

Charles pivote dans son lourd fauteuil que Dora a surnommé « le trône ». Le ciel, d'un bleu intense, le surprend. Les champs sont en foin. Et le foin, tu peux me croire, il n'est rien de plus beau en ce monde. Les montagnes, enneigées jusqu'à mi-pente, lui paraissent très proches. Cela provient de la qualité de l'air. Alors, il va ouvrir la fenêtre à double vitrage. Les accents d'un violon lui parviennent aussitôt. Charles se dit que Yehudi Menuhin, son illustre voisin, est en train de répéter. Il tente d'accrocher une émotion à ces sonorités, mais une grande sécheresse d'égoïsme l'empêche de participer.

Cette musique, un peu hachée par les caprices de l'espace, lui fait l'effet d'une violation. Ce n'est que du bruit, après tout, un bruit dérangeant, au même titre que les idiotes pétarades du chauffage central déréglé.

Il aperçoit, en contrebas, une ferme emmitouflée qui paraît s'arracher difficilement aux langueurs de l'hibernation.

Au-delà de la construction, un viaduc de chemin de fer enjambe le paysage sans le défigurer ; l'ouvrage d'art s'incorpore plaisamment au panorama de Gstaad, donnant même à la station un petit côté folklorique ; Charles se dit que lorsqu'on met les vaches à paître, le site ressemble au couvercle d'une boîte de caramels. Il aime voir surgir à l'improviste le train bleu, dans un crissement acide aussitôt couvert par son avertisseur claironnant. Ce train, sur le viaduc de pierres grises, est pour Charles un gage de paix. Il symbolise la Suisse profonde, aux racines mystérieuses et indestructibles. Il arrive de contrées alémaniques pour glisser en se trémoussant jusqu'au Léman, transportant des voyageurs placides que l'écrivain regarde défiler avec envie : ils sont fagotés de telle manière et ont de telles expressions que Charles les sent à l'abri de ses propres tourments.

Le Petit Garçon également rêvait de la paix des autres. Il aurait tellement voulu, une fois seulement, ne plus être lui-même et s'endormir comme un chat au soleil. Mais tu peux toujours y compter, l'artiste ! Dans ses tréfonds, le Petit Garçon savait bel et bien qu'on est ancré à jamais dans son maléfice. Et même plus tard, quand le Petit Garçon était sexagénaire et qu'il regardait son admirable mort sur sa couche, il constatait que *rien n'était changé.* Et c'est cela, l'horreur : rien ne bouge jamais dans sa mouvance apparente. Parce qu'il s'agit d'un, tu sais quoi ? *Système !* Le système solaire, je te prends... Tout remue, mais remue immuablement. Immuablement ! Sans le moindre raté. Sans le plus petit espoir de raté. Et si les hommes, un jour, font sauter la planète, ses débris satellisés continueront la même infernale ronde. Là-dessus, prions, mes frères. Prions Dieu pour qu'il y ait un Dieu. Je ne Lui en demande pas plus !

Après une brève hésitation, Charles décide de quitter sa pièce de travail qu'il appelle modestement son bureau. Charles Dejallieu, tu dois connaître ? Tu ne peux l'ignorer, puisqu'il est célèbre ! Romancier à gros tirages. Bien admis des critiques parce que foncièrement marginal et modeste. Tu peux quoi, contre la véritable modestie ? Tu veux chercher quelles sortes de rognes à un homme authentiquement humble, survolté par son humilité ? Et qui s'embaume dans les renoncements ! La liberté par l'abaissement volontaire ! Il a une certaine manière de proposer ses yeux à ceux qui l'approchent. Et des états d'âme à n'en plus finir. Certains le trouvent gentil et se méfient ; certaines le trouvent beau, et il s'abstient de les convoiter. O sainte hypocrisie, vénérée salope, notre petite maman à tous ! Charles Dejallieu, équipé tant mal que bien pour assumer sa gloire d'inglorieux. Gastéropode de la renommée à bave chatoyante et coquille confortable. S'il s'écarte des femmes possibles, c'est par fidélité. Fidélité à une accoutumance sexuelle. Il a minutieusement réglé ses fantasmes et entend ne plus les déranger. Cette position de repli accroît son confort moral, le seul qu'il lui soit possible d'aménager, les autres lui échappant du fait de son tempérament d'homme perpétuellement insatisfait. Il sauve les meubles, Charles Dejallieu. Contrairement au Petit Garçon qui n'a rien pu faire pour soi.

Un dernier coup d'œil à son paragraphe, histoire de se mettre en fuite pour de bon. Demain, il arrachera la page en cours du chariot de sa machine à moins que la nuit ne l'ait transformée : la chose s'est déjà produite. Vingt-quatre heures récupèrent des textes jugés perdus.

Il s'est aménagé un coin à écrire très modeste au niveau le plus bas du chalet, dans le style provisoire-qui-dure. Son antre donne sur une vaste pièce où il a fait installer un ping-pong à l'intention de Dora. Mais elle ne s'en sert jamais et la table verte reçoit peu à peu une accumulation de plantes et d'objets qui la défigurent. Charles loue à l'année ce chalet *Trafalgar,* propriété d'un vieil Anglais qu'il n'a jamais rencontré. C'est une construction

simple, mais pleine de ressources et très confortable. Si le vieil
Anglais se décide à la vendre, peut-être la lui achètera-t-il un
jour ? Il a toujours eu la « maladie » de la pierre, et se complaît
à visiter des habitations dans tous les lieux où il séjourne, rêvant
secrètement du coup de foudre qui comblera son besoin de
fixation définitive. Le Petit Garçon savait, lui, qu'il est inutile de
chercher, parce qu'il n'est pas de lieux heureux.

Charles gravit les marches de ciment recouvertes d'un enduit
lie-de-vin « facile à entretenir ». Tu donnes un coup de serpil-
lière. Au sommet de l'escalier, des rayonnages de bois blanc
hébergent les chaussures de ski et d'après-ski. Dejallieu monte
sans bruit, retenant son pas afin de surprendre Mélancolia. Il
procède toujours de la sorte, avec l'aigre ténacité d'un pion
d'internat avide de flagrant délit. Il écoute avant d'ouvrir la
porte, mais rien ne bouge. A ce niveau (qui constitue le rez-de-
chaussée du côté de l'entrée et le premier étage du côté de la
baie vitrée) le silence est d'une autre qualité que celui de son
bureau. Il s'agit d'un silence visqueux, non, attends : plutôt
vicieux. C'est cela : vicieux. Le Petit Garçon, lorsqu'il insinuait
sa main dans la chatte de la dame, au cinéma, et qu'il n'entendait
plus le film, tant l'émotion l'expulsait de la réalité, le Petit
Garçon avait dans sa tête en flammes ce silence-là ; un silence de
sperme qui s'écoule. Charles ferme un court instant les yeux.
Son cœur se dérègle. D'où lui vient ce louche appétit pour les
émotions torturantes ? N'aspire-t-il pas confusément à ce que
tout casse autour de lui ? Il croit toujours entendre siffler des
lanières de fouet et se précipite pour ne pas rater la flagellation.
    D'un mouvement brusque, il actionne le loquet et franchit en
deux enjambées l'entrée du chalet aux murs revêtus d'arolle
dont les mille nœuds sont autant d'yeux malins braqués sur son
masochisme.
    La double porte vitrée du salon est grande ouverte. Dans un
angle de la pièce, Mélancolia fait sa séance quotidienne
d'U.V.A. devant une sorte de triptyque fluorescent qui la nimbe
d'une lumière chirurgicale. Elle a fermé les rideaux et le salon
est seulement éclairé par l'appareil à bronzer. Charles se dit que
sa femme ressemble à une tubéreuse. Elle fuit la clarté du jour
et, paradoxalement, tient à brunir sa peau à ce faux soleil
électrique. Il hume l'air confiné, cherchant des odeurs révélatri-
ces, n'en détecte pas et se sent confusément brimé.
    — C'est toi ? questionne Mélancolia, aux aguets à la façon des
aveugles.
    Elle porte des espèces de lunettes protectrices rouges, en
forme de conques, dont elle renforce l'efficacité en les tapissant
intérieurement de feutre noir ; à cause de ses yeux pâles, si
fragiles.
    Ces coquilles pourpres lui composent un visage de monstre

surréaliste. Charles considère la figure triangulaire de son épouse. « J'ai épousé un triangle, pense-t-il, un triangle en vie. »

— Cette marotte de vivre dans la pénombre ! bougonne le romancier en allant ouvrir les rideaux à gestes rageurs.

— Je fais de la bronzette, plaisante Mélancolia.

— Crois-tu que les U.V. soient plus efficaces dans l'obscurité ?

Elle ne répond pas.

Charles fuit la lampe : il déteste tout ce qui est artificiel. Depuis la large baie vitrée, il examine la colline boisée de sapins noirs où, chaque soir, viennent loger d'énormes corneilles dont le vol épais obscurcit le crépuscule.

— Tu as fait fumer ta machine, ce matin, remarque Mélancolia ; tu y allais d'un bon courage.

Elle conserve un accent difficile à définir, légèrement guttural qui donne à tout ce qu'elle dit, y compris dans les moments d'abandon, des inflexions froides. De père flamand, de mère américaine, elle a passé une partie de sa vie à Anvers, une autre à Boston et le reste à Paris où Charles l'a rencontrée. De ces différents séjours, il lui reste un étrange parler indécis qui fait partie de son charme. Elle s'exprime comme marchent les gens un peu ivres soucieux de donner le change en accumulant les escales.

Elle tient son surprenant prénom de son père, un artiste raté passionné de Dürer. Il a baptisé sa fille du nom de ce chef-d'œuvre qui devait inspirer Nerval et Hugo : *Mélancolia 1*. Il a même essayé d'ajouter le 1 au nom, mais l'employé d'état civil n'a pas accepté. Mélancolia... Charles estime que son épouse porte bien son prénom, et même qu'elle le méritait. C'est un être tellement étrange, et qui ressemble au temps des régions tempérées : toujours changeant, avec des périodes de frimas, d'autres de canicule. Chaque aube de Mélancolia réserve une surprise.

— Tu as attaqué ton nouveau bouquin ? questionne-t-elle.

— J'ai eu cette audace, alors que mon plan est à peine esquissé. Et j'ai même trouvé le titre, figure-toi.

— Dis voir ?

Charles éprouve une gêne qu'il connaît bien, celle de l'écrivain commençant à tester son œuvre encore en gésine.

— Il va te sembler baroque, ergote-t-il.

Et puis il se dit que lorsque le livre paraîtra en librairie il n'aura pas la possibilité d'en expliquer le titre au lecteur éventuel. La chose sera sur un présentoir, impudique comme une putain nue devant l'hôtel où elle se vend. Alors, il plonge :

— Je compte l'intituler : *Faut-il tuer les petits garçons qui ont les mains sur les hanches ?*

Il préfère qu'elle ait ces affreuses coquilles rouges sur les yeux, ce qui lui épargne de lire le sentiment de sa femme. Le regard est tellement plus prompt, plus sincère que la parole ! Tellement plus éloquent et plus impitoyable ! Les traîtres mots ont du moins le pouvoir d'adoucir car ils s'adaptent aussi bien au mensonge qu'à la vérité. Les yeux disent tout immédiatement.

Mélancolia, à l'abri de ses conques monstrueuses, prend son temps. Sa figure triangulaire reste offerte à la lumière mauve chargée de la foncer.

— Pourquoi ? finit-elle par murmurer.

Et bien entendu, Charles s'emporte. Comme tous ceux qui sont en mal de se raconter, il déteste n'être pas compris.

— Le public ne me demandera pas *pourquoi* j'ai choisi ce titre. Il achètera le livre ou bien le dédaignera. La question est : as-tu envie de lire un roman intitulé *Faut-il tuer les petits garçons qui ont les mains sur les hanches ?*

Elle subit toujours avec dignité ses rebuffades. Elle a appris combien un créateur est susceptible et à quel point ce qu'il fait ou ne fait pas le tourmente. Vivre en compagnie d'un envoûté est un apostolat difficile.

— On ne lit pas un livre à cause de son titre, répond Mélancolia. Cela dit, il me semble que j'achèterais celui-ci. Parce que je me poserais, moi, lectrice hypothétique, la question que j'ai la chance de pouvoir poser à l'auteur, moi, sa femme : pourquoi ? Pourquoi Charles Dejallieu a-t-il choisi ce titre long, provocant, quelque peu poétique et passablement racoleur ? Il y a de la démesure là-dedans.

Charles hausse les épaules.

— Si un écrivain n'est pas démesuré, c'est qu'il n'a rien à dire ; la plupart de mes archiconfrères écrivent comme leurs épouses servent le thé. Ils « servent » des bouquins, alors qu'un livre est un projectile destiné à être flanqué à la gueule des gens.

Elle approuve d'un hochement de tête et lui dédie un sourire aveugle où il croit percevoir de l'amour. Mais existe-t-il des sourires amoureux ?

— Tu ne m'expliques pas ton titre ?

— Je le ferai dès que tu auras enlevé tes yeux de dragon.

Elle est tentée de lui demander la raison de cette exigence, mais elle le sent mal dans sa peau, à vif. Certains jours, principalement en début de bouquin, un rien le raye. Mélancolia arrache les deux conques de plastique et actionne l'interrupteur de l'appareil. Son visage redevient beau et froid, un peu trop mystérieux au goût de Charles. « Mystère d'alcoolique », décide-t-il dans ses moments d'inévitable haine. Depuis longtemps, il a décidé de la quitter un jour. Il imagine les circonstances. Ce sera après l'avoir baisée. Il se rhabillera, remplira un chèque (des sommes confortables s'inscrivent dans sa tête, en chiffres électroniques jamais fixes qui s'engendrent instantanément) et foutra le camp. Comme on quitte une pute ! Comme on quitte une pute : la queue honteuse et triste.

En trouvant le chèque, elle comprendra. Tu ne peux pas lui enlever ça, à Mélancolia : elle comprend tout.

Charles tire de sa poche une photographie jaunie qu'il tend à sa femme. Elle représente un bambin de quatre ou cinq ans, vêtu de blanc, debout dans une embarcation vétuste qu'on devine être un bac à traille. Derrière l'enfant se trouve une femme chapeautée selon la mode des années 20 ; au fond de la photo, le passeur tient l'énorme barre du gouvernail d'un geste arrondi.

Mélancolia examine l'image et remarque que l'enfant habillé de blanc a les mains sur les hanches.

— Qu'est-ce que c'est que cette photo? demande-t-elle, un peu interloquée.

— Je l'ai dénichée dans ma « malle des Indes », fait Charles.

Il appelle ainsi un coffre de cuir, à coins de laiton, dans lequel gisent des épaves de son passé : photographies, paperasses, menus objets-souvenirs. Ce bric-à-brac, il faudra bien qu'il se décide à le détruire, car après lui, il n'aura plus la moindre signification. On ne s'y prend jamais suffisamment tôt pour mourir. On passe son existence à accumuler des choses inutiles, croyant qu'elles auront encore un rôle à jouer, mais les choses ne nous attendent pas. Elles sont inanimées et ne possèdent pas d'autre âme que la nôtre.

Dejallieu vient rejoindre Mélancolia afin de contempler la photo en même temps qu'elle.

— Le Petit Garçon était un ami de ma mère. C'est quelqu'un qui a longé notre vie pendant des années avant que le temps ne nous le dérobe, ce grand bouffe-tout !

Mélancolia accorde un regain d'attention à l'enfant vêtu de blanc, essayant de deviner ses traits de vieil homme sur la frimousse grave du gamin.

— C'est parce qu'il tient ses mains aux hanches que tu as eu l'idée de ton titre ?

— Exactement. Cet homme souffre d'une atrophie congénitale du bras gauche, il lui a toujours été impossible de le mouvoir ; donc, pour placer sa main gauche sur sa hanche, il a dû, forcément, utiliser sa main droite ; il s'est composé cette attitude parce qu'on le photographiait ; ce qui signifie qu'à quatre ans, il avait honte de son infirmité et ressentait le besoin de tricher ; conclusion : c'était déjà foutu pour lui.

— Qu'est-ce qui était foutu ?

— A quatre ans, il avait perdu l'innocence, Mélancolia, il était donc inutile qu'il vive, tu comprends ?

Elle n'apprécie pas les attendus fumeux de son romancier. Elle admet qu'un écrivain aime jouer avec les mots, les idées, les sentiments — voire avec la réalité —, mais elle refuse d'entrer dans ce jeu cynique.

— Et c'est SON histoire que tu vas écrire ? coupe-t-elle.

— Son histoire réinventée par moi, en fonction de ce que j'ai su de lui. Son véritable destin ne m'intéresse pas : je lui en fais cadeau ; je n'avais besoin que de sa photo en petit garçon tricheur.

Mélancolia accepte en souriant les délirades de son époux et lui rend l'image nostalgique. Elle referme les volets encore chauds de l'appareil à bronzer, rembobine le câble électrique, puis se dirige vers leur chambre à coucher. Elle est nue dans un peignoir de bain trop grand qui lui donne une silhouette de judoka.

Charles songe à la suivre pour lui proposer l'amour. Ils « sont » du jour, comme l'était le Petit Garçon qui faisait si furieusement l'amour, en début d'après-midi. Ce qui retient Charles, c'est la couche de crème brune (bronzage intensif) dont sa femme a enduit son visage et son buste.

— Je descends au village acheter les journaux ! lance-t-il à la cantonade.

Il va chausser ses bottes basses en daim fourré et passer son caban. Avant de quitter le chalet *Trafalgar,* Charles s'approche du chariot à apéritifs et vérifie le niveau du liquide dans la bouteille de Teacher's Royal Highland.

L'alcool atteint très exactement la partie noire de l'étiquette, si bien qu'il n'a pas besoin de faire une marque.

II

Elle le regarde s'éloigner par la route qui brille au soleil comme un cours d'eau.

C'est toujours le même vertige. Mélancolia a la sensation d'être enfermée dans une cage de verre insonorisée.

Je suis encore belle, non ?

Elle distingue ses traits dans le carreau de sa fenêtre. La silhouette de Charles s'amenuise à travers son propre reflet. Tout un symbole ! Lorsqu'elle est seule, elle pense en anglais, ça lui est plus commode : une certaine manière d'être libre. Une déception rôde dans sa chair. Elle croyait qu'il lui ferait l'amour. Et puis après tout, c'est aussi bien comme ça. Elle aime autant se caresser. Cette pratique la préserve d'elle ne sait trop quel danger sournois, au même titre que l'anglais ou l'alcool. Elle a toujours partagé l'existence de quelqu'un qui finissait par faire faillite, si bien qu'elle se trouve désormais en continuelle position de repli. Toute situation peut cesser d'un instant à l'autre.

Lorsqu'elle était enfant, à Anvers, elle vivait avec son père que sa mère avait fui avant que Mélancolia ait pu prendre conscience de cet abandon. Elle se rappelle le grand atelier dans le quartier du port, avec la pluie sempiternelle frappant la verrière. Le froid régnait dans l'immense local encombré de toiles, de chevalets, de cartons pleins de tubes de couleurs. Isidore Nelmens, son père, lui avait construit une espèce de baraque en planches au milieu de la pièce, en guise de chambre. Une cabane sans toit qui ne l'isolait ni de la lumière ni du bruit, pas plus que des fortes odeurs d'huile de ricin et d'essence de térébenthine. Il ripaillait des nuits entières en compagnie de filles faciles, baptisées « modèles » et de copains soiffards. Lorsqu'il était bien saoul, aux aurores, seul dans l'atelier enfumé où des relents de bière aigre s'ajoutaient à ceux de la peinture, Isidore venait la réveiller en pleurant sur sa vie perdue. Il la prenait dans ses bras, la couvrait de larmes et de baisers en l'assurant qu'elle était sa raison d'être, qu'il l'aimait plus que son art et qu'il deviendrait pour elle un monument.

Un monument !

Mélancolia se répète le terme en flamand.

Le « monument » travaillait beaucoup, cependant. Pourquoi ne possède-t-elle pas une seule des œuvres paternelles ? Il peignait de l'abstrait, c'est-à-dire des surfaces géométriques dont l'imbrication tourmentée fascinait la petite. Elle revoit certains tableaux, immenses (mais peut-être le sont-ils seulement dans ses souvenirs d'enfant ?) où des bleus souillés de traînées impossibles s'entre-détruisaient. Elle jouait avec les spatules du peintre, s'en servait comme de petites pelles pour confectionner des biscuits qu'elle avait à cœur de manger bien qu'ils eussent un goût d'essence. Parfois, un « modèle » séjournait quelque temps chez eux. Brèves mais tumultueuses liaisons marquées d'alcool et de fureur, d'invectives et de ruts impromptus.

Il arrivait à Mélancolia de voir son père besogner l'une de ses drôlesses sur le sommier déglingué où il dormait. Les fesses du bonhomme, couvertes de poils blonds, frisés serré, l'effrayaient. Elle regardait tristement sa partenaire lui talonner le dos en criant des horreurs. Comme conclusion de ces étreintes, Isidore éclatait d'un grand rire féroce et désespéré, pareil à un monstrueux sanglot. Il errait un moment, d'un pas de somnambule dans son atelier, le sexe ballant, et murmurait des phrases sans suite.

Il disait : « Pauvre vie ! Alors, il est heureux, le caniche ? » Si sa maîtresse le moquait, il la chassait rudement, puis se prenait à réciter des vers, en français ou en allemand. Mélancolia n'allait pratiquement pas à l'école pour la bonne raison qu'ils se réveillaient trop tard, elle et lui. A travers les vitres fêlées de l'atelier, elle voyait ses camarades rentrer pour le repas de midi, alors qu'elle se trouvait encore en chemise de nuit et que son père préparait le petit déjeuner.

La vie s'écoulait sans véritable répit ; les jours, les nuits et les saisons se confondaient. L'heure n'existait pas.

Mélancolia croit voir flotter encore la fumée des pipes. Elle perçoit les plaintes putasses des donzelles besognées en force. Et puis il y a ces toiles impressionnantes, falaises de couleurs vives ; ces toiles menaçantes comme une quatrième dimension dont l'accès lui était pour toujours interdit. Elle entend le rire sinistre d'Isidore, rire de défi, rire de mort, rire de martyr offert au glaive du gladiateur. Un rire semblable au cri qu'il poussa le jour où, voulant remplacer l'une des vitres brisée du toit, il passa au travers de la verrière déglinguée et vint s'écraser sur le sol cimenté après une chute de huit mètres.

Exceptionnellement, ce jour-là la petite faisait des devoirs sur la table servant à tout. Il y eut des éclaboussures de sang sur ses vêtements et ses cahiers. Elle se rappelle l'étoile pourpre née au dos de sa main qui tenait le porte-plume. Isidore était tout à coup à ses pieds, sauvage porc-épic hérissé de mille éclats de verre, la bouche béante sur son cri qui venait de cesser mais que sa grande gueule continuait de pousser. Tout sanglant, Isidore, et combien ridicule avec son chandail retroussé jusqu'aux aisselles, sa peau blafarde cisaillée de vilaines coupures bleues et rouges. Tout pauvrement et sottement mort, Isidore son papa, aux grands yeux écarquillés sur l'épouvante de son dernier instant. Et les tessons de vitre en triangles mauvais, fichés dans la viande du « monument ». Effroyablement grotesque dans son stupide trépas, le peintre Isidore Nelmens. Carrière soldée pour tout compte, le temps d'un cri.

Mélancolia l'avait contemplé longtemps, depuis sa chaise. Elle ressentait davantage de surprise que de peur. La peur était venue plus tard, au cours des nuits suivantes, de même que le chagrin. Mais traumatisée, elle se rappelle mal la période qui suivit le drame. Surnage pourtant dans sa mémoire une énorme vieille femme vêtue de noir qu'elle n'avait jamais vue auparavant et qu'il lui avait fallu appeler tante Martha. De son passage chez elle, il ne subsiste que des sensations confuses : un gros chat gris endormi sur un coussin, un poêle de faïence, le tic-tac d'une horloge et des odeurs de café, plus les deux grosses dents jaunâtres, très écartées, retroussant la lèvre supérieure de tante Martha.

On ne voit plus Charles. Les foins très hauts l'ont happé. Il s'y est abîmé comme dans un océan végétal. Ce foin de l'Oberland bernois est mauve comme la lavande de Provence, piqueté de fleurs blanches, jaunes ou roses.

*
**

Dejallieu a choisi pour gagner la station un sentier qu'il affectionne. S'écartant de la route, celui-ci escalade la colline aux corneilles et traverse la voie ferrée à l'endroit où le viaduc cesse pour s'épauler à la terre ferme. Ensuite il plonge en zigzaguant sur les toits du village.

L'itinéraire est jalonné de bancs d'où l'on peut reprendre souffle en admirant le panorama. Charles se laisse tomber sur l'un d'eux, à mi-parcours ; non qu'il soit fatigué, mais ce beau temps quasi brutal l'enivre. Il se voudrait herbivore pour pouvoir bouffer l'herbe somptueuse. Depuis son siège il aperçoit, en contrebas, le chalet *Trafalgar,* pareil à une pendule coucou. En altitude, on s'éloigne rapidement de son point de départ grâce à l'incessant changement des perspectives.

Charles se dit que l'homme néglige trop de faire des haltes. Il va, il court, éternel pressé. Court vers le fond noir de son destin en cul-de-sac ; alors que seules importent ces plages de contemplation. Lui, il aime regarder longuement des gens, des paysages, un feu de bois, une cascade, l'acharnement d'une communauté d'insectes.

Son attention est attirée par un rire juvénile. Il cherche, surpris, car il se croyait seul au flanc de la colline, et finit, en se penchant, par découvrir deux adolescentes assises contre le tronc d'un pommier. L'une d'elles est la fille de la grosse ferme-chalet engoncée au-dessous de chez lui dans un repli du vallonnement. Une jouvencelle de dix-sept ans, blonde et rose, avec des yeux pleins de confusion et qui rougit lorsqu'il la croise. Les deux filles bavardent dans le printemps qui semble les avoir enfantées en même temps que l'herbe fleurie. Elles sont gaies, elles chuchotent car elles se font probablement des confidences. Le swissdeutsche, si barbare aux oreilles latines, devient un langage caressant en passant par leurs lèvres.

Charles sent poindre un gros chagrin, brusque comme un orage tropical. Inexplicable. Il lui a suffi de contempler ces deux jeunes filles insouciantes, assises à angle droit, en train de pépier dans cette langue si peu faite pour la grâce ; ces deux êtres ravissants, fabuleusement adaptés au réveil général de l'univers... Un sentiment d'atroce frustration le dévaste. Il voudrait pouvoir s'approcher d'elles sans les effaroucher, et prendre la fille du fermier (un gros type toujours botté de caoutchouc et coiffé d'un bonnet de laine noire à pompon) dans ses bras. Il voudrait mordre son oreille, mâcher les cheveux fous qui moussent sur sa tempe, caresser sa poitrine nubile, goûter sa bouche, boire sa salive, glisser sa main entre ses cuisses fermes. Il décide qu'il l'aime à la folie, qu'il l'aime comme jamais, jamais, jamais il n'a aimé. Il aspire à recommencer le monde, Charles Dejallieu, afin de tout reprendre à zéro. Il veut devenir le nouvel Adam d'une nouvelle ère. Il abolit le passé, le présent, le futur qui serait autre chose qu'eux deux.

Hélas ! il ne saura jamais son nom, ne lui adressera pas une seule fois la parole. Il est un vieil étranger avec des cheveux qui commencent à grisonner et des plis d'infinie déception aux coins de la bouche, ce pauvre con perdu en terre suisse allemande. Et de quel droit vient-il bouffer leurs *röstis* et convoiter leurs filles, ce triste saligaud de Français au cerveau biscornu ?

De quel droit leur pompe-t-il l'air pur, à ceux d'ici ? Ils lui demandaient quelque chose, dis-moi ? Eux tous, si parfaitement incorporés au paysage, si denses et calmes derrière leurs pipes et leurs cigares ; si certains d'avoir le temps pour eux, la nature à leurs bottes et le droit d'être suisses ! Quand il les rencontre, même sans les connaître, il les salue d'un sourire reconnaissant. Il les remercie de le tolérer. Et eux, poliment, répondent *Grüss Gott* avec une courtoisie qui n'ira jamais plus loin que la courtoisie. Pourquoi se mettraient-ils en frais pour ces pilleurs de contrée venus des quatre coins du monde ; ces dérangeants, bâtisseurs de chalets extravagants pour revues spécialisées ; ces organisateurs de « parties » dont les voitures de luxe se croient tout permis ?

Charles, fasciné, contemple la blonde adolescente. Il ne veut pas qu'elle devienne un jour une grosse fermière dodue et mal fagotée qui sente le beurre et la bouse. Il faut la préserver à tout jamais, la garder ainsi, gracieuse et jeune à t'en faire mourir, pauvre fantoche de l'esprit ! La « fixer », comprends-tu ? La fixer dans son état présent, comme on fixe une peinture sur porcelaine en mettant celle-ci au four. Mais seule la mort pourrait stopper la fatalité. Seule la mort empêcherait qu'elle devînt ce à quoi elle est promise, cette merveilleuse, c'est-à-dire une matrone rurale, pondeuse de moutards blonds, trayeuse de vaches noires, bourrée de pâtisseries crémeuses, et résignée, soumise, oh ! là là ! si tu savais combien ! Soumise à l'homme et aux traditions ancestrales.

Alors, Charles se met à pleurer. Il pleure d'elle et de lui qui auraient dû s'aimer et qui s'en vont par des chemins de peine et de solitude, chacun de son côté. Il regrette de ne plus entendre le violon de Menuhin. Maintenant, oui, son souffle serait le bienvenu sur sa détresse.

Il regarde à travers ses larmes, à travers l'herbe haute où fourmillent les boutons-d'or, regarde les filles en posture de confidences, et qui se chuchotent des péchés dont un curé teigneux ne voudrait même pas à confesse. La « sienne » a relevé ses jambes. Charles retient un gémissement, ce pauvre dégueulasse, parce qu'il voit *l'intimité,* comme disait sa mère, de l'infante rose. Sans méfiance, elle garde les genoux écartés, ce qui permet à Dejallieu une vue vertigineuse sur une petite culotte (il refuse le mot masculin de slip aux sous-vêtements féminins) pervenche. Cette couleur inattendue accroît son émotion. Un jour, l'adorable adolescente portera de la grosse lingerie, même en été. O Seigneur ! Ne permettez pas cela ! Faites qu'elle épouse un banquier, ou qu'elle devienne putain à Berne ou à Genève, mais conservez-lui de grâce ses culottes arachnéennes, tissées d'un souffle.

A force de fixer l'entrejambe de la fille, Charles croit voir son sexe sous l'étoffe, il lit le renflement du pubis et détecte la toison d'or qu'assombrit à peine la culotte bleue. « Si seulement je pouvais devenir un sadique ! se dit Dejallieu. Un vrai sadique hanté par son désir et qui l'assouvit envers et contre tout parce qu'il n'a pas d'autres vérités de rechange que ce tourment ! »

Le Petit Garçon, la première fois qu'il a aperçu Jeannette, c'était en allant au lait. Le laitier passait dans leur rue au volant d'une voiture haute sur pattes qui vaudrait sûrement très cher aujourd'hui. Ils se sont trouvés face à face parmi quelques commères, leur bidon à la main. Jeannette avait un minois couvert de taches de rousseur, les cheveux châtains coupés au ras des sourcils. Le Petit Garçon a su qu'il l'aimait, au premier regard. Mais elle ne faisait pas attention à lui. Il n'était rien qu'un figurant anonyme, juste un petit garçon qui venait au lait. Lui s'est mis à la dévorer des yeux. Il a tout de suite eu envie de voir sa chatte. Il ignorait comment c'était fait, mais il comprenait parfaitement que là siégeaient les raisons de sa brusque passion. Il l'a regardée s'éloigner en décidant qu'il toucherait bientôt ce point mystérieux de son corps. Une force inconnue le lui ordonnait que rien ne pouvait conjurer. C'était si impérieux, si implacable, que le Petit Garçon se sentait comme investi d'une mission sacrée. Dès lors, il ne pensa plus qu'à cela. Sa timidité le paralysait. Il se mit à guetter la fillette et à la suivre, le matin, jusqu'à l'école. Elle ne s'occupait toujours pas de lui, pire : elle ne remarquait pas sa présence. Le Petit Garçon était un fantôme de petit garçon. Moins qu'une feuille morte ou qu'un papier poussés par le vent, moins qu'une ombre, moins que l'ombre d'une ombre. Il était transparent pour Jeannette. Elle semblait regarder à travers lui comme à travers un pare-brise. Le Petit Garçon pleura beaucoup, le soir dans son lit, pendant cette période. Il venait d'apprendre combien est cruelle l'indifférence, à quel point sa férocité peut nous désespérer, nous ruiner l'âme.

Un jour, n'en pouvant plus, il se confia à un camarade de classe. L'autre, ravi d'avoir un rôle d'entremetteur à jouer, promit de venir le chercher le lendemain et de parler pour lui. Alors le Petit Garçon dormit plus mal encore cette nuit-là, parce qu'il pressentait que le matin serait décisif. Le lendemain, le copain était fidèle à sa promesse, tu penses ! Ils attendirent la sortie de Jeannette, se mirent à la suivre, et juste comme ils parvenaient place de la Glacière, le camarade du Petit Garçon pressa le pas pour la rattraper. Lorsqu'il commença de lui parler, en désignant le Petit Garçon à la fillette qui parut le voir pour la première fois, le Petit Garçon s'enfuit comme un pilleur d'étalages. Il retrouva son messager un peu plus tard, sous le préau de l'école car il s'était mis à pleuvoir. « Pourquoi t'es-tu sauvé ? protesta l'ami, j'ai eu l'air bête et toi aussi. » Puis il ajouta : « De toute façon, t'as aucune chance : elle *est* avec Alexis. »

Et alors, le Petit Garçon, le misérable Petit Garçon, le Petit Garçon en misère d'amour, en tourments de chatte qu'il faut absolument voir et toucher, le Petit Garçon éperdu et perdu au fond du méchant monde, le Petit Garçon, telle une chèvre de M. Seguin, ce vieux con que t'as pas idée, se sentit devenir froid et vide, et blanc comme le sommet de l'Eggli, tiens, regarde comme il brille dans l'azur ! Il avait les dents comme de la craie, des doigts comme des stalactites au bord du toit, et le cœur comme une chose qui ne va plus et qu'il va falloir bientôt remplacer. Il réussit à sourire, à *dire tant pis.* Son ami lui assura

que Jeannette était moche quand on la regardait de près ; mais le
Petit Garçon comprit le pieux mensonge et *dit que tant mieux.*

Le lendemain, il retourna « au » lait lorsque le laitier actionna
sa corne ridicule qui criait réellement « coin-coin » comme sur
les vieilles B.D. de ce temps.

Et Jeannette vint, rougissante, le regardant droit aux yeux
avec un sourire de satanée petite fumelle de bon Dieu de vache !
Le Petit Garçon n'eut plus qu'à la laisser agir. Elle prit
l'initiative, toutes les initiatives : parler, inviter à jouer, tout ça,
sauf qu'elle lutta un peu, un tout petit peu, lorsqu'il lui baissa sa
culotte, la semaine suivante, dans un grand hangar où le père de
Jeannette remisait ses camions. Mais ce qu'elle gardait entre ses
petites cuisses de sauterelle, le matin, en allant au lait, était
vraiment très beau, très féerique et fascinant, et puis doux à
caresser, mais fallait pas trop enfoncer ses doigts, ça la faisait
crier.

Ça méritait toutes les affres endurées par le Petit Garçon,
toutes ses larmes versées, tous les battements désordonnés de
son cœur. C'était une découverte bien plus importante crois-moi
que celle de Christophe Colomb, ou que celle de Fleming, de
Pasteur ; plus importante que celle de la roue, que celle du fer,
plus importante que toute l'œuvre de Shakespeare ; c'était plus
beau que le matin sur la montagne et plus important que le soleil
lorsqu'il va se coucher au fond des eaux de l'océan ; c'était aussi
beau qu'une maman qui donne le sein, beau comme une certaine
idée qu'on pourrait se faire du Paradis quand on a très besoin de
lui. Et malgré Alexis, le sale rival, le Petit Garçon, avec ce bras
fané que Jeannette n'avait pas remarqué, tricheur comme il
l'était, l'ordure ; le Petit Garçon accueillit sa vie, ce jour-là, dans
un vieux hangar qui sentait le charbon et le cambouis, l'accueillit
avec gratitude, comme sa propre mère avait accueilli celle du
Petit Garçon un soir de souffrance d'été, un soir torride de juin
qu'embrasait encore un immense incendie dans le quartier.

Charles ordonne les phrases. En gros ce sera cela. Il se
voudrait plus lyrique encore. Il trimbale une symphonie en lui.
Mais les symphonies s'écrivent avec des notes de musique,
pourra-t-il y parvenir avec des lettres miséreuses au service de
toutes les saletés ?

La *Fräulein* blonde referme ses jambes sur la douce culotte
mauve. Le sortilège se rompt. Charles soupire, décide qu'il ne
l'aime plus et s'enfuit le long du sentier, à travers foin.

Comme il parvient à la voie ferrée, il croit percevoir un
frémissement du rail. Il évoque un film de cow-boy de son
enfance. *Œil de Lynx,* toutes plumes au vent, s'allongeait pour
poser son oreille sur un rail, à l'écoute du *Pacific Express.* Et tu
vas voir combien Dejallieu est sot, ce matin. Ne voilà-t-il pas

qu'il s'étend sur la voie ferrée pour ausculter, lui aussi, cet acier luisant, sans cesse poli par le passage des roues ! Il a toujours rêvé de jouer à l'Indien et de lire les sabots des chevaux sur la terre sèche, ou bien de détecter comme maintenant l'arrivée du train. Le rail conducteur lui apporte une trépidation pas tellement éloignée.

Charles, hypnotisé, ne se relève pas. Il pense à Mélancolia qui doit lamper des gorgées de scotch au chalet, il pense à la culotte au ton pastel, nichée au creux des savoureuses cuisses ; il pense au Petit Garçon qu'il a en naissance et qu'il va falloir mener à bien jour après jour, nuit après nuit, contre vents et détresses, à travers les aigreurs et les soucis quotidiens.

Le rail chante comme une grosse harpe. Il entend la sirène du train bleu sous le tunnel, au loin. Il joue à rester. *Œil de con*, vautré sur la voie ! Le ciel bleu se marque çà et là de légères traînées vaporeuses. Les noirs sapins, que hantent des écureuils roux, composent une espèce de forteresse au-dessus de Gstaad. Parfois, l'hiver, un chevreuil en sort avec des grâces saccadées, comme dans un Walt Disney.

Le grondement du train devient plus présent. Charles sent son oreiller de métal parcouru de longs frissons. Il est bien dans son caban. C'est bon de faire l'imbécile. Il faut apprendre cette sensation de western, puisqu'il est à pied d'œuvre. Il lui suffira de bondir, le plus tard possible. Auparavant, il veut voir le train s'avancer vers lui sur le viaduc rectiligne. Regarder la motrice en face. Défier ce monstre.

Et pourquoi agit-il ainsi, lui qui s'applique à passer sans qu'on le remarque ? Il est tapageur dans ses livres, mais si discret dans la vie, Charles Dejallieu. Bien élevé, urbain. Et tu l'imagines, soudain vautré sur la voie ferrée, guettant la venue du convoi bourré de braves gens en provenance de Spiez et de Zweissimmen ? Grotesque ! Une bavure dans sa vie de bon ton. N'importe : il attend.

Le train jaillit du tunnel en saluant de ses clarines la station étalée sous ses roues. Un vacarme emplit la tête de Charles. Bon, il serait peut-être temps de... Encore un brin d'instant, pour dire, pour voir, pour aller au bout de son propos. Il « mettra ça dans un livre » comme lui disent les bonnes gens.

Le train ralentit. Les freins hurlent. Acier contre acier. Il est presque stoppé à vingt mètres de Charles. Mais il grossit encore, ce mignon tortillard bleu, si folklorique quand on le regarde du chalet *Trafalgar*. Grossit vilainement avec une lenteur exaspérante. Charles a l'impression qu'il gonfle un ballon rouge et que, obèse de son souffle, le ballon lui cache toute vue.

La formidable machine bleue, caparaçonnée de tampons, s'immobilise. Elle vibre de colère, d'impatience et, qui sait ? d'instincts meurtriers mal réprimés. Elle masque le viaduc, les montagnes, les prairies en fleurs. Il n'y a plus que ce tête-à-tête somptueux avec le monstre haletant. Une porte étroite s'ouvre, pareille à l'ouïe dilatée d'un poisson en asphyxie. Un homme vêtu d'un uniforme bleu marine saute sur le ballast. Il pousse des imprécations féroces, en swissdeutsch.

Charles prend peur. La colère de l'employé est telle qu'il redoute des coups de pied. Un contrôleur coiffé d'une gigantesque casquette rouge arrive à son tour, entravé par une sacoche de cuir verni pourvue d'une bride si longue qu'elle lui bat le mollet. Il est gros, sanguin. Il gueule encore plus fort que l'autre. Charles s'est relevé. Il s'excuse, prétend qu'il a glissé. Mais les deux bougres ne l'écoutent pas. « Papirs ! Papirs ! » aboie le contrôleur. Comprenant qu'il doit en passer par là, Charles s'exécute. Le gros épelle son nom, son prénom. Il écrit gauchement dans un gros carnet noir. Charles plaisante.

— On dirait un dessin de Dubout, assure-t-il. Vous connaissez, Dubout ? *Sehr schön : gross Damen.*

On lui rend ses papiers, on lui fait signe de s'écarter. Les deux hommes regrimpent dans le convoi qui ne tarde pas à continuer sa glissade sur Gstaad.

Dejallieu avise alors les deux jouvencelles de tout à l'heure que l'incident a alertées. Elles le considèrent avec crainte, sans bien avoir compris ce qui s'est passé. Elles restent à distance.

— Vous parlez français, *Fräulein ?* leur lance Charles joyeusement.

Elles ne répondent pas. Font demi-tour. Il est seul.

— Salope ! crie Charles à la fille blonde. Et dire que j'allais t'offrir ma vie !

III

Franky Muzard descend la grand-rue au côté d'Aldo Moretti. Franky travaille occasionnellement pour l'Agence Delta. Il écume Gstaad l'hiver et Saint-Trop' l'été. Pendant les intersaisons, il s'attarde sur les lieux de ses exploits photographiques, vivant de l'argent gagné pendant les périodes « hautes ». Dans l'une et l'autre stations, il a loué à l'année un petit logement miteux, mais qui suffit à ses besoins réduits. Il vit d'un rien, de vin principalement, et continue d'user de la pellicule, même quand ces hauts lieux touristiques se sont vidés de leur clientèle célèbre. Alors, il travaille « pour lui ». Passionné de macrophotographie, il réalise des clichés étonnants dont certains ont été reproduits dans des revues spécialisées. Son plus gros succès s'intitulait « Visite d'un morceau de sucre ». Il sait forcer la matière, l'inspecter jusqu'à sa substance secrète. Ainsi, son héros, le morceau de sucre, par la fantasmagorie du grossissement était-il devenu une colossale étendue de cristaux immaculés, plus désertique que les immensités antarctiques.

Franky Muzard est court sur pattes avec une tête disproportionnée par sa coiffure afro. Il a le teint bistre et il louche, ce qui lui vaut les quolibets des autres paparazzi au moment où il braque son Nikon. Il vient de rencontrer Aldo Moretti à la poste où il expédiait des rouleaux de « pelloche ». Aldo Moretti n'est pas italien malgré son nom. Du moins pas en ligne directe. C'est un comédien raté. Bons débuts remarqués au cinéma, et puis deux échecs plus remarqués encore. Le stop net ! Impliqué dans quelques affaires douteuses, il a été inquiété un temps par la Justice, s'en est sorti tant mal que bien et, depuis lors, vit d'expédients, mais prudemment. Franky l'a connu à son époque éclatante. Il lui a consacré un reportage photo dans un hebdomadaire de cinéma et les deux garçons se sont liés d'amitié.

Aldo raconte qu'il vient de débarquer à Gstaad dans le sillage d'une vieille veuve britannique levée à Deauville l'été dernier. « Encore mettable », précise-t-il. Il a une belle gueule de voyou blond fatigué. Ses cheveux s'argentent si délicatement qu'on discerne mal ce qui est blond de ce qui est blanc. Il est beau, mais d'une beauté trouble, à cause du regard trop moelleux où passent de sombres pensées qu'Aldo soustrait à ses interlocuteurs en détournant fréquemment les yeux. Il a le teint pâle et pourrait passer pour scandinave. Sa bouche voluptueuse est souvent tordue par un sourire pas gentil.

Sa « vieille » possède un superbe chalet dans le quartier du *Park Hôtel.* Elle entretient Aldo avec une certaine parcimonie. Bon gîte, bonne table, mais elle *éclaire* en rechignant. Avec ça des exigences que ni son âge ni son physique ne justifient. Moretti avoue qu'il se plume un peu à Gstaad en cette saison. Les boîtes sympas étant bouclées, il se rabat sur le tennis ; mais dis : un jour mesure vingt-quatre heures de long ! Il ne reste que des vieux dans les beaux chalets. Avant juin, c'est la léthargie. Gstaad retrouve sa pureté d'antan, lorsqu'il était un village ignoré. La masse du *Palace,* sorte de gros pachyderme à la renverse, fait songer à quelque burg de la Forêt-Noire qu'on aurait déserté. Les châteaux et les palaces vides sont plus inquiétants que des prisons.

Ils arpentent le trottoir d'un pas nonchalant. Aldo a gardé sa tenue de tennisman. Il a simplement passé une veste de laine blanche à col tricolore. Une serviette en tissu-éponge lui tient lieu de foulard. Il avance en se tapotant la jambe de sa raquette.

Franky dit :

— Sais-tu la différence qu'il y a entre la grand-rue de Gstaad et le canal de Suez ?

Aldo répond que non.

Franky se marre à l'avance.

— Au canal de Suez, il n'y a des Juifs que d'un côté !

Moretti rit pour lui faire plaisir. Intérieurement, il traite Muzard de sale con. Il a la phobie du racisme. Toujours ces vieilles rengaines misérables ! Les hommes n'évolueront donc jamais ! Ils useront la durée de l'espèce à charrier les mêmes préjugés, les mêmes tabous ! Putain, ce qu'il les hait ! Par moments, il en grelotte ! Il voudrait s'installer à un carrefour, avec une mitrailleuse, et tirer sur la foule jusqu'à ce que l'engin devienne incandescent. Ce pied !

— T'as des projets ? s'informe poliment Muzard qui n'ignore pas le bannissement à vie frappant son compagnon.

Jamais plus Moretti ne remettra les pieds dans un studio de cinéma ou de télévision. Pas tellement à cause de ses ennuis, mais parce qu'il porte la cerise.

— Un seul, mais chouette, rétorque Aldo de sa voix métallique.

— On peut savoir ?

— Bien vivre.

Le petit photographe bigleux hoche sa grosse tête-de-loup.

— Beau programme, mais faut pouvoir le réaliser. Ta riche protectrice va te coucher également sur son testament ?

— Penses-tu : elle a une meute d'héritiers en ligne directe accrochés au linceul. Elle ne dilapide pas, elle achète : pas de bite, pas de pâtée. C'est la dure loi du barbiquet.

— Donc, tu es en TTX, chez elle ?

— C'est ma clinique ; j'y passe ma convalescence. On réfléchit mieux dans le calme. Et puis le tennis et la roupille, c'est idéal pour la forme.

Ils voient venir à leur rencontre un homme entre deux âges vêtu d'un caban bleu.

— Je connais ce type, murmure Aldo Moretti.

— C'est Charles Dejallieu, le romancier, répond Franky sur le même ton.

Et il aborde Charles qui fait partie de son « cheptel gstaa-dois ».

— Oh ! monsieur Dejallieu, justement je pensais à vous, ces jours.

Charles lui serre la main et salue Aldo d'un mouvement de tête.

— Vous connaissez peut-être Aldo Moretti, le comédien ? demande Franky.

— Naturellement, assure l'écrivain avec sa gentillesse habituelle. Je crois qu'il fut question de vous lorsqu'on a porté un de mes bouquins à l'écran.

Aldo fait une mimique du genre « il n'en sera jamais plus question ».

Charles, un peu gêné par cette froide humilité, s'adresse à Franky :

— Pourquoi pensiez-vous à moi, petit ?

Car il est familier, Dejallieu. Il a même le tutoiement facile.

Le soleil se voile doucement. Les nuages imperceptibles se font de plus en plus nombreux, de plus en plus pressés et épais. Charles est là, tout mal à l'aise encore de l'incident stupide de la voie ferrée. Il ne comprend plus pourquoi il s'est autorisé cette gaminerie. Il voudrait bien savoir ce qu'elle cache. Ne serait-ce pas une lézarde de sa vie actuelle ? Il regarde distraitement les deux garçons. Il déteste rencontrer des gens. Les gens, il faut s'y préparer ; à l'improviste, ils sont insoutenables, même lorsqu'ils tentent de vous être agréables.

Il ignore que ces deux hommes vont changer sa vie ; il ne le pressent pas, lui qui cependant se croit doté d'un « sixième » sens. Pour l'instant, il s'agit de deux branleurs qui marchent plus ou moins à côté de leurs pompes. Et pourtant, ces minables déferleront sur son destin et le secoueront durement.

Charles se retient de marquer son impatience par un soupir trop appuyé. Il est en compagnie du Petit Garçon. Il pense à lui comme à quelqu'un d'une vie antérieure qui lui apporterait alarme et étonnement.

Le Petit Garçon était déjà un jeune homme et travaillait dans une revue qui lui laissait beaucoup de loisirs. Sa mère tenait une boutique où elle vendait des farces et attrapes. Son père était contremaître dans une lointaine usine de la ville. Il rêvait d'abandonner cet emploi très dur qui le contraignait à se lever tôt et à marcher longtemps dans le froid, jusqu'au terminus du tramway. Le Petit Garçon lui suggéra d'aller vendre les farces sur des marchés. Le papa trouva l'idée intéressante et décida de la tester un samedi. Il fit l'emplette d'une table pliante, et d'un calicot sur lequel on peignit une enseigne volante, en caractères tricolores : « A la Gaîté Française ». Après quoi ils choisirent une ville dont le samedi était jour de marché.

Les deux hommes prirent le train pour Chalon-sur-Saône, un matin d'hiver. La Saône était gelée et la campagne qui la bordait ressemblait à un paysage russe. Ils frissonnaient dans le train mal chauffé.

Une fois sortis de la gare, ils s'enquirent du lieu de marché et coltinèrent leurs grosses valises de carton dans l'aube mordante.

Parvenus sur le terrain de leurs exploits, il leur fallut se mettre à la recherche du placier qui leur délivra un billet et leur désigna un emplacement perdu, très à l'écart du centre névralgique. Ils avaient les poings gourds de froid, blanchis par les poignées des valises. Avec une infinie gaucherie, ils déballèrent leur invraisemblable barda, reconstruisirent la table, y fixèrent le pimpant calicot. Un ciel sinistre réprimait le jour paresseux. Une bise acide soufflait de la Saône. Le calicot produisait ce bruit des haubans contre les mâts dévêtus que l'on entend dans les ports de plaisance : un petit clapotis sec, crispant.

Quand la table fut prête, ils y disposèrent leurs facétieuses marchandises : les capsules de fluide glacial, les tubes de poudre à éternuer, les boîtes contenant les cuillers fondantes, les verres baveurs ou la vessie pétomane ; la sarabande un peu vénitienne des faux nez : les retroussés, les crochus, les busqués, les pointus, les pustuleux, ceux qui sont en forme de groin, ceux qui sont surmontés de grosses lunettes et ceux qui s'accompagnent de pommettes rouges ou de moustaches en crocs, rousses et féroces. Il y avait les boules puantes et les chapeaux de papier, les serpentins, les mirlitons, les sucres au poivre et ceux qui, en fondant, libèrent un cafard de plastique ; toute une misère pour noces et banquets, destinée à provoquer le rire par la farce ou le grotesque.

Ayant terminé de dresser cet éventaire saugrenu dans des remugles de choux ou de poissons, ils s'aperçurent que le jour s'était enfin levé. Le père conseilla à son fils d'aller boire quelque chose de chaud. Ce dernier ne se le fit pas dire deux fois et se mit en quête d'un café, mais leur place se trouvait au bout de tout, et il dut chercher un bon moment avant de troûver le bistrot qui lui servit un Viandox mélangé à du vin très fortement poivré. Un sentiment qui ressemblait au désespoir tenaillait le Petit Garçon. Il éprouvait de la honte d'avoir aiguillé son père sur cette activité foraine si peu faite pour lui.

Il revint le cœur gros à leur pauvre étal. Quand il fut en vue du banc, il s'arrêta, paralysé par une indicible navrance, en apercevant son père coiffé d'un shako de papier, luttant contre la bise de plus en plus forte pour maintenir en place les objets trop légers qu'elle tarabustait. Personne ne s'intéressait à « la Gaîté Française », les chalands ne se souciant, dans la froidure matinale, que d'acheter des denrées comestibles.

Oui, il s'arrêta, le Petit Garçon au bras pendant ; s'arrêta pour pleurer son père vivant, son héroïque père sous un shako pour rire de saint-cyrien à la con. S'arrêta, mort de détresse et d'amour éperdu, s'arrêta, ce Petit Garçon en mal de tout, sachant bien qu'un jour de tôt ou tard, lorsque cet homme de bonne volonté, là-bas, serait allongé roide sur un lit, avec ses belles mains travailleuses croisées sur son ventre, il le reverrait tel qu'il était à cet instant, accroché à ces niaiseries que le vent lui disputait, pâle et glacé, si sérieux et honnête que tu peux le pleurer avec moi si le cœur t'en chante.

Ils firent une recette de sept francs et rentrèrent en silence. Le calicot de « la Gaîté Française » ne fut plus jamais déroulé.

Charles fait un effort pour suivre les explications du petit photographe. Il écoute en pointillé. Capte des bribes à travers ses propres développements. Il a l'habitude de cette gymnastique, Dejallieu. Il est capable de composer mentalement un texte et, simultanément, d'honorer une conversation.

Le bigleux lui explique qu'il compte proposer à son agence un reportage photo sur les « hors saisonniers de Gstaad ».

— J'ai la matière : il y a Mme Kadinski, la veuve du célèbre peintre, il y a Curd Jurgens qui séjourne beaucoup dans son chalet de Grüben, il y a vous, il y a Yehudi Menuhin, il y a...

Charles acquiesce mollement. Ces reportages photos le mettent au supplice. Il préfère recevoir un interviewer avec son foutu magnéto et se laisser voguer sur les contentements berceurs de soi-même ; à raconter sempiternellement une vie toujours pareille mais éternellement neuve pour autrui puisque autrui s'en fout. Tandis qu'un objectif est déconcertant. Il faut se composer des mines : la pire étant de prendre l'air de rien, l'air de ne pas avoir l'air. « Je vous aimerais à votre machine à écrire, monsieur Dejallieu, sans vos lunettes de préférence. Tapez, tapez, ne vous occupez pas de moi ! Vous voulez bien regarder dans l'objectif ? Merci. Et dites, ça vous ennuierait qu'on en fasse une dans votre chambre ? En pyjama, avec madame qui vous apporterait le petit déjeuner ? Vous n'avez pas un chien ?

Ou un chat ? Dommage : les gens aiment. Vous savez ce qui serait sympa ? Vous, au milieu de tous vos livres ! Souriez ! Ce que vous faites sérieux ! On la double ! » Charles préfère une séance chez le dentiste. Il souffre davantage, mais il est moins humiliant, à tout prendre, d'ouvrir grand sa gueule que de jouer la comédie de la désinvolture et du bien-être pour un photographe.

— Alors vous seriez d'accord pour me recevoir la semaine prochaine ?

— Naturellement, vous me téléphonerez la veille ; mon numéro est dans l'annuaire à *Chalet Trafalgar*.

Il se croit quitte et tend déjà la main. Mais Franky Muzard est un morpion avec une tête-de-loup (la brosse à long manche).

— Je crois que vous avez une fille, non ?

Charles marque une infime hésitation, car Dora n'est pas sa fille, mais celle de Mélancolia. Seulement qui peut s'intéresser à la nuance ?

— En effet, pourquoi ?

— Elle est en pension, ici ?

— Vous en savez des choses !

Le bigleux a un sourire niais de contentement. La suffisance des humbles, pour ridicule qu'elle soit, attendrit toujours Dejallieu.

— Vous la prenez pour le week-end, je suppose ?

— Ainsi que le jeudi, oui.

— J'aimerais que vous soyez réunis tous les trois pour mon reportage. Ça ferait plus famille, comprenez-vous ?

— O.K., dit Charles gravement, à défaut du chienchien, je vous aurai la fifille.

Il presse les mains des deux compères.

Ouf ! S'engouffre chez Cadonneau pour y acheter des journaux. La boutique est agréable, on y trouve de tout, y compris une odeur d'autrefois. C'est là que le romancier achète ses fournitures. Il aime accumuler le papier pour machine, les boîtes de carbones, les stylos bille à encre violette qui se tarissent dans ses tiroirs avant qu'il les ait utilisés. Une maniaquerie d'homme par ailleurs imprévoyant pour qui les dépenses sont une forme d'économie.

Franky et Aldo reprennent leur déambulation dans la grand-rue. Moretti remarque :

— Je le trouve curieux, ton type. Il semblait être ailleurs pendant que tu lui parlais.

— Les romanciers sont toujours ailleurs, dit Franky, sinon ils n'écriraient pas.

— Ça flambe dur pour lui, non ? Il doit être bourré d'osier !

— Tu parles : une journée de ses droits d'auteur me suffirait pour vivre un mois. En tout cas, il n'a pas la grosse tronche.

Aldo hausse les épaules.

— Ou alors, il l'a énorme, fait-il doctement, moi je me méfie de la modestie ; c'est le train qui en cache un autre.

*
* *

Elle se raconte toujours la même scène en se caressant car, dans son subconscient, elle est restée le comble de l'érotisme.

Cela remonte à son adolescence. Sa mère l'avait reprise à tante Martha au bout de quelques mois. Peggy Flynt vivait avec un médecin de Boston, un vieux type corpulent et mal tenu dont les blouses blanches ne parvenaient pas à masquer le débraillé. Il occupait une maison très ancienne, qui commençait à devenir lépreuse, à la lisière du quartier résidentiel. Peggy régnait sur l'univers du docteur Sullivan comme une perruche jacassante pourrait régner dans une cage occupée par un hibou. Elle régentait la maison avec une capricieuse autorité de fillette trop gâtée. C'était une femme futile, donc peu intelligente, jolie certes, mais sa beauté n'intéressait pas les hommes d'esprit. Elle rêvait de se faire épouser par le médecin, afin d'accéder, espérait-elle, à la gentry de cette ville puritaine. Mais Sullivan lui opposait une résolution farouche.

Cet homme bizarre avait décidé de ne jamais se marier et ce n'était pas à l'orée de la cinquantaine qu'il allait flancher. Il subissait les caprices de Peggy avec l'indulgence patiente d'un père ; quand elle dépassait les bornes, il se retirait dans son cabinet de consultations dont il claquait fortement la porte pour lui signifier sa mauvaise humeur. Il accueillit Mélancolia sans plaisir ni hostilité, comme on subit une présence que la bonne règle ne vous permet pas de refuser. D'ailleurs, la petite fille tenait peu de place et sa docilité de chien battu lui méritait l'estime de son entourage. Outre Peggy et Sullivan, deux autres femmes vivaient dans la maison : Jennifer, son assistante, une fille sans grâce, à la peau désagréable, marbrée de grandes plaques rosâtres congénitales, et miss Molly, la cuisinière, une Noire plantureuse au sourire en tranche de pastèque. Cette dernière était jeune sous son embonpoint et fumait à longueur de journée des cigarillos noirâtres qui lui faisaient des dents de cheval malade. Elle regardait Peggy d'une certaine manière appuyée lorsque celle-ci la houspillait, et la mère de Mélancolia finissait vite par perdre pied. Peggy se prenait au jeu de la bourgeoise, donnait des thés auxquels seules venaient des femmes vulgaires du quartier : commerçantes endimanchées, patronnes de bar qu'elle avait connues pendant une période assez obscure de sa vie, shampouineuses délurées rencontrées à l'institut de beauté, voire même vendeuses des grands magasins auxquels Peggy accordait sa pratique.

Mélancolia apprit très vite l'anglais à l'école du quartier.

Malgré qu'elle fût terriblement en retard dans ses études, elle s'y montra bonne élève et se hissa rapidement à un niveau honorable.

Quelques années s'écoulèrent dans une ambiance bizarre. Les criailleries continuelles de sa mère, tempérées par les lourds silences du docteur, la maison fatiguée aux meubles anciens trop lourds, la clientèle miteuse qui encombrait le rez-de-chaussée, créaient un climat à la fois sinistre et sédatif. Il semblait qu'entre ces murs épais, mais qui connaissaient probablement leur ultime décade, l'existence possédât une densité particulière. Rien n'avait de réelle importance, pas plus la maladie de ceux qui venaient s'allonger sur la table d'auscultation que la santé des habitants de la maison. La journée qu'on y vivait n'en préparait pas d'autres.

Peggy sortait fréquemment pour, assurait-elle, se rendre à des thés huppés. Sullivan ne lui demandait pas d'autres explications. Le comportement de sa compagne le laissait indifférent. Il menait une vie de travail, un peu pesante et désenchantée, et rien ne paraissait l'intéresser vraiment.

Mélancolia le craignait sans parvenir à l'aimer. Il faisait montre à son endroit d'une telle indifférence que la chose en devenait un peu inhumaine. Elle l'observait à la dérobée, sans jamais surprendre chez lui le moindre élan bienveillant. Lorsqu'elle commença à grandir et à s'ouvrir aux vérités de la vie, elle se demanda comment sa mère pouvait s'abandonner dans les bras d'un tel être.

Le dimanche après-midi, Peggy quittait la maison au volant d'une grosse Ford ravagée que Sullivan refusait de changer malgré les sarcasmes de sa compagne. Elle s'obstinait à piloter ce gros véhicule démodé, mais il était clair qu'elle ne saurait jamais conduire. Chaque fois que sa fille la regardait s'éloigner, elle se demandait si sa perruche ébouriffée atteindrait le coin de leur rue. Cependant, contre toute crainte, Peggy n'eut jamais le moindre accrochage. Sa mère partie, Mélancolia s'enfermait dans sa chambre, tout en haut de la maison. Cette pièce était contiguë à celle qu'occupait miss Molly, la cuisinière. L'adolescente lisait des romans ou potassait ses leçons, ou bien encore elle procédait à des rangements minutieux car elle tenait de ses origines flamandes un goût maniaque de l'ordre.

Un après-midi, elle entreprit de tapisser un placard mural aux dimensions de garde-robe. Elle avait acheté du papier à fleurs et de la colle spéciale pour cela. Elle débarrassa le placard de tout ce qu'il contenait comme bric-à-brac, car on avait laissé sur les rayons supérieurs une quantité de choses inutiles, de celles qu'on accumule au fil des années sans se décider à les jeter parce qu'on leur estime encore une certaine valeur marchande.

Lorsque l'armoire fut vide, Mélancolia eut la surprise de découvrir une lézarde lumineuse dans le fond. Elle examina cette crevasse de plus près et constata qu'elle permettait de voir dans la chambre de miss Molly.

Si Mélancolia y risqua un œil, ce fut moins par sotte curiosité que pour apprécier l'importance de la fissure. Elle découvrit alors un spectacle qui allait marquer sa vie sexuelle. Il était à ce point incroyable qu'elle mit du temps à réaliser la chose. Le docteur Sullivan et miss Molly se tenaient assis l'un en face de l'autre, dans une posture de serre-livres, et se masturbaient. Ils s'activaient lentement sur leurs sexes respectifs avec des airs préoccupés qui ne laissaient pas deviner la moindre jouissance.

C'était une scène barbare (le mot lui vint par la suite) que ces deux massives personnes silencieuses, presque impassibles, à l'expression désenchantée, qui se branlaient, mornement. Le gros homme blanc et la grosse femme noire, le maître et la servante, assis face à face avec des yeux lourds, des paupières harassées, des mouvements de nageurs épuisés ; si rejetés sur la grève d'un plaisir pénible, si étrangement complices dans cette détresse d'onanismes rapprochés que Mélancolia en fut effrayée. Par quels tortueux chemins d'abandons en étaient-ils arrivés à ce tête-à-tête sauvage ? Quels fantasmes avaient conduit le docteur jusqu'à la chambre de sa cuisinière ? Un accouplement eût été plus normal, mais cet assouvissement patient, cette longue honte résignée faisaient peur.

Sullivan avait baissé son pantalon jusqu'à ses genoux et malmenait son gros sexe arqué, par lentes et miséreuses saccades. Miss Molly se tenait cambrée, presque offerte, ses grosses fesses sombres sur le bord du siège, cuisses ouvertes, sa main maladroite fourrageant dans son entrejambe rose, bleuté aussi, tapissé d'une épaisse toison noire bien plus crépue que sa chevelure.

Cette vision avait traumatisé Mélancolia au point que, ne pouvant la supporter davantage, elle s'était mise à cogner du poing contre la cloison en hurlant :

— Non ! Non ! Non ! Arrêtez !

Puis elle était allée se jeter à plat ventre sur son lit, folle de peur et d'excitation.

Quelques instants plus tard, Sullivan était entré dans sa chambre.

— C'est vous qui menez ce tapage, Mélancolia ?

— Laissez-moi ! Laissez-moi ! Allez-vous-en, bougre de vieux salaud !

Le médecin avait regardé le fourbi amoncelé sur le plancher, le placard béant, le rai de lumière, et il avait compris.

— Ma chère, avait-il murmuré, l'existence est une chose bien tourmentante. Lorsque vous serez devenue une jolie petite putain comme votre maman, vous découvrirez à quel point nous sommes esclaves de nos sens.

Puis il s'était retiré, et jamais ni l'un ni l'autre, pas plus que miss Molly d'ailleurs, n'avaient risqué la moindre allusion sur l'incident. Une louche complicité les ligotait tous les trois comme si Mélancolia était entrée dans leur triste ronde.

Sullivan ne changea rien à ses habitudes. Il continua de monter chez miss Molly, le dimanche tantôt, et les deux personnages reprirent leurs positions, on eût dit qu'ils donnaient un spectacle, dont le moindre de leurs gestes semblait bien réglé. En vérité, ils avaient un spectateur désormais. Blottie dans son placard-antre, l'adolescente les regardait, fascinée, chavirant de plaisir et de honte lorsque Sullivan parvenait à ses fins et qu'il se libérait sur le plancher, le visage toujours aussi grave et attentif. Seule, miss Molly, quand elle atteignait l'orgasme, fermait les yeux et poussait une courte plainte. Le docteur n'ignorait pas que Mélancolia les regardait, la preuve c'est qu'une fois rajusté, il adressait au placard un étrange sourire narquois et résigné, presque un clin d'œil.

Mélancolia venait d'atteindre sa seizième année lorsque sa mère quitta la maison avec armes et bagages, un après-midi, tandis que Sullivan faisait ses visites, que la jeune fille était à ses cours, que l'assistante à peau de goret classait des fiches et que miss Molly préparait des *apple pies* dans sa cuisine. Elle emporta toutes ses toilettes, tous ses bijoux et une quantité d'objets encombrants que Sullivan lui avait offerts pendant leur liaison. Elle emmena tout, sauf sa fille à laquelle elle écrivit un mot bref, qui se voulait tendre mais qui n'était que gauche et cruel. Elle lui expliquait que ce porc de Sullivan était décidément invivable et qu'elle allait profiter de ce qu'elle était encore jeune et belle pour refaire sa vie (une fois de plus) avec « un garçon très bien ».

Elle écrivit un poulet de ce genre au médecin qui ne montra ni colère ni chagrin, tout juste un certain soulagement. Il toucha un mot de cette rupture à Mélancolia, entre deux portes :

« — Votre jolie garce de mère nous a abandonnés, ma chère. Demeurez ici jusqu'à la fin de la saison scolaire et si aux vacances elle ne vous a pas récupérée, nous aviserons. »

La vie continua, toute pareille à ce qu'elle était avant, sauf que l'on n'entendait plus jacasser la perruche et qu'elle ne faisait plus trembler les lustres en tapant du pied aux étages.

Mélancolia n'éprouvait pour sa mère qu'une très obscure compassion. Bien qu'elle fût elle-même presque encore une enfant, elle n'était pas loin de considérer Peggy comme une sorte de gamine terrible dont on pouvait tout craindre.

Une phrase de sa lettre d'adieu la préoccupait. Sa frivole maman écrivait que « ce porc de Sullivan était décidément invivable ». Ce porc de Sullivan ! L'idée lui vint alors que le gros type avait peut-être contraint sa mère à pratiquer avec lui ce vice écœurant auquel il avait su plier miss Molly. Elle imaginait Peggy dans la posture de la grosse Noire, face à son compagnon débraillé, et des nausées lui venaient. Elle aurait voulu trucider le gros médecin, larder son horrible sexe de coups de couteau ; et pourtant cette sulfureuse vision de Sullivan et de sa cuisinière lui mettait le cerveau et le ventre en feu. De son placard, elle les accompagnait silencieusement. Jamais elle ne révéla cette chose ignoble à quiconque. C'était plus qu'un secret : la clé d'un indicible abandon ; il lui suffirait désormais d'évoquer ces deux êtres pour « traverser le miroir » et accéder à la volupté totale. Jamais un homme ne la prit sans qu'elle pensât à ce couple au moment suprême. Il restait en filigrane de l'amour le plus intense qu'elle pouvait ressentir et donner, comme un maléfice irréversible, un sceau maudit dont son subconscient était définitivement marqué.

Quand l'année scolaire s'acheva, elle n'avait reçu de sa mère qu'une carte postale des Caraïbes : *I kiss you. Peggy F.* Alors, comme il l'avait annoncé, Sullivan prévint Mélancolia qu'il était mieux qu'elle s'en aille. Il lui proposait d'aller à Paris. Sa sœur y avait un poste à l'ambassade U.S. Elle était d'accord pour s'occuper d'elle. Il suggérait que, vu son absence de toute fortune, Mélancolia apprît un métier plutôt que de poursuivre des études aléatoires. Elle accepta. Son miroir lui promettait qu'elle serait jolie avant longtemps. Elle connaissait suffisamment la vie, déjà, pour comprendre qu'il s'agissait là du meilleur capital, sinon du plus durable.

Un coup de sonnette traverse la quiétude ouatée du chalet. Mélancolia émet une plainte de déception physique car elle sent le plaisir arriver du fond de l'infini, comme une marée paisible. Elle reste un instant immobile, dans une position en chien de fusil, les yeux clos sur la chambre minable de miss Molly, hypnotisée par l'instant d'épouvante où le docteur s'abandonnait avec une surprenante abondance qui déclenchait sa complice.
Elle remue sans grâce, alourdie par l'imminence d'un enchantement quasi douloureux.
Quand elle s'est récupérée, elle va ouvrir et se trouve en présence du livreur de l'épicerie, un petit Italien futé.
— Vos deux bouteilles de whisky, madame.
Il tend un sac de plastique d'où émergent deux goulots dorés.
— Un instant, murmure Mélancolia, je vais vous les régler.
— Pas la peine, madame, on les mettra sur votre compte.
— Non, non ! fait vivement Mme Dejallieu, c'est... c'est à part.
Le livreur a tout compris, aussi est-ce par jeu méchant qu'il insiste :
— Mais non, elles sont déjà inscrites, je vous assure.
Alors Mélancolia fait ses yeux intenses. Son regard bleu devient presque noir lorsqu'elle est mécontente :

— Eh bien ! vous les tracerez !

Elle use d'expressions typiquement helvétiques, par plaisir. Ainsi du verbe tracer qui ici signifie « rayer ».

Elle fouille dans le sac où la note verte indique le prix à payer et va chercher de l'argent. Elle gratifie le livreur d'une « bonne main » confortable.

— Merci, madame, c'est gentil. Je rectifierai votre compte, promet le petit Italien frisotté avec un sourire enjôleur.

Un sourire de mâle, se dit Mélancolia. Il la voit nue sous le peignoir et te l'emplâtrerait de première, l'apôtre. Il lui arrive de piner des clientes, au cours de ses livraisons, notamment une Hollandaise mûrissante, dont l'époux est paralysé et qu'il carambole sur la table de sa cuisine, en deux coups les gros, vite fait bien fait, ça ne mange pas de pain.

Lorsqu'il est parti, Mélancolia emporte les bouteilles dans sa cache habituelle qui est la chasse d'eau de la salle de bains réservée aux amis. Puis elle se rend au salon et s'empare de la bouteille de Teacher's Royal Highland. Elle observe le niveau du liquide. Cet idiot de Charles a dû prendre le repère : au ras de l'étiquette ! Elle en boit une gorgée, une seule. Le liquide a baissé d'un demi-centimètre. Ainsi, son mari sera satisfait. Il pensera qu'elle aura été raisonnable ce matin. Rien de plus facile à berner qu'un homme. Les bonshommes sont trop égoïstes pour être malins. Ils ont besoin que les femmes se montrent salopes et maternelles, un point c'est tout. Ils ne sont en manque que de putains et de mamans ; jamais ils ne se comportent en père avec leur femme, même quand ils sont beaucoup plus âgés qu'elle. Mélancolia pense que c'est dommage.

Avant de tomber comme un con de cette verrière, son père n'était pas un vrai père et la considérait comme sa petite maman.

Et voilà que Dora non plus n'a pas de vrai père. Charles la déteste comme on déteste l'écharde plantée dans sa chair.

Et tu voudrais espérer, toi ?
Tiens, elle va aller en déboucher une !

IV

Charles décide d'aller boire un verre à l'*Olden*. Il adore cet établissement qui est l'âme de Gstaad. Tout à la fois hôtel, restaurant, bistrot et cabaret, l'*Olden* a réussi le tour de force d'avoir simultanément pour clients le top niveau du Gotha mondial et les paysans du cru. Simplement on ne les y mélange pas.

Donnant sur la grand-rue, il y a la Chope des autochtones, avec une entrée privée qui évite aux montagnards en bonnet de laine de se heurter au « beau monde ». L'endroit est pittoresque, coloré, bruyant ; il sent la bière et le bois verni. On n'y parle que le suisse allemand et les cigares qu'on y fume ne sortent pas de chez Davidoff.

Quand un étranger s'y fourvoie, un silence l'accueille. On ne le regarde pas : on l'observe. Il faut un certain temps pour que le brouhaha se remette en marche. Charles a l'impression de se trouver dans une contrée pour contes de Grimm ; il se sent protégé par ces gens paisibles qui tirent sur leurs pipes tarabiscotées ou leurs gros cigares bon marché avec des béatitudes de fumeurs d'opium. Il les appelle « sa garde suisse ». Se doutent-ils, ces trayeurs de vaches, qu'ils accordent un instant de paix à un homme tourmenté, rongé par ses pensées, à l'écoute de ses sentiments et qui, sans relâche, sollicite son imagination ? Parfois, Charles déclare à sa femme, au sortir d'une épuisante méditation : « Il fera bon être mort, ainsi ma tête refroidira enfin. »

Il pousse la porte de la Chope. Le silence lui tombe dessus comme le cône plombé d'un épervier sur l'eau sombre. D'un regard circulaire, il constate que le café est bondé. A la rigueur, il pourrait solliciter un bout de table qui ne lui serait pas refusé, mais il gênerait. Il feint de chercher quelqu'un et de ne pas le trouver, se retire pour gagner le bar chic, dans le renfoncement de la salle de restaurant. La barmaid est occupée à ranger son matériel. C'est une grande fille qui s'efforce de ressembler à une pin-up de magazine, avec des joues bien remplies et un regard de poupée. Elle parle mal le français.

Charles commande une coupe de champagne. Se juche sur un haut tabouret, à l'extrémité du comptoir. Il lit les titres des journaux. *Minute* annonce, en caractères d'affiche, que « le président Pompidou est frappé d'un mal mystérieux qui inquiète son entourage ». Charles se dit que ce doit être vrai, qu'il n'y a pas de fumée sans feu, tout ça... Il ressent une tristesse floue parce que Pompidou lui est sympathique, à cause de deux ou trois confidences que le président a faites dans une interview. Charles ne s'intéresse plus à la politique depuis qu'il a compris qu'il ne pourrait jamais suivre une ligne de pensée continue, tout programme apportant selon lui du bon et du mauvais. Sa conviction intime se résume à un seul mot : liberté. Quant au reste, c'est l'affaire des professionnels.

Il abandonne l'hebdomadaire à sensation pour se pencher sur « le Petit Garçon ». Un livre mobilise presque totalement celui qui le cogite et l'écrit. Charles existe toujours à travers une histoire qu'il crée, au point que la sienne propre passe au second plan. L'imaginaire est un pays. Dejallieu s'y est fait naturaliser. Ses personnages sont enroulés autour de lui, tel le lierre parasite autour de l'arbre qu'il paralyse lentement. Et ce sera ainsi jusqu'à sa fin, aucune retraite n'étant envisageable. S'il n'écrivait plus, il tomberait.

— Un peu de framboise dedans ? questionne la barmaid.

Charles acquiesce. Il aime le doux. Le salé aussi. Les deux pôles du goût, en somme.

Et quoi donc, le Petit Garçon ?

C'était pendant le Front Populaire... Charles avait quel âge en ce temps-là ? Cinq ou six ans. Mais cela n'a aucune importance, il ne s'agit pas de ses souvenirs à lui. Ce qu'il raconte, c'est une vie pareille à une bulle de savon. L'histoire d'un enfant pas comme les autres. Donc, condamné par les lois de l'espèce. Toléré par la société, mais inapte à l'affronter. Tu crois que le public sentira ça ? N'est-ce pas chiant à décortiquer un machin de ce genre ?

C'était pendant le Front Populaire... Le père du Petit Garçon travaillait en usine. Tiens, Charles en est au père. Il ne veut pas de suite chronologique mais une progression par scènes brèves dans le destin du Petit Garçon ; sans ordre établi. Les pièces d'un puzzle. Ce sera au lecteur de construire. Un livre en vrac, tu comprends ? Il fournit la matière première, Dejallieu. Merci bien, c'est suffisant.

Une grève. Le père du petit garçon, fils d'une bonne famille partie en digue-digue, avait conservé des idées plutôt conservatrices. Les Croix-de-Feu étaient démangeants. Il n'osait prétendre qu'ils lui étaient sympathiques, mais tu sais que ce colonel de La Rocque, après tout, est un patriote. Donc, une grève... Un chantier urgent... Le père du Petit Garçon continuait d'aller y travailler en douce. Le soir, quand il rentrait et qu'il avait longuement lavé ses mains aux ongles carrés et gondolés, il allait chercher un carton à chaussures contenant sa merveille en cours : un poste à galène qu'il construisait minutieusement dans une boîte de Voltigeurs que son buraliste avait bien voulu lui donner. Le Petit Garçon était fasciné par la patience de son père, homme de tempérament emporté. Il le regardait tortiller de menus fils de cuivre, visser des condensateurs avec des gestes d'horloger, lui qui façonnait des tuyaux et des grandes plaques de métal. Le papa avait un petit tic lorsqu'il était tendu ; ça lui restait de la guerre de 14, du jour où il avait été enseveli vivant par un obus ; il esquissait un très léger mouvement de négation, plusieurs fois répété et ponctué d'un petit bruit nasal : hhhmmm, hhhmm ! Tic qui devait disparaître après bien des années ; malgré que la Quatorze-dix-huit ne fût jamais terminée pour lui. Croix de guerre, trois citations. *Brancardier d'un courage exemplaire, s'est porté au secours d'un camarade blessé sous le feu des mitrailleuses ennemies...*

Le Petit Garçon contemplait le tube de verre contenant le sulfure de plomb, d'un gris scintillant de poisson mort. La magique galène ! Un jour, le poste serait achevé. Coiffé d'écouteurs, le père passerait des heures à déplacer le petit curseur sur le morceau de minéral, à faire la pêche aux stations émettrices, captant çà et là une bribe de musique ou un lambeau de voix avec des grognements de triomphe.

Et donc, un soir de grève, le père rentra fort tard. Quand ils le virent sur le seuil de la cuisine, sa femme et son fils poussèrent des cris d'horreur, car le pauvre homme était en sang. Il avait les lèvres éclatées, les oreilles violettes, les pommettes fendues. Une manche de sa veste, arrachée, pendait dans le pli du bras comme la serviette d'un garçon de café. Il se comprimait les côtes d'une main et son regard mort ressemblait à deux morceaux de galène.

La mère questionnait en pleurant :

— Un accident ?

Il secouait sa tête dévastée. Non, non. Et puis il raconta qu'en sortant du chantier, des gars du piquet de grève qui l'attendaient l'avaient fait monter dans une voiture et conduit à la Bourse du Travail. Une fois dans un bureau, on l'avait traité de « jaune » ; il s'était rebiffé. On l'avait houspillé, il s'était défendu. L'entrevue avait dégénéré en passage à tabac sévère dont sa figure portait témoignage.

La mère le pansa de son mieux, en lui disant qu'il devait faire examiner ses blessures par un médecin et puis porter plainte. Mais le père dit que non, et qu'il avait peut-être eu tort d'aller à contre-courant en croyant être libre de travailler, que le progrès social devait fatalement entraîner une privation de liberté. Il

avait tout compris pendant qu'on le tabassait. A chacun des
coups reçus qui le démantelaient, il admettait que l'homme doit
s'effacer pour le bien du plus grand nombre. Et quand il eut
expliqué cela, avec une apparente conviction, il éclata en
sanglots et avoua qu'il avait honte de ses tourmenteurs, honte de
lui, honte d'exister.

— Tu as l'air bien songeur, fait une voix ; tu es dans un
nouveau livre ?

Charles s'arrache. Il découvre Heidi, près de son tabouret.
C'est la « patronne » de l'*Olden*. Il l'apprécie beaucoup car elle
est artiste, avec comme lui un regard sans cesse tourné vers
l'intérieur. Heidi fait de la bonne peinture d'inspiration folklorique, elle est aussi chanteuse et musicienne. Sous une infinie
douceur se cache une nature déterminée. Les premiers perce-
neige la font s'extasier sur son pays. Elle a, dans son album
personnel, des photos de souverains travestis en clowns, prises
au cabaret, et elle est capable de soutenir une conversation en
quatre ou cinq langues sans se départir de son ton uni.

Son regard clair étudie Charles. Elle fait partie de ce que
Charles appelle « les frémissants ». Ceux-là ont une certaine
façon de renifler les gens et de savoir très vite « où ils en sont ».

— Tu ne crois pas si bien dire, admet Dejallieu ; j'en démarre
un.

— Ce sera quoi ?

Il soupire :

— Ce sera une chose difficile à faire, qui empoisonnera et
exaltera ma vie pendant six mois, qu'on tirera à quelques milliers
d'exemplaires, à laquelle on consacrera quelques papiers ou
émissions diverses et que l'on oubliera. Le fumier littéraire, tu
sais ce que c'est, Heidi ? Ce sont les livres d'hier ! Des feuilles
d'arbre, ma bonne : il en pousse et elles tombent et il en
repousse encore. Il faut être fou pour faire le métier d'arbre.

— Il en reste, objecte Heidi, ne serait-ce que les classiques.

— Il ne subsiste qu'eux. Dans l'île de la Cité, il reste depuis
plus de huit cents ans Notre-Dame, combien de maisons ont
poussé puis ont été démolies dans son ombre ? C'est chiant
d'être une bicoque auprès de Notre-Dame. Tes classiques, c'est
Notre-Dame. Chez eux on prie ; chez moi on baise ou on mange
des frites. J'en ai marre de vendre des frites, Heidi, marre de
changer des draps souillés. C'est dur de vivre sa postérité ; de la
fabriquer jour après jour en sachant parfaitement qu'elle mourra
en même temps que soi.

Heidi ne s'émeut pas.

— Ta littérature t'enrichit et tu voudrais qu'elle te vaille une
statue ! Tu en demandes beaucoup !

Il se détend.

— Tu as raison. Qu'est-ce que je t'offre ?

— Un café.

Charles rentre la tête dans les épaules.

— Je me demande si je suis réellement malheureux ou si je fais semblant de l'être, soupire-t-il.

— Où est la différence ? demande Heidi.

*
* *

Ils gravissent souplement l'escalier extérieur dont les degrés de bois geignent sous leur poids. Franky ouvre la porte vitrée qui produit un bruit de casseroles secouées, car le mastic est parti et les carreaux ne tiennent plus que par les petits clous rouillés. L'appartement du photographe est situé au-dessus d'une ancienne étable désaffectée qui sent encore le fumier de vache. Il se compose de deux minuscules pièces. La première n'a pas d'autre éclairage que celui de la porte vitrée, la seconde comprend seulement une lucarne parcimonieuse. L'ensemble est propre, très bas de plafond, avec un sol revêtu d'un lino beige veiné. Le mobilier est hétéroclite, fait de rebuts puisés dans des greniers. La partie du fond comprend un lit de grand-mère, une commode sans pieds et un fauteuil de velours usé jusqu'à la trame.

— Mon « hhhome ! » plaisante Franky.

— Sympa, murmure Aldo pour dire quelque chose de civil.

Le logement se trouve dans une clairière, non loin de la Saarine. On entend chanter une cascade.

— C'est un pelou du coin qui me loue ce manoir, il m'a fait jurer que je n'y foutrai jamais le feu, poursuit le bigleux. Si un de ces jours tu fais du contrecarre à la Grande Albion et que tu aies une petite frangine à calcer, t'as qu'à l'amener ici. C'est pas le palace, mais le côté champêtre plaît aux dames. Tu viens quand tu veux ; si j'y suis, je m'en vais, si je n'y suis pas, la clé est accrochée au dernier balustre.

— Je ne dis pas non, répond Moretti, intéressé.

D'emblée, l'endroit le botte. Il le reconnaît. Son instinct l'avertit *que ce sera là !* Il s'était promis de ne pas le chercher, mais d'attendre que le hasard décide. Un pressentiment l'avait renseigné, à présent, il se sent à pied d'œuvre.

— Qu'est-ce que je t'offre, Aldo ? Je n'ai que du vin.

— Je boirais bien un coup de rouge, répond Aldo.

— Je suis très vinasse, confesse Franky. Tiens, on va craquer une bouteille de pinot noir.

— Volontiers : ça s'arrose, murmure Moretti.

Muzard croit qu'il parle de leur rencontre. En réalité, Aldo va lever son verre à la docilité du sort. Après avoir disputé deux sets acharnés contre Emil, le moniteur de tennis de la station, voilà que lui est offert en bloc ce qu'il escomptait trouver séparément. Une jubilation acide le fait frémir.

Il regarde par la porte vitrée les alentours de cette étable perdue. On voit le pied de l'Eggli avec ses sapins pressés comme une armée dense, des prairies en folie de printemps, le rideau d'arbres bordant la rivière très au-delà de laquelle passe la route conduisant aux Diablerets.

Un bruit de bouchon, semblable à une détonation pour rire. Le vin glougloute dans des verres à moutarde peinturlurés, à la propreté douteuse. Un beau vin clair et ambré.

— A la tienne, Aldo ! Je suis content de t'avoir retrouvé.

— Moins que moi, assure Moretti.

Son ton est si pénétré que Franky ressent un plaisir empreint de confusion. Il ne se savait pas apprécié à ce point d'Aldo qu'il a toujours jugé froid et tranchant, peu porté sur la communication.

— Et à part ta vieille Anglaise, c'est comment, la vie ? questionne-t-il après la première gorgée.

— Plutôt merdique, avoue Moretti. Ma mère est dans un hospice : elle a perdu la tête. Il ne s'agit pas de folie, mais de naufrage dans l'enfance, et pourtant elle n'a que soixante-cinq ans.

— Ton père ?

— Lachaise.

— Quoi, la chaise ?

— Mon père est au Père-Lachaise, précise Aldo, agacé par l'inefficacité de sa mauvaise plaisanterie. Ça fait vingt ans, peut-être plus ; il y a des morts qui s'éloignent de vous à tire-d'ailes, et d'autres qu'on pleure à l'avance. Quel âge me donnes-tu ?

— Trente-deux, trente-quatre ? propose sincèrement Franky.

— Bientôt quarante. La vie des ratés galope comme une folle.

— Ne sois pas si amer : tu es encore jeune et plus beau gosse que jamais.

— Les oisifs sont souvent beaux gosses et l'on est toujours amer quand on a conscience que l'on ne représente rien. Tu es content de toi, toi ?

Pris au dépourvu, Franky Muzard a un sourire benêt.

— Tu sais, je suis un type sans ambitions. La photo m'intéresse. Du pinard, une gonzesse de temps en temps pour me rassurer...

— Et après ?

— Y a pas d'après, convient Muzard.

— Et pourquoi ne nous en fabriquerions-nous pas un ? Oh ! putain, c'est dur à prononcer, mais ma vieille m'a fait jurer que j'aurais toujours un langage châtié. Elle était institutrice.

— Un quoi ? insiste le bigleux.

— Un après, autrement dit un avenir ? La sécurité n'est pas sociale, mon petit vieux. Elle est une et indivisible comme devrait l'être la république. Chacun se forge la sienne. Mais il y faut des couilles ! Suppose que tu palpes un million, Franky. Qu'est-ce que tu ferais ?

— Un million de quoi ? demande le photographe.

— Un million de francs, mais des vrais : des suisses. Hein, suppose ?

— C'est une question que je ne me suis jamais posée.

— Eh bien, je te la pose ?

Le bigleux fourrage dans sa chevelure extravagante.

Cela produit un bruit de paille remuée, même quand il a retiré le râteau de sa main, ça continue de bouillonner comme un comprimé effervescent dans l'eau.

— Je crois que j'achèterais un magasin de photographe sur la Côte d'Azur, je créerais un style nouveau, vachement moderne. Pas du tout le côté « regardez par ici, le petit oiseau qui va sortir », mais de la photo prise en mouvement, en situation, à l'improviste. Au zoom, la plupart du temps. La dame en robe de chambre qui arrose ses fleurs sur son balcon, le yachtman qui joue les corsaires à son gouvernail. Ensuite je tirerais une belle épreuve et j'irais la montrer à l'intéressé. Il ne résisterait pas, tu mords ?

— Très bien. Donc, tu saurais employer intelligemment un million de francs suisses ?

Muzard éclate de rire.

— Donne-le-moi, tu verras !

Mais Aldo ne sourit pas.

— Si tu me fais confiance, il est possible que je te les remette avant longtemps.

Franky le regarde et sa gorge se sèche en voyant l'expression farouche de son copain.

— Tu me fais peur, balbutie-t-il.

— Ça commence mal, soupire Aldo ; si ton slip est vide, je garde mon million !

*
* *

Mélancolia est au téléphone quand Charles revient au chalet. Il accroche son caban à la patère du couloir et écoute la communication. Il comprend tout de suite qu'il s'agit d'un coup de fil professionnel : un journaliste qui demande un rendez-vous. Mélancolia se fait évasive. Son mari vient de commencer un nouveau livre et il entre en loge. Il vaudrait mieux rappeler plus tard, le mois prochain par exemple. Mais l'interlocuteur est tenace. La télé programme dans quinze jours un film tiré d'un de ses bouquins et l'on aimerait savoir ce que Dejallieu pense de l'adaptation. Le journal voudrait consacrer un long papier à ce problème de l'auteur « porté » (Charles dit « déporté ») à l'écran.

A la façon particulièrement gutturale dont Mélancolia fait

front au journaliste, son mari comprend qu'elle a bu. Elle n'est jamais franchement ivre, mais l'alcool paraît la verrouiller. Elle devient distante et son regard a des lueurs sauvages. Lorsqu'il la voit ainsi, un désespoir sans bornes s'installe en lui. Il se sent davantage trahi par le scotch que par un amant.

Il s'avance très près pour la fixer à s'en brûler les yeux. Gênée, elle détourne le regard, pose sa main sur l'émetteur et chuchote :

— *Télé Sept Jours !*

Au lieu de lui adresser, comme d'ordinaire, des directives par mimiques, Charles lui tend un billet de cent francs suisses. Sa main se fait insistante. Surprise, Mélancolia s'empare du billet et interroge du menton.

— J'ai rencontré le livreur de l'épicerie, dit durement Charles, tu lui as donné deux billets au lieu d'un lorsqu'il t'a livré tes bouteilles de whisky.

Il savoure l'humiliation de sa femme. Ne serait-il pas un peu sadique ? Il ajoute, sans se donner la peine de baisser le ton, malgré le journaliste en ligne :

— Ça vient de cette sotte manie qu'ils ont ici de plier les billets en quatre.

Mélancolia est devenue très pâle, avec des cernes bistres sous son regard limpide. D'un geste mécanique, elle raccroche au milieu d'une phrase de son interlocuteur.

— Seigneur ! comme tu me détestes, dit-elle.

Jamais elle n'a eu un accent aussi prononcé. Accent américain ou flamand ? Ou les deux entremêlés ? Elle a pourtant vécu plus de vingt ans en France !

C'est à cela que songe Charles, et aussi au Petit Garçon tapi dans le moule de sa pensée. En cette période d'intense gestation, le fruit mûrissant de son invention se décalque sur sa propre vie ; ou plus exactement, les moindres phases de son existence à lui, Dejallieu, font lever des moissons d'images, des scènes, des décors, provoquent la venue de personnages surgis du néant. Il est englué dans son histoire comme les braves vieilles mouches d'autrefois l'étaient dans les serpentins du papier collant.

— C'est ton goût de l'alcool que je déteste, Mélancolia. Et c'est moi qui te retourne ton exclamation : faut-il que tu m'aimes peu pour avoir besoin de boire ! Faut-il que je te laisse l'âme et le corps froids pour que tu trouves dans une bouteille ce que dix années de passion n'ont pu t'apporter !

Mélancolia va prendre le flacon de Teacher's Royal Highland sur le bar à roulettes. Elle chante, avec son merveilleux accent qui met de l'émoi dans le bas-ventre de Charles :

— Il a très bien parlé ! Buvons à sa santé !

Elle porte un toast à son époux avec la bouteille. Charles la lui arrache des doigts.

— Ivrogne ! gronde Dejallieu.

Mélancolia se jette sur lui, les griffes en avant, et laboure de ses ongles la figure de son époux. Charles sent s'ouvrir dans sa chair des sillons de feu. Il flanque son poing devant lui, au jugé. Mélancolia reçoit le coup à la pommette droite, trébuche et s'affale sur la cave à liqueurs. Sa chute produit un boucan de tous les diables. Plusieurs bouteilles s'échappent du chariot et roulent dans le salon sans se briser. L'une d'elles se débouche pourtant et du Campari couleur de rubis souille le tapis de laine, l'on croirait du sang. Mélancolia se remet debout en gémissant. Elle se tient les reins à deux mains. Elle semble soudain vaincue, soumise.

— C'est nouveau, soupire Charles. Voilà que nous nous battons maintenant !

Son désespoir devient intolérable. Il se raccroche au Petit Garçon qui a tant et tant besoin de lui.

Il arrivait que le père du Petit Garçon rentrât ivre, certains soirs. En fin de semaine principalement. C'était un homme d'un grand courage, mais auquel le vin faisait perdre toute volonté. Au troisième ou quatrième verre, quelque chose se déclenchait en lui : une ardeur cocasse. Il devenait un boute-en-train surexcité dont les fariboles amusaient la galerie. Il régalait son auditoire, pour mieux régner sur lui et ne quittait ses copains que fin saoul, aphone d'avoir trop chanté en pataugeant dans son ivresse comme dans un chemin de terre détrempé par l'automne. A la maison, franchie une certaine heure, on savait que ce serait pour ce soir-là. La mère décidait de passer à table parce que « son repas ne pouvait plus attendre » et que c'était sacré, un repas prêt. Elle mangeait en pleurant. Le Petit Garçon n'avait pas faim ; il n'avait d'ailleurs jamais d'appétit et ne découvrirait la nourriture qu'au moment où elle ferait défaut, c'est-à-dire sous l'Occupation.

Il levait de temps à autre les yeux sur le visage maternel baigné de pleurs, s'étonnant que sa sainte mère pût mastiquer et pleurer en même temps, car la peine et l'appétit lui semblaient inconciliables. Elle mangeait pourtant, une serviette étalée sur sa forte poitrine, les deux bords coincés sous ses aisselles. Oui, elle mangeait gaillardement ces excellents plats cuisinés pour ses hommes, mais qu'elle seule savourait. Et le Petit Garçon devinait l'incertitude du monde en contemplant sa mère à la dérobée. Elle avait une figure douce empreinte d'une bonté qui s'ignorait, une bonté quotidienne, banale, mais qui faisait partie d'elle. Elle portait à l'une de ses joues la trace d'un vaccin, ayant eu, après l'inoculation, un mouvement irréfléchi du bras pour frotter sa joue. La cicatrice carrée, creusée d'imperceptibles cratères, ressemblait à l'une des faces d'un dé à jouer.

La soirée succédant au repas était sinistre. Tous deux guettaient les bruits de la cage d'escalier. De temps à autre, le Petit Garçon descendait pour sonder le boulevard obscur. Ce qu'il appréhendait dans l'affaire, c'était la scène qui ne manquait pas d'éclater entre ses parents. Il avait beau adjurer sa mère d'attendre le lendemain pour libérer ses griefs, celle-ci ne pouvait se contenir et sa colère crevait en mots malheureux. Le père hurlait plus fort. La mère, soudain effrayée par son éclat, lui disait « de penser aux voisins ». Fâcheuse recommandation. Le père allait ouvrir la fenêtre de la cuisine et hurlait à s'en faire éclater la gorge, dans le puits des ténèbres de la cour, qu'il les emmerdait, les voisins. Le lendemain, le Petit Garçon rasait les murs et s'élançait quatre à quatre dans l'escalier en entendant une porte s'ouvrir.

Un soir, le père revint vers minuit, se tenant à peine debout. A travers l'ivresse, il essayait un rire joyeux qu'il sentait inutile. Le Petit Garçon suppliait la mère du regard, mais elle n'avait d'yeux que pour l'arrivant.

— Ah ! il est joli ! s'exclama-t-elle.
— Bonsoir ! fit le père d'une voix flûtée.

Il pirouetta, fit une embardée et repartit. Il criait dans la cage d'escalier (qu'on appelait là-bas « la montée d'escalier »), criait qu'il n'avait de leçons à recevoir de personne. Et que tout le monde le faisait chier.

— Va avec lui ! ordonna la mère, inquiète.
Elle l'aimait.

Le Petit Garçon s'élança à la suite de son père. Il était en pantoufles dans les rues vides. Le père continuait de libérer ses rancœurs. Il semblait se parler à lui-même et se racontait la vie. Ils marchèrent longtemps, au hasard. Parfois, l'enfant se risquait à vouloir ramener son père au logis, mais le père se récriait qu'il ne rentrerait jamais, qu'il avait fait la guerre et que personne, tu m'entends bien : personne au monde ! n'avait d'ordre à lui donner.

Ils atteignirent la place du Pont. A cette époque un refuge pour les usagers des tramways en marquait le centre. Quelques rares personnes attendaient le dernier tram. Le Petit Garçon reconnut parmi elles une vague amie de la famille qui d'abord sourit, puis qui devint grave et indifférente en découvrant l'ivresse de son père. Il tenta d'entraîner celui-ci plus loin, mais le père jeta son dévolu sur le refuge et il s'assit à même l'asphalte, les jambes allongées sur le pavé, en chantant à tue-tête. Le Petit Garçon avait également honte de ses pantoufles.

Son enfance fut un long cheminement à travers la tendresse et l'humiliation, et la suite lui prouva que l'on ne guérit ni de l'une ni de l'autre.

Mélancolia fourrage dans leur chambre en faisant claquer les portes des meubles. Elle apparaît, après avoir passé son vison, chaussé ses bottes, tenant un sac de voyage. Avec sa pommette tuméfiée et son air de pocharde furieuse, elle ressemble à un personnage de comédie dans une scène de rupture.

— Donne-moi de l'argent, je te prie, dit-elle, je suis sans un sou, comme toujours.

— C'est pour la journée ou pour la vie ? demande Charles.

Elle lui répond « Merde » et sort en faisant sonner les talons de ses bottes. On entend son pas sur le chemin.

Dejallieu se laisse tomber sur un canapé. Sa figure lui brûle. Il palpe les plaies du bout des doigts et ramène un liquide rosé qui n'est pas tout à fait du sang. Son cœur sonne le tocsin. Il est médusé par la rapidité, le paroxysme de ce qui vient d'avoir lieu. Ils se sont battus. Il n'aurait jamais cru la chose possible. Sa peine et sa rage font bon ménage. Dans sa poitrine, c'est l'affolement, mais son esprit reste clair et sec. Il regarde par la baie et la voit s'éloigner ; deux heures auparavant, c'était elle qui le suivait des yeux, sur ce chemin champêtre.

Elle a la démarche d'un robot, comme la plupart des gens ivres. Le Petit Garçon qui suivait son père, une nuit, dans les rues vides... Mais non, ce gosse l'importune. A-t-il seulement envie d'écrire son histoire ? Pourquoi recréer ce personnage qui est peut-être mort sans qu'il l'eût su, ou qui du moins s'abîme dans les infinies lenteurs de l'âge ? Ne perd-il pas sa propre vie à en inventer d'autres, dont la plupart sont pires que son histoire à lui ? Il n'existe pas vraiment, du moins pas « en direct », étant contraint de s'accomplir tant bien que mal par le jeu capricieux de ses marionnettes, les sales bougresses sans cesse en mutinerie.

Tu as déjà vu, toi, un toréador qui, après quelques passes savantes, feint d'ignorer la présence du toro derrière lui, et qui marche d'une allure pleine de stupide emphase qu'il juge être le symbole du courage ? Ridicule ! Eh bien, Charles est ridicule de croire à ce qu'il crée. Le fruit de l'imagination est pourri d'avance. Il a le pas grandiloquent du torero qui pose l'avant de son pied sur le sable de l'arène, pour ne pas perdre un pouce de sa taille chétive, puis laisse retomber le talon ; ainsi marchent aussi les skieurs sans skis avec leurs effroyables godasses orthopédiques. Il avance de ce pas décomposé, Charles Dejallieu, cependant que, derrière lui, son destin fume des naseaux et gratte le sol d'un sabot fourchu.

Et donc, s'éloigne Mélancolia, avec son sac « pour faire semblant de partir ». Qu'a-t-elle pu fourrer dans cette grande poche de cuir ? Une chemise de nuit ? De la lingerie ? Comment s'opère un tel choix dans la fureur ? Qu'attrape-t-on autour de soi pour s'en servir de vade-mecum, de baise-en-ville, lorsque la rage vous aveugle et neutralise en vous toute logique ?

« Elle va revenir, c'est évident. Où irait-elle sans argent ? Et puis Dora est en pension à Gstaad. » C'est à cause d'elle qu'ils sont venus y habiter, afin de ne pas manquer un seul de ses jours de sortie.

Charles consulte le carton posé près du téléphone, sur lequel il a calligraphié en lettres d'imprimerie très lisibles tous les numéros usuels : docteur, taxi, restaurants, etc. Il compose le numéro de l'épicerie, reconnaît la voix du directeur de la boutique et se nomme.

— Avez-vous en stock du whisky de la marque Teacher's Royal Highland ? questionne-t-il.

— Certainement, monsieur Dejallieu ; combien vous en faudrait-il ?

— Tout ce que vous possédez, répond calmement Charles.

Son interlocuteur lui lance des points d'interrogation effrénés avant d'objecter :

— Mais, monsieur Dejallieu, c'est que j'en ai beaucoup.

— Pas suffisamment, riposte Charles. Qu'appelez-vous beaucoup ?

— Sûrement une centaine de bouteilles.

— Livrez-les-moi tout de suite, merci.

Il raccroche.

Mélancolia n'a pas pris le sentier à flanc de colline pour descendre à la station, elle préfère fouler la route goudronnée plus aisée à arpenter et on la distingue encore, au-delà de la « ferme à la petite culotte mauve ». Le chalet est calme, d'une propreté méticuleuse (flamande). L'appareil à bronzer est rangé dans un angle, derrière le canapé. Des fleurs, livrées de la veille, garnissent un immense vase de verre, et l'on voit leurs tiges se couvrir d'une matière un peu gluante qui sent mauvais lorsqu'on change l'eau. Charles constate un grand calme en lui. Une paix douceâtre, faite de renonciation. Ils se sont battus, il faut accepter cette réalité. Toujours accepter « l'irrattrapable ». Nos actes et nos paroles tombent de nous, il est vain de s'arrêter pour les regarder.

« Et si elle ne revenait pas ? » se demande Dejallieu. Il envisage froidement la chose. Mélancolia sort de sa vie. Dix ans, et puis, terminé ! Divorce, pension. Le voici seul, le voici libre à nouveau. Mais libre de quoi faire ? D'aller ailleurs ? Très bien : il ira ailleurs. Et puis ? Il aura des grands moments de détresse. Quand on a de l'imagination, on pleure plus fortement ses morts et ses amours perdues. Lorsqu'il l'a rencontrée, il y a donc une dizaine d'années, Mélancolia était mannequin dans une maison de prêt-à-porter. Elle voyageait un peu partout, à l'étranger, dans les grandes villes de France, pour présenter des hardes à des boutiquiers maussades. Ils se sont connus au *Fouquet's,* de la façon la plus banale qui soit. Ils dînaient à des tables voisines, Charles avec un réalisateur et un producteur de films, Mélancolia avec sa mère. Au cours du repas, leurs regards se sont croisés, puis cherchés. Quand, au café, elle est descendue au sous-sol, il a compté jusqu'à douze, mentalement, a prétexté un coup de téléphone à donner et l'a rejointe. Elle l'attendait en feuilletant un annuaire téléphonique pour se donner une contenance. Il est allé à elle directement et ils se sont épargné les niaiseries coutumières. Il s'est accoudé à la tablette des annuaires pour la contempler de trois quarts. Il a été enchanté par la couleur de sa peau, par la limpidité de ses yeux, par la qualité des ondes qui émanaient d'elle. Elle sentait bon, elle avait l'air grave et intrigué. Bien qu'elle se fût entretenue en anglais avec sa compagne de table, il savait qu'elle parlait parfaitement français au serveur.

— Nous déjeunerons ou dînerons ensemble, quand vous le voudrez, lui a-t-il dit à mi-voix, je suis libre.

Elle ne s'est pas offusquée. Elle a seulement déclaré :

— Votre visage ne m'est pas inconnu ?

— A cause des journaux et de la télé ; je suis Charles Dejallieu, le romancier.

Mélancolia n'a pas eu la moindre réaction. Elle a semblé réfléchir, puis a soupiré :

— Je ne peux accepter votre invitation, c'est tout à fait impossible.

— Pourquoi ?

— Je n'ai jamais rien lu de vous. On ne peut dîner avec un écrivain dont on ignore l'œuvre, de quoi parlerait-on ?

Charles est allé trouver René (à l'époque c'était René) le souverain régnant du sous-sol. Il lui a tendu un billet de cinq cents francs.

— René, soyez gentil : envoyez un chasseur acheter cinq ou six de mes bouquins au drugstore, vous les remettrez à madame.

Puis, revenant à la jeune femme :

— Nous sommes lundi, je vous propose vendredi à vingt et une heures chez *Lasserre*.

Mélancolia avait hoché la tête :

— Dans quatre jours nous ne penserons plus l'un à l'autre.

— Nous verrons bien.

— Et ce n'est pas en quatre jours que je peux lire un livre, je suis très occupée, vous savez.

— En ce cas, nous parlerons de vous et non pas de mes élucubrations.

Le vendredi, ils se retrouvèrent chez *Lasserre* dix bonnes minutes avant l'heure convenue, et Mélancolia avait lu trois des ouvrages de Charles ; mais ils parlèrent d'autre chose.

Et la voilà partie. Saoule, avec sous ses ongles des particules de chair prélevées au visage de Charles. Tiens, il n'a pas encore vérifié les dégâts. Il s'approche d'un miroir et reçoit un choc en découvrant sa figure vilainement zébrée, depuis le front jusqu'au cou.

— Sale garce de poivrote, grommelle Charles ; bouge pas, ma vieille : je te flanquerai dans un bouquin !

V

Charles a dit un jour à l'une de leurs relations que Dora avait une tête de naine. Effectivement, l'enfant possède une tête disproportionnée par rapport au reste de son corps. Elle ne ressemble pas à sa mère et rien n'horripile davantage Dejallieu que lorsque quelqu'un qui le croit le père de la petite prétend « que c'est lui tout craché ». Un jour, il a craché au sol et, désignant son expectoration à l'impudent abasourdi, il a déclaré : « C'est vrai, la ressemblance est frappante ! ». Dora va sur ses douze ans. Elle est très brune, avec la peau mate et un regard sombre, son géniteur étant péruvien. Homme d'affaires international, ce dernier fut pendant plusieurs années l'amant de Mélancolia. Il n'a jamais été question de mariage entre eux car le monsieur de Lima a son foyer, là-bas, dans une magnifique demeure blanche. Charles a vu des photos de lui et il n'ignore pas qu'il s'agit d'un homme très beau, style Rudolph Valentino coiffé à l'huile d'olive.

Mélancolia a voulu cette enfant. Le Péruvien n'a pas pris position. Lui, il a les siens qui vont à la messe en colonne par quatre, le dimanche, sous la conduite d'une grosse dondon qui est leur mère pleurnicheuse et mollissante ; il a estimé qu'une maîtresse européenne pouvait disposer de son corps à sa guise. Lorsque l'enfant est née, il a donné une grosse enveloppe à Mélancolia avant de lui dire adieu.

Les choses ont été réglées très sobrement, bien que l'un des protagonistes fût sud-américain. Le *señor* Diaz avait traité trop d'affaires délicates pour rater celle-là. En fait, la séparation s'ajoutait à toutes celles qui l'avaient précédée. Combien de gens se disent au revoir sans prévoir que c'est un adieu ! Eux se dirent adieu comme s'il se fût agi d'un simple au revoir, rapidement, le Péruvien devant négocier la vente d'une grosse quantité de coton avec des Japonais, et Mélancolia ayant un biberon à préparer. Certaines périodes importantes de notre vie se retirent de notre destin sur la pointe des pieds. Mélancolia se croyait amoureuse de Diaz, elle découvrit qu'il faisait bon s'en passer. L'enfant qu'il avait déposé entre deux galopades autour du globe valait toutes ses étreintes, tous ses présents fastueux.

Dora n'a pas une tête de naine, plutôt une tête d'infante peinte par Velasquez. Le chef n'est pas trop fort, c'est le corps qui n'a pas encore adopté l'échelle du gabarit général. On s'imagine que les enfants croissent d'un seul mouvement, or rien n'est plus faux. Ils poussent d'une façon désordonnée, tantôt ce sont les jambes qui s'allongent, tantôt le tronc ; chez les fillettes surtout. Il y a toujours un moment où leur corps de sauterelle semble se laisser entraîner par une tête trop lourde. Dora en est à cet instant déplaisant où les adolescentes sont « mal ficelées ». Mlle Tendret, qui est son chef de classe à l'Institut des Bleuets et qui lui enseigne le français, est en train de se dire tout cela en la regardant peiner sur sa rédaction, ses cheveux noirs balayant le bureau.

— Redressez-vous, Dora, vous n'êtes pas myope, que je sache !

Dora quitte sa posture avachie, mais sa nouvelle position ne lui est pas naturelle, progressivement son buste se couche sur le cahier.

Sujet : « Décrivez votre dernier Noël. »

Dora qui est intelligente se dit qu'elle ne doit pas tomber dans le piège des cadeaux complaisamment décrits. Bille en tête, ses condisciples vont foncer dans l'équation Noël = jouets. Elle doit contourner l'obstacle. Bien définir ce que cet instant de l'année représente d'exceptionnel, tout aspect religieux mis à part. Un jour de rémission pour permettre à ces pauvres adultes de retrouver leur âme d'enfant. Un jour d'amour...

Elle revit par la pensée le Noël dernier au chalet *Trafalgar*. Plutôt tristet. Le roi Charles a passé la matinée sur son trône à écrire ses bouquineries. C'est à peine s'il lui a donné un baiser distrait, le matin, pendant qu'elle déballait ses présents au pied du sapin. Il a écouté la radio en prenant son petit déjeuner. Elle brandissait ses trésors, un à un. Sa mère poussait des exclamations, comme si elle les découvrait aussi, car c'est le jour où tout le monde fait semblant. Charles jetait un coup d'œil froid et lâchait un glacial « Très joli ». Et puis il s'intéressait à une déclaration faite la veille par M. Mesmer, Premier ministre. Un Noël gris, sans neige dans la station. Seules les montagnes cernant Gstaad étaient blanches. A midi, ils sont allés déjeuner au grill du Palace, en compagnie de gens qui parlaient un tas de langues, si bien que, depuis son bout de table où elle s'ennuyait, elle ne pouvait suivre les conversations. Elle portait une robe de velours noir agrémentée d'un col blanc. Charles avait prétendu qu'elle faisait orpheline, ainsi fagotée, ce qui avait empli de larmes les yeux de sa mère.

« Décrivez votre dernier Noël. » Elle va être obligée d'inventer pour faire heureux. De décrire une joie qu'elle n'a pas ressentie ; une liesse avortée malgré les cadeaux. Elle sait que Charles n'est pas son père, d'ailleurs il refuse qu'elle l'appelle papa et quand il lui est arrivé, étant plus jeune, d'employer impulsivement ce mot miraculeux, il s'est chaque fois mis en colère, comme si la petite l'outrageait. Son père, c'est un inconnu du bout du monde dont elle ne porte même pas le nom. Parfois, en secret, Mélancolia lui montre sa photo, pas plus grande qu'un timbre-poste, qu'elle garde cachée dans son poudrier, lequel possède comme un double fond lorsqu'on abaisse le petit miroir. Dora sait déjà que la vie n'est pas commode et qu'il faut toujours bien prendre garde où l'on pose le pied.

« Décrivez votre dernier Noël. » Le Noël qu'elle aurait souhaité vivre fera l'affaire. La vieille Mlle Tendret s'en contentera ; elle ne peut deviner comment « cela » se passe dans les familles. C'est plein d'enfants de divorcés dans sa classe. Peu de ses camarades possèdent un véritable couple de parents. Gstaad est la consigne des enfants sans foyer. On vient les déposer dans des institutions huppées, et on les y oublie le plus possible. Une Rolls arrive, une Rolls s'en va. Ils ont de l'argent à disposition, beaucoup d'argent, et ils partagent leur misère d'enfants riches et seuls avec d'autres enfants de gens très importants : des blancs, des noirs, des bistres... Enfants de rois, de stars, de milliardaires. Enfants de putains. Enfants de salauds. Enfants intempestifs qu'un secrétaire, de temps à autre, vient visiter, pendant que le chauffeur donne un coup de peau de chamois sur les chromes de la calandre.

Dora se met à écrire à l'ombre de ses cheveux bruns qui pendent devant son front comme l'aile brisée d'un oiseau noir. Dis-moi un mot de six lettres comprenant toutes les voyelles (sauf le « y ») et une seule consonne. Tu donnes ta langue ? C'est le mot *oiseau*. Comme l'aile brisée d'un oiseau noir ; comme l'aile brisée d'une corneille qui va se coucher dans les sapins de la colline à l'heure où seuls les sommets trempent encore dans du jour. Se met à écrire, Dora, sang péruvien, flamand, américain. Dora qui s'apprête à raconter le Noël de quelqu'un d'autre. Se met à décrire l'impalpable. Elle s'invente un petit cousin blond prénommé David. Se pare d'un grand-père à moustache blanche bien taillée. Il se tamponne sans cesse un œil larmoyant avec sa pochette pliée. C'est bon de s'inventer une famille à la carte.

La porte s'ouvre sur Mme Gerty, la directrice, une gaillarde qui ressemblerait à un homme sans sa solide poitrine. Toujours vêtue en alpiniste, la Gerty. Pantalon de velours s'arrêtant aux genoux, grosses chaussettes de laine, grosse chemise écossaise, gros pull masculin, et des godasses à semelles ferrées qui sonnent sur le carreau comme une charge de cavalerie.

Tout le monde se lève. Mme Gerty gueule « Asseyez-vous », avec son accent suisse-allemand. Elle s'approche de Mlle Tendret pour lui chuchoter des choses. Elle est penchée, les élèves rient de son gros cul carré. Lorsqu'elle a fini de parler à la maîtresse, elle s'adresse à Dora :

— Dora, rangez vos affaires et suivez-moi !

Dora est stupéfaite. Elle ne comprend pas. Aucune explication ne lui vient à l'esprit. Elle est arrachée à son faux Noël où rôdait une musique de limonaire et qui sentait la bougie qu'on vient de souffler. David fout le camp dans un rayon de lumière bleue, poursuivi par le grand-père bidon dont l'œil pleure tout seul.

Elle fixe Mme Gerty. Mme Gerty lui sourit pour la rassurer. Dora replie son cahier, range sa plume (c'est ainsi qu'on nomme les stylos en Suisse) dans la trousse Mickey. Ses condisciples la regardent et l'envient. Dora est devenue le centre d'intérêt de toute la classe ; jusqu'à Mlle Tendret qui la fixe en tripotant son crayon rouge d'un air gêné.

Dora s'avance vers Mme Gerty, celle-ci lui prend la main, ce qui est rarissime. Elles sortent.

Mélancolia attend dans le hall, près des râteliers à skis, vides en cette saison. Elle a posé son sac de cuir sur le siège voisin, croisé ses longues jambes d'ancien mannequin. Son vison ouvert pend de chaque côté de sa chaise. Elle a le regard groggy d'un boxeur qu'on vient de « compter dix » et qui ne comprend pas pourquoi le combat est arrêté, ni pourquoi son adversaire danse au milieu du ring en levant les bras.

Lorsque Dora survient du fond du couloir, tenant la main de Mme Gerty, elle se demande où elle se trouve ; mais la conscience lui revient. Elle a expliqué à la directrice, pour justifier l'ecchymose de sa pommette et ses yeux chavirés, qu'ils viennent d'avoir un accident d'auto, son mari et elle ; sans grande gravité, mais qu'elle a besoin de sa fille.

Dora lâche la main de Mme Gerty pour se précipiter vers sa mère. Elle s'arrête devant la plaie comme s'il s'agissait d'une importante blessure. Mélancolia explique qu'à la suite d'un coup de frein brusque, elle a heurté le pare-brise de la Range Rover.

— Va chercher ton manteau, ma chérie, bafouille Mme Dejallieu.

Décidément, elle a dépassé la mesure. C'est la grosse cuite carrément, alors qu'elle se limite habituellement à la douce euphorie contrôlable.

La dame habillée en guide de montagne lui parle de Dora. Toujours cette faiblesse en arithmétique. Par contre le français va très bien. L'autre jour, elle a beaucoup amusé la maîtresse en demandant pourquoi dans les livres de grammaire ou dans son Bescherelle, le verbe « avoir » se présente avant le verbe « être », alors qu'il est tellement plus important d'être que d'avoir. Mme Gerty a dû raconter le mot déjà cent fois avec son horrible accent car elle le joue presque. Elle donne elle-même le signal du rire. Mélancolia s'efforce et retrousse misérablement ses lèvres sur ses dents que l'ivresse a rendues crayeuses.

Dora revient, mal ficelée dans son manteau bleu marine de pensionnaire, boutonné de travers. Elles s'en vont. Une fois sur le chemin en pente où une balayeuse jaune passe en faisant tournoyer ses grosses brosses circulaires, l'enfant demande des explications. Mélancolia devient dramatique :

— Ecoute, chérie, je me suis disputée avec le roi Charles (c'est Dora qui l'a baptisé ainsi) et il m'a frappée.

Comme Dora ne réagit pas, elle s'arrête pour lui désigner sa pommette meurtrie.

— Tu vois : c'est lui, ça !

Dora pleure silencieusement.

— Alors nous allons le quitter, à moins qu'il ne me demande pardon, déclare Mélancolia. Tu me comprends ?

Dora ne répond rien.

— Dis-moi que tu me comprends ?

— Il n'est pas méchant, plaide Dora.

— L'homme qui ose lancer un coup de poing dans le visage de sa femme est davantage que méchant, Dora : c'est une brute !

Elles dépassent l'appareil à nettoyer. Un vieux type est aux commandes, placide. Il porte une veste de toile imperméabilisée, de couleur orange, une casquette noire, informe. Un mégot de cigare éteint reste fiché entre ses grosses lèvres bleuies par les intempéries et les cafés arrosés pomme.

Il a un hochement de tête pour saluer la mère et l'enfant. Ici, tout le monde est d'une absolue correction. Mélancolia crie « Bonjour ! » pour dominer le vacarme de l'engin.

— Tu l'aimes, toi, le roi Charles ? questionne-t-elle après quelques pas qui les éloignent de la zone bruyante.

Dora réfléchit à cette question brutale.

Aimer Charles ? Ce que la petite éprouve pour lui est indéfinissable. De l'attirance, peut-être, mais paralysée par une dure fin de non-recevoir du mari de sa mère. Il est impossible d'aimer un être qui vous refuse aussi catégoriquement. La présence de la fillette gêne Charles, elle le sent. Il le lui signifie de tout son être. Quand elle arrive ou part, le moment du baiser est très pénible. Dejallieu se contracte et retient son souffle. La gamine perçoit cette tension cette retenue de tout l'individu accordant sa joue par nécessité.

— Je ne sais pas, répond-elle.

Le ciel est devenu gris, le froid qui se tenait à l'affût revient par larges spasmes ondoyants. Mélancolia éprouve une faiblesse dans une jambe. Sa cuite entre dans la phase étourdissante. Jusqu'alors elle est parvenue à la dominer, mais elle lui échappe par instants. Elle a été folle de boire autant. Pour se doper, elle attise sa rancœur contre Charles. La haine est un ferment.

— Je vais te mettre dans un taxi, moi je t'attendrai à la gare...

Elle parle d'une traite, sans reprendre haleine. Sa voix produit des couacs. Mélancolia tente de les camoufler en mimant la douleur. Elle commence à regretter son mouvement irréfléchi qui l'a incitée à partir. Le paysage ressemble à du Sisley : il s'exprime en une infinité de petites taches dont certaines, plus vives, ont des scintillements d'écailles au soleil.

Dora ne se réjouit pas de faire l'école buissonnière. Il y a un instant encore, elle rassemblait des idées sur le thème de « votre dernier Noël ». Mlle Tendret régnait sur la classe. Dora aime le bon vieux visage de sa maîtresse, son long nez marrant, ses yeux de souris égrillarde. Aux Bleuets, la vie est facile, tout le monde est gentil, y compris la rugueuse Mme Gerty, bien qu'elle interdise aux élèves de boire de l'eau du robinet entre les repas. Il y a M. Pavany, le professeur de dessin : un vieux Hongrois en exil, aux rides profondes et sombres comme des vallées de Maurienne, dont le front héberge une quantité de gros points blancs qu'on aimerait faire éclater avec les ongles. Et puis miss Brandon, la monitrice de sport (ski et patinage l'hiver, tennis et volley-ball l'été), une Anglaise adorable, qu'un beau jeune homme vient chercher le vendredi soir au volant d'une Triumph rouge sang, les filles retiennent leur souffle tant cet instant ressemble à une fin de film d'amour.

— Tu as bien compris, Dora ? Je compte sur toi. Tu as douze ans ! C'est l'âge où les filles...

Mélancolia se tait. Que font-elles, les filles de douze ans ? Elles guettent leur duvet et posent des questions intimes aux plus grandes. Ou bien elles jouent encore à la poupée et s'achètent des Mars. Elles pleurent sur leurs mauvaises notes ; elles... A douze ans, Mélancolia regardait sa Peggy faire de l'esbroufe chez le docteur Sullivan, ce foutu vieux branleur. A dix-sept, elle débarquait à Paris où la sœur du toubib lui causait un choc terrible car elle était sa jumelle, sa vraie, donc sa réplique au féminin. Est-ce qu'elle avait endossé ses fantasmes en même temps que ses chromosomes ? S'asseyait-elle, face à un homme, pour se caresser ? Jamais au cours de sa vie, elle ne devait rencontrer un être plus sévère que cette femme-là !

*
* *

Aldo sort de sa douche, noue une serviette bleue à sa taille. Sa peau ambrée, avivée par les jets multiples de la cabine, fume un peu dans la chambre dont la fenêtre est grande ouverte.

Il gonfle sa poitrine. Cage thoracique ! Drôle de mot : cage ! Il imagine des oiseaux de couleur à l'intérieur de ladite, se perchant sur son cœur. Dali aurait dû peindre ça, entre ses *Montres molles* et sa *Gare de Perpignan*.

Mary entre, fabuleuse dans un déshabillé rose qui donne envie d'éternuer. Elle pue le parfum trop généreusement répandu sur ses chairs dodues, encore fermes malgré la cinquantaine. Il la supporte parce qu'elle est rieuse, toujours disposée à faire un bon mot.

Elle s'approche de lui, mutine, arrache la serviette d'une main, lui saisit le sexe de l'autre en criant :

— Pris ! Au commissariat !

Elle a un accent qui est une parodie de l'accent britannique. Elle s'esclaffe en pétrissant le sexe du garçon.

— C'est pas un jouet ! grogne Aldo en tentant de se libérer.

— Oh ! mais si ! affirme Mary Stockfield, et c'est le plus beau de tous. Si le guerrier n'est pas trop fatigué, est-ce qu'il me ferait l'amour ?

Vieille peau ! Insatiable. C'est quinquagénaire, c'est anglais, et ça veut baiser à tire-larigot !

Moretti se laisse malaxer avec une moue canaille.

— Tu as de l'appétit, la mère, hein ? lance-t-il d'un ton méprisant. Toi, tu ne dételleras jamais ; pourvu que ça rentre, tu es partante, *my old doll* !

Un besoin de profanation le prend, comme souvent avec sa grosse *English*. Il adore l'insulter. La traite de « vieille pute » en la baisant. Lorsqu'il la besogne, à l'improviste, sur un bord de lit, ou sur un coin de table, et qu'elle est fardée, sous prétexte de caresses, il prend un sauvage plaisir à délayer son maquillage pour lui donner un aspect « Folle de Chaillot ». Il lèche sa gueule grande-albionne, ce qui fait se pâmer la donzelle. Il l'aime clownesque, sa grosse veuve, quand sa figure ressemble à celle d'une marionnette délavée.

Mammy Mary « en veut » tous les jours, et plutôt trois fois qu'une. Comme elle a brillamment traversé les maussades péripéties du retour d'âge, il n'existe plus pour elle de temps morts. Toujours disponible, le cul en fête, vorace des miches ! Aldo se promet de ramener un jour des potes à la maison et de faire sauter sa dame par la compagnie, qu'elle ait une indigestion de bites une bonne fois.

Etant d'un tempérament particulièrement sensible, les caresses de sa maîtresse ne tardent pas à porter leurs fruits. Mary s'extasie. Son partenaire est d'un beau gabarit. A chaque résurrection de sa virilité, elle marque le même enthousiasme.

— Deux secondes, dit Moretti en lui faisant lâcher prise, auparavant, il faut que je te parle. Balayons les nuages pour jouir sous un beau ciel bleu.

— Quels nuages ? s'inquiète Mrs. Stockfield, vaguement alarmée.

— L'inaction me pèse, Mary.

Elle pousse un « oh ! » de détresse, comme seuls les gens d'outre-Channel sont capables d'en émettre, c'est-à-dire qu'elle profère un hululement articulé « Ahoooh ! »

— La baise, le tennis, la bouffe, c'est beau, mais pendant les vacances. L'homme se doit d'avoir d'autres activités, d'être productif.

Dans son déshabillé vaporeux, elle semble interpréter *Back Street,* Mary. Une éplorance la vieillit, comme l'orage vieillit la campagne. Elle redoute l'irrémédiable. Ce minet attardé la rend folle.

En verve et voulant triompher, le bel Aldo poursuit :

— Voilà huit ou neuf mois que je ne fiche rien, Mary. Je vis dans ton lit, dans ton ombre. Je mange à ta gamelle et te fais l'amour. Tu veux que je te dise ? C'est immoral.

Elle attend, soudain digne. Il va lui porter l'estocade. Eh bien, qu'il frappe, ce vaurien. Elle se doutait parfaitement que ça ne durerait pas toujours, eux deux. Il a dû rencontrer une petite trémousseuse de fesses au tennis ou dans un bar et prépare son envol. Mary Stockfield essaiera de se résigner. Elle lui doit des troussées mémorables. Et une femme ne jouit pas de cette façon éblouissante sans éprouver quelque chose pour celui qui a su la combler. Quelque chose que l'éducation rigide de Mary se refuse à qualifier « d'amour », mais qui est bel et bien de l'amour, de l'amour-passion. Des abîmes s'ouvrent dans son âme et dans sa chair.

— Je vous écoute, Aldo, assure-t-elle, de la voix qu'elle prend pour discuter de ses placements avec son homme d'affaires londonien.

— J'ai trouvé une solution qui me permettrait d'avoir une activité sans m'éloigner de toi, la Mère Michel, le rêve, non ?

Les précipices se comblent pour Mary, le soleil revient.

D'un sourire, elle invite son amant à s'expliquer.

— J'ai rencontré tout à l'heure un vieux copain photographe de presse ; nous avons bavardé. C'est un chic type bourré de talent. L'idée nous est venue de fonder une espèce de petite agence. La région est truffée de gens célèbres. Il ferait des reportages photos, moi j'écrirais les textes et on vendrait nos *close-up* aux grands magazines internationaux.

— Fantastique ! s'écrie Mrs. Stockfield, radieuse.

— Seulement, il nous faut un minimum de matériel : magnétophone, cartes imprimées, laboratoire de développement.

Le visage mouvant de l'Anglaise s'assombrit de nouveau.

— Tu veux bien nous prêter la mise de fonds de départ, Mary ? Oh ! ça ne va pas chercher loin : à peine vingt mille francs. On te signerait une reconnaissance de dette, naturellement.

La Britannique hoche la tête.

— Vous inventez cela pour vous faire remettre de l'argent, Aldo. Croyez-vous que je sois dupe ?

Il la giflerait ! Elle est pleine aux as, la vieille morue, il la sabre comme un seigneur et la voilà qui se cabre à la perspective de lui lâcher une pincée de *money !* Moretti la fixe « d'une certaine façon » qui flanque la frousse à Mrs. Stockfield. Dans ces brefs instants, elle se demande si Aldo ne serait pas un type dangereux.

— Ecoute, mistress Carabosse, ce matériel en question, on t'en fera la liste et tu iras l'acheter toi-même, correct ? Réfléchis et prends tout ton temps, je te laisse dix secondes pour te décider. Si tu es d'accord, je te flanque ma bite dans le train, si tu refuses, c'est moi que je fous dans le train : *nach* Paris, *schön* mademoiselle, y a bon Banania !

Mary se décide à sourire.

— Vous êtes un garçon incroyable, soupire-t-elle.

*
* *

Charles n'a pas entendu arriver le taxi. Il écoute de la musique, ce qui lui est inhabituel. Il vient de manger des saucisses en boîte, sans les faire pocher, et puis, d'un geste irréfléchi il a branché la hi-fi de Mélancolia. D'ordinaire, la musique le dérange, car il a la sienne propre, intérieure. Au lieu de « soutenir » sa pensée, comme elle soutient et même renforce les scènes d'un film, elle la perturbe.

L'appareil s'est mis en marche dans une envolée spectrale. *La Tosca !* Il découvre tout à coup la musique de Puccini. Cela l'émeut, c'est comme les souvenirs du Petit Garçon, eux aussi font de la musique... Les cuivres s'enflent ; les vitres du chalet *Trafalgar* en frémissent. Charles Dejallieu a l'impression de s'élever. Il pourrait presque saisir la main du Petit Garçon s'il se penchait par-dessus le canapé. Cet enfant blond, éberlué par l'existence, prêt à pleurer, le tourmente, le dérange.

Le Petit Garçon a vécu ses dix premières années chez sa grand-mère paternelle qui était devenue veuve alors qu'il n'avait pas trois ans. Ses parents le lui confièrent, espérant atténuer son chagrin. Elle allait devenir une idole pour lui, dominant sa petite enfance de sa forte personnalité. Un amour farouche, né dans le désespoir, les unit, âcre et violent comme une passion charnelle. C'était une petite femme ardente, aux lèvres minces, au regard tour à tour triste et dur, capable d'infinie générosité et de fureur impitoyable. Les hommes avaient peu compté dans sa vie. Elle avait épousé son premier mari à dix-sept ans et il était très vite devenu l'amant de sa belle-mère, jeune veuve aisée, sous le toit de laquelle vivait le couple. Théophile aimait la vie joyeuse, les amis et les femmes faciles, les attelages, les soupers fins, les vêtements chics, l'épate. Lorsqu'il rentrait pompette, la nuit, il hésitait sur la couche où dormir, jetant avec une époustouflante impudence son dévolu soit sur le lit de la mère soit sur celui de la fille. Ce personnage fleurant bon le soufre mourut tôt et misérablement après avoir ruiné tout le monde, en laissant flotter derrière lui une légende égrillarde et vénéneuse qui devait hanter le Petit Garçon pendant toute sa vie. Se savoir issu d'un pareil grand-père le troublait. Il comprenait qu'un tel homme perturbe le sang de sa descendance pendant plusieurs générations et lui crée de louches obligations auxquelles il convient de répondre.

La jeune femme bafouée avait donc, de bonne heure, appris à haïr les siens, discipline pénible, mais grisante une fois que l'accoutumance a joué.

A la suite de tortueux ragots, elle avait fini par se brouiller avec le père du Petit Garçon ; histoires de belles-filles, sans doute. Elle lui vouait une pathétique rancune qui explosait à différentes reprises dans une même journée, comme l'eau bouillante jaillit du sol d'Islande. Elle prenait son petit-fils pour confident et lui déclarait que son papa « était un beau salaud », et qu'il devrait la venger plus tard. Pour la calmer, le Petit Garçon promettait. Mais il avait le coeur en berne et le gosier plein de sanglots.

Un jour, la mère maudite qui s'était remariée, devint veuve. Comme elle était à peu près dans l'enfance, sa fille la prit chez elle. L'existence devint épique pour l'enfant qui assistait au tragique spectacle d'une femme invectivant sa mère gâteuse, la traitant « de vieux tombereau » et de « catin » tandis que la bonne femme l'écoutait sans paraître comprendre, en fixant sur elle un regard réhabilité par le naufrage de son esprit.

Lorsqu'elle avait dûment houspillé la malheureuse, grand-maman passait au fils indigne. Elle criait sa misère d'être ainsi cernée entre une ascendance indigne et une descendance ingrate. Clamait bien haut que le Petit Garçon constituait son unique raison de survivre, et lui arrachait des serments honteux.

Chaque soir, pour endormir son petit-fils, elle lui faisait la lecture au lit. Ils dormaient ensemble dans une grande maison froide toute bruissante de vent et de rats. L'enfant avait un sommeil troublé, lent à venir.

Une nuit, la voix de sa grand-mère parut fléchir. Il crut qu'elle s'endormait et, égoïstement, lui secoua le bras. Le livre tomba alors sur le visage de l'aïeule. Le petit garçon s'aperçut que sa chère grand-maman venait de perdre connaissance. Elle lui parut pâle, son nez semblait pincé.

Il reçut brutalement la révélation de la mort, comprit que c'était cela périr, et l'horreur l'envahit. Il se sauva, nu-pieds dans la boue d'hiver, en chemise de nuit, mais le froid n'existait plus ; courut à la maison mitoyenne habitée par un vieux veuf et sa vieille fille de fille. Il appela, tout en frappant la porte de son petit poing. Il y eut de la lumière, des volets prudemment ouverts, une voix enrouée par la crainte et le sommeil s'enquérant de ce bruit.

Mlle Marthe accourut presque tout de suite lorsqu'elle sut ce qui se passait. Elle avait passé un manteau sur son vêtement de nuit et malgré la gravité de la situation ; oui, malgré son affolement et sa peine, l'enfant se surprit à loucher sur la poitrine de la voisine qu'il pouvait guigner à travers des échancrures complices. Parvenue au pied du lit, Mlle Marthe commença par le commencement, c'est-à-dire par réciter la prière des agonisants. Plus pratique, le Petit Garçon courut chercher le flacon d'élixir « Bonjean », un vulnéraire à base d'éther dont grand-maman faisait une forte consommation. Il le tendit à la vieille fille, laquelle écarta les lèvres de la mourante pour introduire le goulot dans sa bouche.

Peu de temps après, grand-maman se trouva requinquée mais dolente. La nuit s'acheva sans autres alarmes, sous le contrôle bienveillant de Mlle Marthe.

Le lendemain, elle téléphona au père du Petit Garçon qui arriva en trombe au volant d'une Mathys à carrosserie de moleskine beige. Ce furent des retrouvailles émouvantes. Et cela paraissait doux comme ce passage de *la Tosca,* écoute, écoute bien, sur la hi-fi de Charles.

On conduisit grand-maman chez le docteur, lequel prescrivit des gouttes de digitaline, comme on en ordonna au Petit Garçon, beaucoup, beaucoup plus tard, parce que le cœur c'est ce qui craque en premier quand on en a de trop et qu'on ne sait comment le faire tenir tranquille.

Jamais plus la grand-mère n'eut de crise. Le Petit Garçon mit des années à comprendre qu'elle avait davantage besoin de son fils que de digitaline. Mais comment voudrais-tu que les médecins sachent cela, eux qui ne connaissent des patients que ce que leur en dit leur stéthoscope ?

Alors, tu comprends bien que pris dans les rets de ses phrases, Dejallieu n'ait pas entendu arriver le taxi. Le coup de sonnette avorté le fait sursauter. Il va ouvrir et opère un double look car il s'attend à un interlocuteur dont les yeux se situent au niveau des siens. En trouvant Dora sur le paillasson, il sourcille aussitôt.

— Tiens, comment se fait-il ?

Elle rougit ; se trouble.

— C'est maman qui est venue me chercher.

— Elle t'envoie en plénipotentiaire ?

— Comment ?

Evidemment, à douze ans, on ne peut connaître un tel mot. Charles constate que le taxi, après avoir manœuvré pour se remettre dans le sens de la descente, attend la gamine.

— Que veux-tu, Dora ?

— Mon livret d'épargne, récite la petite. Maman n'a pas de sous pour retourner en France. Elle dit que j'ai plus de deux mille francs sur mon livret, elle va les retirer et ça fera largement.

Charles hausse les épaules.

— Va dire à ta mère qu'elle revienne, au lieu de jouer les idiotes et te faire manquer la classe.

— Tu l'aimes encore ? s'enhardit Dora.

Il sourit férocement.

— Je l'adore. Tu entends, moustique ? Je l'a-dore ! Tu le lui répéteras bien ? Dis-lui aussi que j'ai un cadeau pour elle. Un beau cadeau, allez, grouille !

Dora court jusqu'au taxi de M. Schranz. La voiture se met à dégouliner sur la route en pente comme une grosse goutte de pluie sur la vitre.

Il n'est pas rentré dans le chalet, préférant les attendre sur le pas de la porte. Le temps « a tourné » et une bise aigrelette couche les foins somptueux.

Charles repense à la culotte mauve de la petite fermière. Mon Dieu, quelle source ! Le monde est vraiment mal foutu. On devrait pouvoir s'approcher d'une telle culotte, y poser ses lèvres sans devenir pour autant passible des tribunaux. Il rêve que tout est permis, Charles Dejallieu. Il est romancier, c'est écrit en toutes lettres sur son passeport ; il a le droit de rêver. Pas celui d'ôter la culotte mauve, hélas, mais le droit de rêver qu'il le fait, et qu'il appuie sa bouche sur le sexe exquis de l'adolescente. Et puis qu'il la pénètre si la queue lui en dit. Plus de barrières ! Il chevauche son imagination à cru, comme un Indien monte un alezan sauvage. Tous les droits ! Il pine qui il veut, il tue qui il veut ! Il devient pape ou président en un éclair. Bras d'honneur mental à tout ce qui voudrait s'interposer. D'ailleurs personne ne le peut. Il règne sur ses délires, le « roi Charles », comme l'appelle cette petite connasse de Dora.

Le taxi remonte déjà. Il distingue deux silhouettes à l'arrière. Elle n'a pas été longue à convaincre, Mélancolia.

Galant, il lui ouvre sa portière, lui tend la main pour l'aider à descendre.

M. Schranz, un gros homme sympa sous son bonnet de laine noire dont le pompon ballotte sur sa nuque, lui sourit avant de lui indiquer le prix de la course.

Charles qui a toujours plein de fric dans ses poches (enfance de pauvre) le règle en ponctuant d'une « bonne main » extrêmement bonne.

Le taxi va tourner sur le terre-plein. Mélancolia paraît rentrer d'un long voyage. Son regard a recouvré sa pleine lucidité, mais ses traits restent chiffonnés. Elle se tient misérablement au bord du chemin, son ridicule sac de cuir à la main. Il y a de l'émigrée en elle. Un côté « chaste et flétrie ».

— Dis, roi Charles, qu'est-ce qui t'a fait ces vilaines griffures sur les joues ? demande Dora.

— Un chat, répond Dejallieu.

— On n'a pas de chat à la maison ! objecte la fillette.

— Un chat sauvage, précise Charles.

Comme elle montre son scepticisme, il ajoute :

— Il n'y a que les chats sauvages qui puissent infliger de pareilles griffures ; tu le sais bien.

Il les pousse vers la maison, comme un paysan pousse son attelage de bœufs. Elles paraissent harassées, autant l'une que l'autre.

Une fois la porte refermée, la gêne qui n'attendait que cet instant leur choit dessus. Une gêne lourde, visqueuse.

— Dora t'a dit que j'avais préparé un cadeau pour toi ? demande Charles.

Mélancolia opine.

— Eh bien, va le voir, il est dans notre chambre.

Elle s'y rend en marchant lentement.

— Je suis certain qu'il te fera plaisir, assure Dejallieu.

Intriguée, la petite Dora suit sa mère.

Lorsque Mélancolia ouvre la porte, elle demeure saisie. C'est impressionnant, cent bouteilles de Teacher's Royal Highland dans une chambre à coucher. Il y en a au sol, sur le lit et la commode, sur les sièges. On en aperçoit dans la salle de bains. L'une d'elles est même plantée au milieu du bidet.

— Tu vois : j'étais certain que tu rentrerais, déclare tranquillement Charles. Alors, heureuse ?

Mélancolia a du mal à réagir. Ce coup bas l'a replongée dans sa saoulerie. Elle se met à claquer des dents.

— Salaud ! dit-elle.

Elle marche à la commode, renversant les bouteilles placées sur sa trajectoire. Elle en saisit une par le goulot, ferme les yeux, et la fracasse contre le marbre du meuble. Un flot brun se met à pisser sur la moquette. Dora crie. Charles observe, comme il regarde le Tournoi des Cinq Nations à la télé (il va à Lausanne pour cela, car Gstaad ne peut encore capter les chaînes françaises).

Mélancolia s'empare d'une seconde bouteille et lui fait subir le même sort. Des escarbilles de verre éraflent son visage. Elle n'ouvre les yeux que pour prendre un nouveau flacon ; vite, elle les referme avant de le briser. Les tessons s'amoncellent au sol, le flot d'alcool grossit. Dora hurle des supplications. Charles songe que c'est là ma foi une très belle scène. Il souhaiterait la porter à l'écran, avec qui donc dans le rôle de Mélancolia ? Deneuve, Rampling ?

Sa chère outrance est là, superbe, altière. Casse, ma fille !

Brise et rebrise ! Toutes les bouteilles de la commode sont pulvérisées ; le marbre servant d'enclume est fendu. Mélancolia s'empare des flacons alignés sur le plancher.

A ce moment-là, on sonne, très péremptoirement : trois longs coups de sonnette appuyés. Charles va ouvrir. Il se trouve en face d'un athlétique gendarme qu'il connaît pour avoir eu affaire à lui à propos de papiers administratifs. L'homme est sanglé dans un long imperméable vert serré à la taille par un rude ceinturon qui supporte l'étui à revolver. Il porte une espèce de calot de police bordé d'une fourrure qui semble être de l'astrakan gris.

Il salue Charles militairement. Son visage légèrement couperosé est impassible, voire sévère. Il a le nez busqué, l'œil couleur de glace sombre. Il parle très mal le français et d'un ton cassant.

— Monsieur Dejallieu, je viens vous entendre (il fait sonner le second « en » et termine le mot en produisant un *derrre* chantant) à propos de le accident du train. ·

— Quel accident ? s'étonne Charles.

— Ce matin, vous avez obligé le train de se arrêter, n'est-ce pas ?

— Oh ! oui, grogne Charles ; entrez !

Heureusement, Mélancolia a interrompu son numéro.

A présent, c'est le silence, avec d'étranges soupirs de château hanté.

— Asseyez-vous, propose Charles.

Le grand gendarme dit « Merci » et se dépose dans un fauteuil, non sans avoir ramené devant lui sa giberne de cuir fauve. Il y fouille, en extrait un carnet à couverture entoilée au centre duquel est coincé un crayon grisâtre.

— Ce matin, monsieur Dejallieu, vous avez essayé de vous se suicider en vous couchant sur la voie du chemin de fer, selon le rapport du contrôleur Ernst Müller ; vous reconnaissez ?

Charles part d'un rire forcé qui n'abuserait pas un enfant.

— Mais pas du tout ! Je n'ai pas tenté de me suicider : je suis simplement tombé. En traversant la voie, mon pied s'est pris dans le rail. Le choc a été si violent qu'il m'a étourdi. Voyez, ajoute-t-il en montrant sa figure éraflée, j'en porte les traces.

Le policier sent le cuir et le caoutchouc humides. Quelque chose d'absolument intraitable émane de sa personne. Il est l'image du flic germanique. Il regarde, écoute, parle au plus juste. Charles a l'impression que rien ne saurait émouvoir cet homme de devoir à qui la loi tient lieu de conscience. Le gendarme examine d'un regard froid les plaies de Charles.

— Le train, il a été contraint de se se arrêter, objecte-t-il car là est le délit.

— Heureusement pour moi, continue Dejallieu en s'efforçant à la jovialité. Cela dit, si ma mésaventure entraîne des frais pour les C.F.F., je suis prêt à les assumer.

Son interlocuteur est peu familiarisé avec ce langage.

— Ça veut dire que vous êtes d'accord pour payer ? demande-t-il.

— Je suis d'accord sur tout ce qu'on voudra, sauf sur le fait que j'aurais tenté de me suicider.

« Je suis tombé. J'étais tellement choqué que je ne parvenais pas à me relever. Vous me suivez ? »

L'autre hoche la tête. Bon, si Charles tient à cette version, c'est son affaire. L'essentiel est qu'il admette le fait et ne rechigne pas pour payer l'amende encourue. Il écrit, en allemand, avec un maximum de probité, il résume la déclaration de Charles, la lui traduit approximativement.

— C'est juste comme ça, monsieur ?

— Parfait.

Charles signe au bas des quinze lignes tracées dans le carnet administratif.

— Je vous offre un verre, monsieur le gendarme ?

L'interpellé a un mince sourire. Il hésite, Charles croit qu'il va accepter, mais non, il se lève.

— Une autre fois, monsieur.

— Où dois-je payer ?

— Vous recevrez une convocation.

Sur le pas de la porte, le policier lève les yeux au ciel où de vilains nuages refoulés par les montagnes s'accumulent.

— Il va pleuvoir, assure-t-il.

Et il promène sur le paysage qui les entoure ce regard fier des gens de par ici, jamais blasés, toujours en bonheur d'être là, de savourer les montagnes, les prairies, les vieux chalets à la magistrale architecture. Ils n'aiment pas se rendre ailleurs, les voyages ne servant que de faire-valoir à leur contrée qu'ils estiment être la plus belle de l'univers.

Les foins agités par l'imminence de la pluie ondulent mollement. Et c'est de plus en plus une œuvre de pointilliste, vivante, miroitante ; où coquelicots, bleuets et boutons-d'or frémissent. Où les culottes mauves des jouvencelles déclenchent d'ardentes nostalgies et font croire à la vie.

Le gendarme grimpe dans sa Volkswagen noire frappée du mot « Police ». Les premières gouttes de pluie s'écrasent sur les plaques d'Eternit noire du toit. Charles retourne au salon. Mélancolia s'y trouve, piteuse, déjetée, telle qu'on peut imaginer qu'elle deviendra d'ici dix ou quinze ans.

Elle s'avance vers son mari, pantelante, des larmes inondant son visage.

— Charles, ô Charles, j'ai entendu. Tu as voulu mourir !

— Mais non, proteste Dejallieu, je te jure...

Elle noue ses bras à son cou, blottit sa tête contre sa poitrine.

— C'est ma faute ! Je te rends malheureux ! Je t'aime, Charles, je te jure que je ne boirai plus jamais ! Plus jamais, tu dois me croire. Dis que tu me crois ! Dis-le !

Charles lui caresse la nuque, sa nuque si tiède, si douce que ses doigts connaissent bien, car ce geste lui est familier dans les moments de tendresse.

— Je te crois !

Elle hisse sa bouche à l'oreille de son époux.

— Je veux que tu me prennes, chuchote-t-elle. Tout de suite, Charles. Par terre !

— Et ta fille ? objecte-t-il.

Elle s'écarte de lui, se tourne vers l'enfant qui les regarde pensivement.

— Dora ! Monte dans ta chambre immédiatement et fais tes devoirs.

— Mais, maman, je n'ai pas de devoirs, puisque...

— Oh ! Seigneur, ne me réponds pas de cette façon impertinente. Tu devrais être à l'école en ce moment ! Va t'enfermer dans ta chambre jusqu'à ce que je t'appelle.

La fillette acquiesce à contrecœur et se retire.

Drôle de journée pour elle. Elle regrette Mlle Tendret, ses rides, son crayon rouge, et le gros cul carré de Mme Gerty, et Sauveur, son voisin de bureau, un petit Africain rieur, fils de quelque ex-président déchu.

Son pas léger fait craquer les marches. Alors, folle d'excitation, Mélancolia retrousse sa jupe, enlève rageusement son collant et s'étend sur le plancher pour accueillir Charles, les jambes écartées. Elle a un regard de chienne qui allume le sang de Charles.

Lorsqu'il est allongé sur elle, elle se met à lécher les griffures qu'elle lui a infligées.

Il n'y a rien d'autre à dire sur cette journée.

VI

C'est un soir de fin mai.

Franky Muzard rentre chez lui en fredonnant. Les pluies de ces jours derniers ont gonflé la Saarine dont les cascades grondent dans la clairière où se dresse le domaine du bigleux. Franky porte sur son dos un vieil attaché-case plus ou moins disloqué au bout d'une large dragonne d'appareil photo. Il chante n'importe quoi sur un air ancien dont il a oublié le titre. Il raconte qu'il ramène de la mortadelle, de la viande des Grisons, du saucisson fumé, du pain noir, du vin portugais, et qu'il va bouffer et boire, et qu'il conchie le monde entier, et qu'il se fera peut-être une paluche, une chouette ; la savonneuse de gala, pour fêter aujourd'hui qui tombe précisément aujourd'hui. Et il déchargera sur la gueule de Sa Majesté la reine dont il possède un bath cliché qui la montre souriante. Et Mme Lady va se morfler une grande giclée d'apparat en pleines badigoinces comme jamais encore son grand hotu ne lui en a octroyé. Ensuite, l'esprit en repos, le corps régénéré, il s'offrira une fumante séance de macrophoto. Thème : le hanneton. Il escalade l'escalier de bois, coule sa main sur le balustre où il accroche la clé, ne la trouve pas.

Surpris, il tourne le loquet, mais il a déjà aperçu la dame, à l'intérieur.

Intimidé, il se décide à entrer après une hésitation.

La visiteuse est une personne de trente-huit ans, brune, vêtue d'un tailleur Chanel. Assez belle, mais quelque peu taillée à coups de serpe. Trop impressionnante pour Muzard qui préfère les petits gabarits maniables. Il songe qu'il n'aimerait pas la pointer. Lui, c'est le style moucheron, ou alors carrément la grosse vachasse à bourrelets, de temps à autre, manière de se dépayser le sensoriel. Il a eu calcé de fortes Teutonnes à gros tétons et fessier inamovible, comme on va faire du training ou du sauna, et aussi pour se créer une espèce de jubilation intérieure.

— Madame ? balbutie le photographe.

Elle a un sourire pudique.

— Je suis navrée, fait-elle, c'est Aldo Moretti qui m'a conduite ici, il a oublié un paquet dans la voiture, sur la route, il va revenir.

— Enchanté, lâche Franky.

Il passe ses doigts dans sa tignasse afro, gauchement.

— Je ne vais pas vous déranger, promet-il. Juste poser ce fourbi...

Il a l'impression confuse d'avoir vu cette femme dans la station. Elle a une voix à la Marlène et derrière ses lunettes fantaisie, il lui devine un regard pénétrant. La déception cisaille sa belle humeur. Il va devoir laisser le terrain à son ami, selon sa promesse. Or il a faim et besoin de se répandre dans sa tanière.

— L'endroit est discret, dit la femme.

— Oui, pas mal, convient Franky.

Il dépose l'attaché-case plein de mortadelle et autres délices sous l'évier ; un souci d'hôte lui venant, il va vérifier dans le second compartiment du logement si les draps de son lit ne sont pas trop dégueulasses. Ils lui paraissent encore « possibles ».

— C'est discret, mais c'est rustique, s'excuse-t-il en rejoignant la conquête d'Aldo.

— Si tu t'imagines que je viens chez toi pour me laver le fion, tu te goures, mon bout d'homme, riposte-t-elle de sa voix profonde.

Alors elle enlève ses lunettes et sa perruque et Franky retrouve Aldo ; un Aldo que son maquillage savant fait ressembler à une tante.

Ce qu'éprouve **le** bigleux ressemble à la fureur d'un homme bafoué. Il a un réflexe de colère. Ses poings se crispent et ses yeux se collent l'un à l'autre comme certaines cerises jumelles. Goguenard dans son tailleur rupin, Aldo croise les jambes et passe un coude sur le dossier de sa chaise. Il attend que l'autre sorte de son asphyxie.

Franky se détend.

— Alors là, tu m'as eu, reconnaît-il.

Il a du mal à se remettre.

— Tu ne faisais même pas travelo : une vraie gonzesse !

— Quand on se transforme, c'est pas dans le calbute que ça se passe, mais dans la tête, répond Moretti. Si tu ne m'as pas reconnu, personne ne me reconnaîtra, d'accord ?

— Tu peux être tranquille.

— Alors voilà un point de réglé. Demain, il faudra acheter le matériel pour ici. Bien entendu, nous irons en Suisse française, Lausanne par exemple. Je demanderai à ma vieille de me prêter son break Chevrolet.

Il réprime un bâillement.

— Tu sais, Franky, un truc qui me chiffonne, ce sont tes crins.

Avec une tignasse pareille et ton regard qui se croise les bras, pour ce qui est de l'anonymat, tu repasseras.

— Je mettrai des lunettes noires, soupire le photographe.

— Et un chapeau melon par-dessus ta chevelure à la con ?

Il darde sur son complice un regard mauvais, lourd de mépris.

— La personnalité ne tient pas à des cheveux ou à de la barbe, ça aussi c'est dans la tête. Les gens me font marrer quand je les vois bricoler leur triste gueule pour tenter d'avoir l'air d'autre chose que ce qu'ils sont, c'est-à-dire des pauvres mecs empêtrés dans leur nullité.

— Merci du compliment, lance Franky, hargneux. Ma gueule est ce qu'elle est, je ne prétends pas qu'elle me plaise, mais je fais avec.

Aldo soupire et se lève. Il ôte son tailleur et son chemisier, ses collants fumés. C'en est presque érotique. Puis il va se débarbouiller au lavabo. Après quoi, il sort ses vêtements masculins d'une valise que le photographe n'avait pas encore aperçue.

Quand il s'est rhabillé, il range soigneusement son déguisement. Un silence inconfortable les étreint. Franky voudrait parler mais ne trouve rien à dire.

Moretti s'applique à ne plus le regarder. Le grondement de la Saarine en crue profite de leur mutisme pour devenir plus présent. Aldo songe à sa mère dans cet hospice minable. Elle était si vive, si joyeuse. Et la voici devenue comme une plante en pot qu'on sort, qu'on rentre, qu'on déplace d'une pièce à une autre, d'un meuble à un autre. Il adore sa vieille. C'est pénible de voir s'engloutir un être aimé, d'apprendre sa mort comme on apprend à lire. S'il pouvait...

Hélas, il ne peut rien.

— Bien, soupire l'ancien comédien, je vais te dire, brin d'homme : tant que tu garderas ce buisson ardent sur la tronche, on ne pourra pas donner suite à mon projet. Si un jour tu te décides à adopter une frime normale, préviens-moi.

Il hésite et ajoute :

— Mais *achtung :* tu ne te fais pas déboiser avant que je te le dise, surtout !

Il tend la main à son pote. Le bigleux la lui serre sans chaleur. Il est du genre boudeur, Muzard. Jadis, lorsqu'il y avait une réunion de famille, il ne parlait plus de la journée à son cousin Joseph si ce dernier avait reçu une ration de grenadine plus importante que la sienne.

Aldo part dans cette confuse hostilité. Les prés mouillés sentent bon, mais il déteste la nature.

*
* *

« Dürer : peintre et graveur allemand, né à Nuremberg (1471-1528). Peinture à l'huile, gravure sur bois et cuivre.

Œuvres principales : *Mélancolia I, le Chevalier, la Mort et le Diable* »

Il est des instants où Charles joue un hymne à sa femme. Hymne tout intérieur. Il la sacralise avec la fureur qu'il met à lui faire l'amour. Ainsi de se réciter la courte biographie de Dürer, puisée dans un petit dictionnaire, simplement pour se délecter de ce nom, Mélancolia. Mélancolia I.

Il est des périodes bienheureuses où le sentiment que lui inspire son épouse lui communique une sorte de puissance grisante. Il l'aime farouchement, se repaît de son corps et de son esprit. Il lui parle, la cajole, la capte de tous ses sens. C'est la passion torride, comme il y a des semaines torrides en été, des semaines brûlantes pendant lesquelles la nature et les gens cessent de se ressembler. Non seulement il l'aime, mais il aime l'aimer. Ce paroxysme l'enrichit, rechargeant de mystérieux accus de sensibilité dont son travail (il ne dit jamais « son œuvre ») bénéficie. Tout sert à un écrivain. Les chagrins, les amours, les émotions de toutes sortes sont le pollen de son miel. Par instants, il éprouve une vague honte à ainsi piller la vie, les autres et jusqu'à ses propres réactions pour emplir son alambic d'alchimiste torve, bassement bricoleur de sensations, détrousseur sans scrupules. Il cambriole le sacré, comme les pilleurs d'églises pour qui les saints lieux sont des cavernes d'Ali Baba. Il se charge de tous les butins et farfouille sans vergogne dans les poubelles de l'âme.

Aujourd'hui, Charles est guilleret de trop d'amour. C'est une période « d'enchantement » qui compense les autres, les grises : celles du doute et de la désaffection. Car, de même qu'il vénère sa femme à certains moments de liesse sentimentale, de même il lui arrive de la haïr sournoisement. Il sent parfois — principalement quand elle a bu ou se trouve indisponible — croître un écœurement qui lui paraît fatal. Il se juge séparé d'elle et croit leur union en naufrage. Il a alors la conviction que leur histoire commune glisse sur une pente inéluctable. Et puis la lumière revient, la chaleur, la dévotion, voire la passion.

Il a remisé sa voiture devant la poste et traverse la rue pour gagner l'exquise petite gare qui évoque tout à la fois pour lui une gare de western et une pendule coucou.

— Hello, Victior Yougo !

Il se retourne. Arrive en roulant Samy Kovski, l'une des grandes figures de la station. Kovski a aménagé une galerie de peinture dans un grand chalet moderne, la « Galerie Osiris » où durant quatre mois de la saison d'hiver il assure sa matérielle. Il y organise chaque année une « party » qui compte parmi les plus courues de Gstaad. Il y a ceux qui en sont et ceux qui n'en seront jamais. Ne pas en être signifie qu'on n'appartient pas au top niveau de la *jet*. Samy Kovski n'a pas d'âge très localisable. C'est un petit homme rond, aux jambes courtes, au crâne chauve, avec un ventre très pointu, des bajoues flasques comme des fanons de dindon, des yeux proéminents que brouillent de grosses lunettes aux verres inhumains. Il porte éternellement un blazer trop long qui lui arrive aux genoux et un polo blanc piqueté de brûlures dues aux braises de ses cigares. Il parle toujours comme s'il était sur le point de pouffer, avec un accent américano-yiddish qu'il paraît cultiver à plaisir.

Il témoigne de l'intérêt à Charles parce que Charles en marque pour la peinture qu'il expose. Dejallieu lui a déjà acheté plusieurs toiles de valeur qu'il a déposées à la banque, ne voulant pas les accrocher au mur d'un chalet de location. Kovski qui donne des surnoms à tous ses amis a baptisé Charles « Victor Hugo ».

Charles s'avance vers le petit bonhomme lesté d'une brassée de courrier. Samy loue une boîte postale pour s'épargner les visites quotidiennes du facteur et se contraindre à « descendre » tous les jours. « Sinon je m'embaumerais dans ma galerie, tiou comprends, Victior Yougo ? » L'esthète est veuf depuis très longtemps, personne n'a jamais connu Mme Kovski. De temps à autre, on trouve sous son toit une jolie fille venue de Londres ou de Paris, qu'il fait baiser par des copains. Il assiste aux ébats en fumant des cigares brésiliens et en buvant de la vodka au poivre. Et lorsque la séance a pris fin, il se verse une dernière rasade et déclare : « O.K. ! bon pour moi ! C'était une très jolie tringlée, mes petits ! »

Les partenaires assurent qu'il n'y a rien de vicieux dans son attitude. Samy regarde pratiquer l'amour, comme il contemple certaines de ses toiles, en connaisseur. Il ne participe jamais.

— Tiou pars en voyage ? demande-t-il au romancier.

— Non, au contraire : je viens attendre quelqu'un, répond Dejallieu. (Qui ajoute :) Ma belle-mère.

— Condoléances, répond Samy.

Une poignée de lettres foire de son tas de courrier. Charles l'aide à en reprendre le contrôle.

— Il faut absolument que tu grimpes jusque chez moi, reprend Kovski, je viens de recevoir un Dali qui te fera mourir.

— Je n'ai pas envie de me laisser aguicher, dit Charles, tu es trop cher.

— Tous les gens qui vendent le contraire de la merde sont chers, rétorque Kovski. D'ailleurs tu as mauvaise grâce à me reprocher mes prix, je ne t'ai jamais appliqué le tarif pigeon. J'ai aussi un nouveau Bacon qui te flanque des frissons dans le rectum : un pape fou.

Une Rolls blanche passe dans un silence somptueux, pilotée par une superbe fille. Elle lance deux petits coups d'avertisseur pour requérir l'attention de Samy. Le marchand de tableaux fait un signe de la main.

— Qui est-ce ? demande Charles.

— Quatre cents millions de dollars, répond flegmatiquement Samy. La Grèce, son soleil, ses pétroliers. Quand viens-tu voir mon Dali ?

— A l'occasion.

— Tu sais bien que « l'occasion », ça n'existe pas, grogne Kovski.

Charles voit qu'il l'a froissé.

— Tu veux demain tantôt ?

— Viens prendre le thé, je le mettrai au frais ; tu préfères toujours le champagne rosé ?

— A ton bon cœur.

— Amène-toi avec Mélancolia et belle-maman, si le cœur lui en dit. C'est le genre guindée ?

— Non : saute-au-paf-qui-ne-détellera-jamais.

— Alors, ne me l'amène pas, ricane Samy ; avec moi elle ne tomberait pas sur un os, mais sur un courant d'air.

Il cligne de l'œil et s'emporte jusqu'à sa vieille Jaguar noire curieusement immatriculée en Autriche.

Le temps est gris. Charles consulte la pendule de la gare et, constatant qu'il a plus de cinq minutes devant lui, décide d'aller acheter un bouquet pour Peggy. Elle raffole de ce genre de démonstration. Son côté *star du muet,* comme dit sa fille. La descente de train, les fleurs brandies : oui, elle mouillera de bonheur, la vieille. Charles la connaît assez peu. Il la trouve pittoresque. C'est un personnage. Les romanciers aiment les personnages. Elle habite Rome depuis quelques années, en compagnie d'un vieux marquis plus ou moins authentique, plus ou moins décavé dont elle tyrannise les dernières années. C'est la troisième fois depuis le mariage de Mélancolia qu'elle leur rend visite. Elle décide qu'elle « se doit » à sa petite-fille. Elle lui apporte une robe immettable, l'emmène dîner seule un samedi soir, et n'y repense plus pendant trois ou quatre ans. Pendant son séjour, toujours bref, elle emplit la maison de ses cris de perruche. Elle court sans cesse après une boucle d'oreille perdue ou un shampooing particulier. Un mois avant sa venue, elle écrit à Mélancolia de se le procurer et il s'agit toujours d'une marque introuvable. Jamais l'idée ne lui viendrait d'en apporter dans ses bagages.

Charles fait l'emplette de trois orchidées. Il refuse qu'on les enveloppe, préférant les présenter telles quelles à la pétulante Peggy. De la sorte, les autres voyageurs avertis pourront constater qu'il s'agit d'orchidées, ce qui ajoutera au bonheur de l'arrivante.

Il musarde devant le kiosque à journaux où la presse française n'occupe qu'une petite place, la part du lion étant réservée aux publications germaniques.

Le grand-père du Petit Garçon, quand il allait sauter sa belle-mère, sans se préoccuper de sa jeune épouse, agissait-il par sadisme ou par besoin de franchir il ne savait trop quel point de non-retour ? Goût de l'humiliation ? Frénésie sexuelle ?

Et bon, Charles embraye sur un nouvel épisode. A cause de cette gare...

Un soir de vacances, lourd soir d'été dans une campagne du Bas-Dauphiné où habitait la grand-mère. Ils se trouvaient réunis autour de la lampe à pétrole dont on voyait tremper la mèche à travers le verre décoré de fleurs en relief. Il y avait là la grand-mère, l'arrière-grand-mère à l'esprit perdu qui, sans relâche feuilletait le catalogue de la Manufacture Française d'Armes et Cycles de Saint-Etienne. Et puis le père et la mère du Petit Garçon ainsi que sa très jeune sœur. Ceux qui se livraient à une occupation requérant de la lumière se tenaient dans le rond de clarté jaune de l'abat-jour. La scène est modifiable. Dejallieu verra à l'écriture. La bisaïeule gâteuse est dans la pénombre. La maman du Petit Garçon également, puisqu'elle écosse des petits pois. On entend son coup d'ongle précis pour éventrer la cosse, le pouce remonte par le ventre ouvert pour détacher chaque grain. Et puis ce menu bruit d'obole que produit la pincée de pois jetés dans une passoire à trois pieds.

Le père lit *Le Petit Dauphinois,* un verre de vin à portée de main. La sœur... Attends : ne serait-elle pas déjà couchée ? Elle est si jeune. Quel âge peut-elle avoir ? Trois ans peut-être ? Non, pourtant la famille est au complet, il le faut. Alors la petite sœur est là, mais ne joue pas. C'est une enfant si sage, si délibérément assujettie aux autres qu'une fois adulte elle continuera de se tenir ainsi dans l'admirable sérénité de la résignation. Emmaillotée à jamais dans sa timidité et ne vivant vraiment qu'à sa lumière intérieure ; essayant parfois de se rappeler au bon souvenir de qui l'entoure, mais sans trop y croire, par pulsions désordonnées.

Un soir de vacances, soir d'été de lourdes vacances d'il y a bien du temps. Soir de lampe à pétrole dont le fond est tapissé de mouches mortes. Soir de famille en attente d'aller au lit pour ensuite recommencer une autre journée d'août. Le temps enfui, le temps enfoui, si riche et qui dégorge, n'en finit pas de dégorger tout ce qu'il contenait en secret. Eux, sous la lampe fumeuse dont il convient de baisser la mèche de temps à autre. Eux, pauvres et aimants.

Le Petit Garçon regarde sa sœur. Il conçoit cela ainsi, Charles. La sœur aux cheveux géométriquement coupés, divisés par une raie médiane. Une tendre enfant posée au bord de leur existence commune, tel un oiseau sur celui d'une vasque emplie d'eau. Dernière venue. La tendresse en éveil, la crainte déjà prête. Réplique femelle du Petit Garçon. Chacun son infirmité : lui son bras, elle sa timidité. Le frère et la sœur partent en expédition pendant les vacances. S'en vont ramasser les noix par les chemins creux, arracher aux buissons les tiges volubiles du chèvrefeuille pour la chèvre justement ; la chèvre que seule sait traire la vieille aïeule tombée dans l'enfance. Réflexes conditionnés. On l'installe au flanc de la chèvre et ses mains qui ont conservé la mémoire du geste, font jaillir le lait de la petite outre tendue.

La sonnerie annonçant l'imminente arrivée du train grésille dans la quiétude de la gare. Charles voudrait remettre à plus tard l'organisation de « sa » scène. Mais son esprit renâcle et lui échappe. Il retrouve ses personnages sous la lampe de là-bas ; la lampe du bout du temps.

Voilà que la quiétude se trouble. Le Petit Garçon n'y prend pas garde. Son père a dit quelque chose qui a fait bondir la grand-mère. Quoi ? Il ne le saura jamais ; c'est mieux qu'il ne le sache jamais. Toujours est-il que le ton monte entre la mère et le fils. Et puis on passe du « parler fort » aux cris. Et tout à coup, le père abandonne le journal. Il va chercher sa veste. Il est pâle. Son regard perce des trous dans tout ce qu'il rencontre. Sa femme lui parle, il ne répond pas. Il sort. Il est déjà au portail. La nuit le mange. Sa femme éclate en sanglots. Le Petit Garçon n'a toujours pas compris ce qui se passe. Brusquement il est environné de détresse, cerné par un brusque malheur comme il le serait de flammes s'il était tombé en portant la lampe. La grand-mère est toute déconcertée. Sa maman crie, à travers ses sanglots : « Il faut le rattraper, que va-t-il faire, dans l'état où il est ? »

Elle vient de résumer le problème. De lui donner toute sa réalité. « Que va faire le père, emporté (c'est le mot) qu'il est par une colère immense. Dans quel puits va-t-il aller se jeter ? »

La grand-mère, sans un mot, va passer « sa » robe et prend son sac à main. Elle part également, tout comme l'a fait son fils, muette et crochetée, dans la nuit d'août où le « grand Chariot » fonce à la conquête de « l'étoile polaire » si petite mais si brillante, à travers une Voie lactée magistrale.

— Vas-y aussi ! ordonne la maman du Petit Garçon qui redoute de nouveaux affrontements sous les étoiles entre la mère irascible et le fils pétardier.

Le Petit Garçon s'élance. Les chiens du hameau aboient à qui mieux mieux en entendant cette calvacade. Le petit court. Il passe devant la croix en oubliant de se signer et rejoint la grand-mère sur la route. Elle lui prend la main, sans proférer une parole, mais il sent bien qu'elle est satisfaite de sa présence. Ils marchent vite. Voici la grande carrière de gravier, toute béante dans l'ombre. Et la descente en S, le pont sous lequel son père et lui vont attraper des truitelles de douze centimètres. Voici les premières maisons de Four. De nouveaux chiens prennent le relais et accompagnent leur déplacement de leurs jappements imbéciles.

Ils marchent si rapidement qu'il leur arrive de courir sur une longue distance, puis de ralentir, essoufflés au milieu de leur angoisse. La route blanche refuse toujours de leur rendre le père. Lorsqu'ils s'arrêtent pour tendre l'oreille, ils ne perçoivent que les grondements de leurs deux cœurs sur fond de bruissements nocturnes. Pourquoi les grillons continuent-ils de racler ainsi la paix majestueuse de la nuit d'août ? Pourquoi, au loin, des chouettes s'obstinent-elles à s'interpeller d'un peuplier à l'autre ?

Ils poursuivent, sans éprouver de fatigue, mobilisés par leur crainte d'un malheur. Le père est parti, il s'est engouffré dans l'obscurité comme s'il entendait y consumer son destin ; en homme que l'existence, tout à coup, a cessé d'intéresser parce qu'elle a cédé sous son poids.

La grand-mère et le Petit Garçon atteignent le muret qui contient le ruisseau, là où il borde la route, à l'orée de Saint-Alban-la-Grive.

Plus tard, quand le Petit Garçon sera étudiant à Lyon et qu'il viendra passer les week-ends chez sa grand-mère, elle le raccompagnera lorsqu'il « descendra » prendre le car sur la nationale, et ils se sépareront près de ce mur bas. Ils s'éloigneront à reculons, en contenant leurs larmes. Ils s'adresseront de ces gestes d'infini, toujours les mêmes, qui signifient qu'on s'aime, qu'on éprouve du malheur à se quitter, et que ce malheur est si profond que la perspective de se retrouver bientôt ne vous console pas. Et quand la grand-mère mourra, au petit matin d'un affreux jour, lorsque son souffle deviendra très court, très juste, puis cessera, le Petit Garçon la regardera s'éloigner le long du mur de Saint-Alban. Il verra se diluer le cher visage blanc de la noire silhouette ; verra ce geste d'adieu, au ralenti, cent fois recommencé, cent fois tombé, cent fois relevé comme les ailes d'un vieux moulin à vent.

Après Saint-Alban, c'est « La Grive ». Ils forcent l'allure pour se rendre à la gare.

Voilà : la gare. C'est elle qui a produit le déclic dans la ruche toujours en effervescence de Charles Dejallieu. La petite gare de La Grive, avec ses chiches lumières blafardes, posée au bord du rail brillant. Il entend la sonnerie lancinante. La grand-mère et l'enfant se mettent à courir. Ils abordent un employé endormi. Un train est-il passé depuis peu ? Oui ? A-t-il remarqué un voyageur solitaire ? Un monsieur comme ci et comme ça ? Peut-être ? Y a-t-il un prochain train pour Lyon ? Dans trois minutes ? Alors, deux billets de troisième, s'il vous plaît !

Charles se penche pour sonder le bref horizon. Il avise le groin bleu du train en provenance de Montreux, tout là-bas... Chère

Peggy sera là dans un instant ; accoutrée de quelle manière, grand Dieu ?

Le train noir du Petit Garçon, grondant et crachant des escarbilles incandescentes entre en gare. L'employé (qui renseigne, donne les billets, charge les colis) court le long du convoi haletant en psalmodiant : « Saint-Alban-La-Grive. »
Le couple grimpe dans un wagon cafardeux et désert. Le dernier train. Un train d'avant-guerre qui pue la crasse. Le convoi brimbale. Il est lent et misérable dans la nuit, avec de grands cris désespérés, et des volées d'étincelles confiées aux caprices du vent. Il s'arrête à tout bout de champ et la même voix chantonne sur le même air des mots différents, à croire que c'est toujours l'employé de « La Grive » qui arpente la rive du ballast. « La Verpillère »... « Saint-Quentin-Fallavier »...

Ils arrivèrent tard dans Lyon endormi, prirent, après le dernier train, le dernier tramway pour gagner l'appartement du père. Mais l'appartement était vide. Ils furent anéantis. Deux heures plus tôt, la lampe les groupait dans sa clarté d'or. Quelques paroles avaient suffi pour les jeter dans ils ne savaient trop quel malheur bizarre ; ils ressortirent pour aller sonner à la méchante porte d'un garage où l'oncle Octave travaillait comme veilleur de nuit, espérant que le fugitif lui aurait rendu visite pour tromper sa brusque solitude. L'oncle leur ouvrit en clignant des yeux, stupéfait de cette visite nocturne, redoutant une mauvaise nouvelle. Non, il n'avait pas vu le père. Il tenta de les réconforter, mais l'affolement s'était emparé d'eux.
Ils attendirent le jour dans le logement désarmé pour les vacances. Le Petit Garçon dormit sur un lit privé de ses draps tandis que la grand-mère buvait café sur café. Lorsque l'enfant s'éveilla, le jour avait accru leur anxiété au lieu de la conjurer.
Ils rentrèrent au village où le père, penaud, les attendait en « engrenant » la pompe pour se donner bonne conscience. Et ce furent de belles retrouvailles. Et l'on fit des crêpes qu'on nomme *mate faim* dans ce pays dont je parle. Toute l'enfance du Petit Garçon baigna dans ces petits drames familiaux. On vivait entre deux brouilles. Elles naissaient et cessaient sans crier gare, au moindre tournant de la vie, comme on bute dans quelqu'un, sans le vouloir, et qu'il se fâche.
Charles va essayer de donner du jus à ce personnage secret, si flou, si enfoui dans les toiles d'araignée. Il va tenter d'exalter ces gens qu'il sent s'épaissir dans l'accélération du temps. Mais fait-on de la littérature sauvage, celle qu'il souhaiterait pratiquer, à coup de flashes ? La lumière d'un flash écrase le sujet. Tout s'y trouve brutalement surexposé, les choses sont sans relief et les gens sans couleur. Peut-être, après tout, serait-ce là l'expression

convenable : écrire un livre surexposé. Un livre dont il faudrait tourner les pages pour animer les scènes comme pour ces ancêtres du dessin animé schématisés en ombres chinoises. « Symphonie en ombres chinoises » ; ce pourrait être son titre également.

Il a un léger flottement en constatant que le train est devant lui, presque vide. Il l'a regardé pénétrer en gare de Gstaad sans réagir. Il est coutumier du fait, souvent il doit rattraper *les crans sautés* parce qu'un décalage trop prononcé s'est opéré entre la réalité des autres et la sienne.

Il cherche Peggy. Se le reproche. On ne cherche pas Peggy : elle s'impose. La voilà, triomphale, spectaculaire, fracassante comme une chanteuse de *saloon*. Elle tient la pose dans l'encadrement de la portière, insouciante des quelques voyageurs plantés derrière elle qui attendent son bon plaisir.

Elle a vu Charles et ses trois orchidées. Alors elle s'est cambrée, une main sur la poignée de cuivre extérieure, une jambe dans le vide. Elle porte un tailleur pied-de-poule, à col de loutre, dont la jupe est fendue jusqu'à la taille. Elle exhibe généreusement sa cuisse barrée d'une jarretelle blanche à fleurettes roses, car Peggy met des bas. Peggy est une fière pétasse, altière, hennissante, qui s'ébroue et offre son cul à la terre entière.

Charles jubile. Comment se serait comporté le grand-père de son Petit Garçon, à sa place ? Il songe qu'elle est désirable, la vieille. Fringante, parfumée à la lance d'arrosage : il renifle son odeur tapageuse depuis le quai. Son petit visage au nez retroussé, éclairé de grands yeux candides, à la bouche de pipeuse, le met en joie. Elle est coiffée court, frisottée. Ses cheveux ont une coloration impossible : dans les blonds-cendrés-mauves. Il n'y a que le hasard pour obtenir pareille couleur ! Il s'empresse. Lui tend les bras. Avant toute chose, elle s'empare des fleurs. « Merveillous ! » Et puis achève de descendre du train. Ses bagages sont près de la portière, un voyageur complaisant les passe : deux énormes valises constellées d'étiquettes, pesant chacune quarante kilos. Charles a du mal à les arracher de la plate-forme.

Effusions. Peggy l'embrasse à pleine bouche. Ses lèvres ont un goût de rouge et de sexe. Elle a passé sa main libre à la taille de son gendre, coulé sa jambe entre les siennes ; à croire qu'elle va l'entraîner dans un tango langoureux. C'est plissé de fines rides autour de ses yeux. Au-dessus de la bouche également. Son parfum est insoutenable. Charles a des picotements dans le nez.

— Sais-tu que tu es « réellement » bel homme ? s'écrie Peggy à tue-tête. Je te regardais depuis mon compartiment. Si tu n'étais pas le mari de Mélancolia, je t'épouserais.

Charles répond que c'est effectivement regrettable et s'attelle aux valises. Il trottine jusqu'à la voiture tandis que Peggy jacasse à son côté. Mélancolia ne ressemble absolument pas à sa mère, ni physiquement, ni moralement. Il y a chez son épouse, malgré ses violents élans sexuels, une sorte de chasteté imprescriptible, de réserve profonde, de mystère. Elle a quelque chose de naturellement distingué, comme tous les pudiques. Sa beauté est grave, sobre. Peggy, au contraire, joue de sa vitalité vulgaire, de son corps toujours disponible, de sa verve faubourienne.

Il l'imagine dans une boîte à hamburgers, servant des steaks *with french fried potatoes,* un petit zizi de dentelle piqué dans ses cheveux frisés, plaisantant avec les clients en leur passant le ketchup.

Il jette les valises à l'arrière de la Range Rover et se penche, épuisé par l'effort, à bout de souffle.

— Je parie que tu ne fais pas de sport, toi ! s'exclame Peggy. Pas même de la gymnastique, au réveil ? Tu es fou de ne pas travailler tes abdominaux, Charly.

Il promet de s'y mettre. Son cœur malmené lui déchire la poitrine. Il contemple l'ineffable bonne femme plantée devant la poste avec sa jupe de pute et sa jambe conquérante, faite pour danser le cancan.

— On va bien rigoler ! promet Peggy. Tu sais qu'un ami va me rejoindre ? Un type extra. Rassure-toi, il descendra à l'hôtel, d'ailleurs il en a les moyens : il est juif. Un joaillier. Regarde !

Elle confie au maigre soleil une émeraude trop grosse pour être authentique.

— Et le marquis ? s'informe Charles.

— Il ferme ! répond cyniquement Peggy. Il se dessèche et ne parle pratiquement plus. Un Italien qui ne parle plus, quand bien même il est noble, crois-moi, ça sent mauvais.

— Vous l'avez quitté ?

— Voyons, Charly. On ne quitte pas un corbillard avant d'être parvenu à destination, assure la frivole. Simplement, je *m'arrange* avec Iouz, c'est un gars fantastique, je te jure que tu vas l'adorer.

Il l'aide à prendre place dans le haut véhicule, en détournant les yeux pour ne pas les plonger entre les cuisses de sa belle-mère.

VII

Aldo Moretti a stoppé la grosse ricaine de sa « bienfaitrice » sur un parking de l'autoroute. Il coltine le magnéto jusqu'au boqueteau cernant la construction proposée aux automobilistes, laquelle se compose de deux toilettes (M et F) et d'une cabine téléphonique. Mentalement, il adresse un coup de chapeau à l'esprit civique helvétique. Tout est en ordre, propre et parfaitement agencé : il y a même du papier hygiénique en réserve dans les chiottes. Aldo songe à ce que sont les mêmes édicules sur les parkings français.Outre la saleté, la lunette des cuvettes serait arrachée, les chasses d'eau ne fonctionneraient plus et le combiné téléphonique aurait disparu.

L'ancien comédien choisit un banc solitaire surplombant l'autoroute. Il branche son micro, entortille le fil au dossier du banc de manière à ce que l'espèce de goupillon pende sans bouger, met l'appareil en route. Il attend un instant. Stoppe l'enregistrement, revient en arrière, écoute. Les bruits d'ambiance de l'autostrade ne sont pas suffisamment présents ; alors il monte le niveau sonore. Son nouveau réglage l'ayant satisfait, il rebranche le magnéto et s'en désintéresse.

Il a apporté un bouquin, mais il renonce à le lire : le bruit des pages tournées serait perceptible sur la bande et d'ailleurs il n'a pas la tête à ça.

Il se livre à « un tour d'horizon » de la situation. L'expression l'amuse : *un tour d'horizon !* Si le coup échoue, il se retrouvera en taule pour de bon. Il s'en fout. Sa mère ne le saura jamais, ayant perdu la tête. Quant à sa réputation il la risque volontiers. Pour ce qu'il en reste ! Réputation de ringard ! Il peut la jeter sur le tapis vert et la jouer sur un numéro plein. Il lit déjà le compte rendu de la presse. « Aldo Moretti, l'ancien jeune premier, inculpé dans l'affaire Dejallieu. Certains se souviennent encore d'Aldo Moretti, ce blond comédien de style savonnette qui eut son heure de gloire avec... »

Une façon justement de se rappeler à leur bon souvenir.

Il rit intérieurement en pensant aux tracasseries qui seraient faites à Mary Stockfield, sa bonne bourgeoise britannique, dont l'appétit sexuel ne désarme pas. Depuis son éclipse, il a dragué tout plein de mémères aux as. Le monde de luxe est peuplé de femmes mûres ayant encore « des tribulations dans la chair ». C'est une pépinière infinie. Il sait qu'il pourra maquereauter vingt ans, avec sa belle gueule désenchantée, son air vache et son sexe docile. Le plus curieux, c'est qu'il finit par prendre goût aux vioques. Il culbute de moins en moins les minettes. Elles ont de jolis petits culs bien fermes, mais elles sont futiles et pas vicieuses. Aldo raffole du « tempérament » de ses douairières talonnées par le temps, qu'aucune audace ne rebute, qui ne rechignent devant aucune exigence. Avec elles, il se sent régnant. Néanmoins, il voudrait réaliser son « grand projet », vivre différemment. Pour cela il doit « toucher le paquet ».

Il a beau envisager la déconfiture de « l'opération », son instinct lui clame que tout ira bien. Il est tellement résigné à l'échec qu'il réussira.

Sa mère, divorcée tôt, travaillait dans une banque. Elle prenait des besognes supplémentaires afin de pouvoir élever son fils dans un maximum de confort. Avait-elle des amants ? Aldo s'interroge fréquemment à ce propos. Aucun homme n'est jamais venu chez eux, en dehors de ceux de la famille : oncles, beaux-frères, cousins. Profitait-elle des vacances de son garçon pour s'offrir un peu de bon temps ? Cette perspective lui cause une espèce d'obscure jalousie tourmentante. Il voudrait pouvoir en parler avec elle, mais elle a sombré dans des limbes filandreux ; nulle conversation ne sera plus possible avec elle, désormais.

Il ferme les yeux. Un oiseau chante dans un gros arbre proche. Sa voix sera-t-elle perceptible dans l'enregistrement, à travers le grondement moutonnant de l'autoroute ? Peu importe. Parfois le vacarme s'enfle, ou bien décroît, mais la plupart du temps il s'opère en continu et le chiffre des décibels ne doit pas beaucoup varier.

Franky a accepté de sacrifier sa chevelure idiote. Aldo se demande si le bigleux tiendra le coup jusqu'au bout. Il sait qu'à la moindre alerte le photographe s'affalera. Il est son talon d'Achille, pourtant il ne peut se passer de lui.

Les bobines du magnéto tournent sous le petit capot vitré. En bas, des gens déferlent dans leurs voitures sans se douter qu'à travers le bruit qu'ils produisent, ils vont participer à une affaire criminelle.

Aldo leur envoie un baiser canaille.

*
* *

— On dirait que tu ne bois plus, ma chérie ? déclare Peggy à sa fille.

Mélancolia rougit. Voilà que cette vieille pie borgne dérange quelque chose de sacré. Elle a le don de profanation. C'est presque involontaire chez elle.

Effectivement, depuis « la scène », Mélancolia n'a plus touché au whisky, bien que la cave soit emplie de Teacher's Royal Highland. Charles a descendu les flacons épargnés par pleins paniers, en songeant qu'il serait pourvu de scotch pendant des années. Il en offrirait à la ronde. La prochaine fois qu'il se rendrait chez Cadonneau, il achèterait des emballages à bouteilles, en papier imprimé surchargé de dorures...

— En effet, mère : je ne bois plus.

La perruche se rebiffe :

— Je t'ai déjà demandé de ne pas m'appeler « mère », mais Peggy ! De quoi aurais-je l'air devant des gens, alors qu'on me prend pour ta sœur cadette !

Mélancolia a une bouffée d'aigreur.

— Personne ne te prend pour ma sœur cadette, Peggy ; sinon quelques bellâtres qui ne lésinent pas sur les compliments. Tu vas avoir soixante ans : accepte-les, tu n'en mourras pas !

Voilà Peggy en larmes. Elle cache son visage dans sa serviette.

Charles, compatissant, quitte sa place pour aller la prendre aux épaules et baisoter son cou inondé de parfum.

Peggy en est requinquée.

— Merci, Charly, l'hommage d'un bel homme compense les méchancetés d'une fille jalouse.

Mélancolia renonce à la lutte. Elle contemple cette créature impossible qui a innocemment causé le malheur de tant de gens. Elle revoit le cadavre ensanglanté de son père sur le sol carrelé de l'atelier ; et les branlettes du docteur Sullivan face à miss Molly, dont le sexe rose ressemblait à une blessure entre ses grosses cuisses noires. Elle se revoit à Paris... La jumelle du médecin l'avait inscrite dans une école commerciale, du style Pigier, où elle perfectionnait son français tout en apprenant à taper à la machine.

Elle habitait chez un vieux couple de retraités qu'elle devait aider aux soins du ménage. Le vieux ne perdait pas une occasion de la peloter. Il lui coulait des regards énamourés qui incommodaient l'adolescente davantage encore que ses privautés. Un soir, alors qu'ils étaient à table, tous les trois, et que le bonhomme la couvait de ses yeux pâmés, elle lui avait flanqué son verre d'eau au visage. Drame ! Là encore, il lui avait fallu déguerpir. Elle s'était trouvé un emploi, rue du Caire, chez un soldeur en livres, ivrogne qui ne la tripotait pas mais exigeait qu'elle trinquât avec lui. Sans doute était-ce le père Chargnasse qui l'avait initiée à la douce euphorie de l'alcool ?

Elle avait prévenu la sœur de Sullivan qu'elle travaillait et se passerait de sa tutelle. Elle logeait près des Grands Boulevards, dans une chambrette convenable que lui sous-louait un herboriste. Mélancolia se demande si les trois années qu'elle y vécut ne constituent pas le meilleur de sa vie. Années de liberté payée par le labeur. Elle y eut des aventures plutôt touchantes avec des jeunes gens de son âge, gauches et pas très propres, dont elle ne se rappelle plus que la gentillesse et la sottise.

Et puis un soir, alors qu'elle mettait à réchauffer une choucroute sur son petit réchaud pour faire la dînette avec Riton, on avait toqué à sa porte.

Peggy était là, sublime de mauvais goût dans un manteau de renard roux ; plus rousse encore que le renard, jupe extra-courte, sac en croco vert, fardée comme un masque de carnaval allemand. Les retrouvailles avaient débuté par une scène tragi-comique de Peggy jouant les « mater dolorosa », accoutrée en tapineuse.

« O ma fille, je t'ai enfin retrouvée. Je t'avais confiée à Sullivan, et ce gros bœuf n'a rien eu de plus pressé que de se débarrasser de toi ! Et te voilà, dans une honteuse mansarde qui pue comme des chiottes de gare, en compagnie d'un commis d'épicerie tellement sot qu'on ne voit que cela dans cette pièce ! Dans mes bras, mon enfant ! J'ai trop pleuré, trop tremblé pour toi. » Ce discours se débitait en américain, et c'était tant mieux pour le petit copain de Mélancolia, lequel ne pratiquait que le français, et encore plutôt mal.

Peggy avait exigé que sa fille donne congé de sa chambre, fasse ses valises et la suive chez son nouvel amant, un hémiplégique danois, riche et solitaire, qu'elle « tripotait » chaque après-midi, avec une belle technique basée sur la conscience professionnelle.

Subjuguée par ce retour fracassant, en mal de tendresse maternelle, la jeune fille l'avait suivie. Le paralytique l'accueillit aimablement et elle lui fit la lecture des journaux boursiers. Nonobstant le service que lui rendait quotidiennement Peggy, c'était là son unique exigence. Elle se révéla vite fastidieuse et Mélancolia se demanda si sa mère n'était pas venue la récupérer pour se démettre de ce pensum qui la mobilisait deux bonnes heures par jour. Comme beaucoup de gens riches, le Danois se montrait plutôt pingre. Des sacoches, pareilles à des fontes, flanquaient son siège roulant ; celles-ci étaient bourrées de fric en monnaies solides que l'hémiplégique comptait et recomptait sans se lasser, son sens tactile s'étant affiné, pour compenser probablement la léthargie de son hémisphère sud.

Mélancolia devait passer trois ans chez ce nouveau partenaire. Peggy menait toujours sa même vie frivole de linotte toni-truante. Elle déplaçait beaucoup d'air en y laissant des traînées de son infâme parfum opiacé.

— Regarde-la, Charly : elle me nargue ! gémit Peggy en caressant la main de l'écrivain toujours posée sur son épaule.

— Mais non, proteste Dejallieu, ce n'est pas son style.

Mélancolia hoche la tête et se met à rassembler la vaisselle sale.

Peggy renifle à deux ou trois reprises avant de penser à autre chose.

— Charly, dit-elle, je crois savoir que vous êtes un auteur comblé, n'est-ce pas ?

— Ça marche, convient Charles.

— En ce cas, comment se fait-il que vous n'ayez pas de domestiques ? Mélancolia s'appuie tout le travail de maison.

— C'est elle qui l'exige, ma chère ; elle a besoin de s'occuper.

— Elle pourrait s'occuper à des tâches plus glorieuses. Faire les lits et la vaisselle, passer la pattemouille, sont des besognes indignes d'une jeune femme belle et intelligente.

— Sa beauté et son intelligence sont déjà mobilisées, chère Peggy.

— Par vous ?

— Bien sûr. Un romancier travaille chez lui, mais dans un certain climat qui lui est indispensable. Il se trouve que ma femme crée et entretient merveilleusement le climat dont j'ai besoin.

— N'est-ce pas un peu égoïste, Charly ? demande la perruche qui n'a jamais vécu que pour elle-même.

Dejallieu sourit ; il aime entendre un con parler de connerie, un laid parler de laideur, un égocentrique d'égoïsme. Il trouve la plupart des gens admirablement caricaturaux et admire cette tendance qu'ils ont à dénoncer chez les autres ce qui constitue leur principal travers. Certains appellent cela de l'inconscience, alors qu'il s'agit au contraire de conscience instinctive.

— Ce n'est pas de l'égoïsme, c'est une histoire d'amour, déclare Dejallieu gravement.

Il regarde s'affairer Mélancolia dans la cuisine. Il voudrait la prendre dans ses bras, l'entraîner jusqu'à leur lit, dans cette chambre tout en bois comme une boîte, et qui empeste encore le whisky.

Le téléphone ronfle. Il décroche. Une voix à l'accent levantin lui réclame Peggy.

— Pour vous, ma chérie ! dit-il à sa belle-mère.

— Mon Dieu, qui est-ce ?

— Roméo, je pense. Il a un accent qui fleure bon la merguez.

Peggy se transforme. Elle est affolée de bonheur. Elle se recoiffe de ses dix doigts.

— Charly, mon amour, il n'existe pas d'autre poste téléphonique que dans ce satané chalet ?

— Hélas non, nous menons une existence très modeste, vous savez. Mais rassurez-vous, je vais vous laisser seule.

— Et vous fermerez bien les portes ?

— Pas un son ne filtrera, voyez comme elles sont épaisses. Peggy roucoule.

— C'est que nous avons l'habitude de nous dire des choses très intimes, très... frivoles !

Charles, qu'un début d'agacement taquine, sort en claquant la porte.

Il va ceinturer Mélancolia qui s'affaire devant le bloc évier. Il coule ses deux mains sous sa jupe plissée dont il aime l'étoffe. Il est très sensible aux tissus. Il en est dont le contact lui porte à la peau. Mélancolia renverse sa tête pour frotter sa joue à celle de son mari.

— Chéri, soupire-t-elle.

— Je t'aimerai jusqu'à la fin du monde, murmure Charles.

— Peut-être, si la fin du monde a lieu ce soir...

— Tu doutes de mon amour ?

— Non, du temps. Il est notre unique ennemi.

Charles précise ses caresses. Mélancolia proteste :

— Arrête, nous ne sommes pas seuls !

— Pour un bon moment, si. Elle est au téléphone avec son gigolo.

— Ah ! le diamantaire, plaisante Mélancolia.

Elle ajoute :

— C'est curieux que l'âge ne parvienne pas à la changer.

— Pourquoi la changerait-il ? Il ne modifie vraiment que notre physique. Chacun de nous mène sa vie avec trois ou quatre grandes options fondamentales qui restent immuables. C'est très bien ainsi, nous avons avant tout besoin de constantes, sinon nous nous perdrions.

Il se plaque étroitement à sa femme. Il est en érection. C'est un moment de réelle volupté. En amour, seul importe le désir, l'assouvissement n'est qu'une péripétie lamentable car à cet instant, l'esprit s'écarte du corps pour lui laisser l'initiative.

— Allons dans la chambre ! implore-t-il, je te garantis que nous aurons tout le temps...

Elle est sur le point de céder lorsque la porte s'ouvre violemment. Peggy est animée, préoccupée.

— Charly, appelle-t-elle, tu peux venir un instant ?

Le couple se désunit. Peggy n'a même pas remarqué sa posture plus qu'intime.

Charles, déçu dans toute sa viande, quitte les admirables fesses de Mélancolia pour accompagner sa belle-mère au salon. Il note que l'appareil téléphonique est toujours décroché.

— Charly, dit-elle, nous avons absolument besoin de toi.

Elle est essoufflée comme si elle venait d'escalader quatre à quatre une douzaine d'étages.

— Que se passe-t-il ?

— Figure-toi que Iouz a un gros problème. Il est à Milan, on lui a volé son portefeuille, si bien qu'il se retrouve sans argent ni cartes de crédit. Il me demande si je peux lui adresser un mandat télégraphique international.

Charles sourit.

— De combien ?

— Dix mille francs, car il a son hôtel à payer et son billet pour me rejoindre ici où il se fera adresser de l'argent.

— Pourquoi ne s'en fait-il pas adresser directement à Milan ?

— Il habite Beyrouth. Sur l'Italie ce ne serait pas facile alors que pour la Suisse, il n'y a aucun problème.

— Que faisait-il à Milan ?

— Des affaires.

— Et ses partenaires de là-bas ne peuvent pas le dépanner ?

Peggy bout d'impatience :

— Oh ! écoute, Charly, pour l'amour du ciel ne sois pas mesquin, dans deux jours tu seras remboursé !

— D'accord, consent Dejallieu, je vais vous les donner et vous descendrez à la poste expédier le mandat.

Il se dit que, pendant l'absence de la perruche, il fera l'amour à Mélancolia, divinement. Une telle étreinte à dix mille francs suisses, c'est donné.

Il va chercher l'argent dans un tiroir de leur chambre. Peggy rassure son Roméo et lui gazouille déjà des fadaises poisseuses.

Elle rafle d'un tournemain preste les dix beaux billets violets, solides comme la confédération, que Charles lui présente en éventail.

— A demain, mon bel amour ; à demain, mon beau chéri, râle-t-elle comme si elle s'abandonnait à l'orgasme.

Puis elle saute au cou de Charles.

— Tu ne peux pas me descendre à la poste, mon grand ?

— Impossible, j'attends un appel de mon éditeur ; un peu de marche vous fera du bien. Dites-moi, il y a longtemps que ça dure, vous et Iouz ?

— C'est tout neuf : dix jours !

— Et cet argent, vous le lui expédiez à quel hôtel ?

— Poste restante.

Charles embrasse Peggy au front. Elle est en route pour la désilluse, la chère dame. Elle a commencé le chemin de croix des renoncements.

— Il doit arriver demain, Peggy, votre beau bandeur ?

— En fin de journée.

— Vous savez qu'il ne viendra pas, n'est-ce pas, ma chérie ? Il existe bien une petite voix, tout au fond de vous, qui vous le chuchote ?

La perruche paraît interdite. Elle a l'air d'une élève interrogée qui n'aurait pas appris sa leçon. Son regard candide se creuse, se creuse en spirales infinies. Sa bouche s'entrouvre.

— Comment cela, Charly, je ne comprends pas ?

— Voyons, mon cœur, votre don Juan est un petit mac, la chose est évidente vue de l'extérieur.

Alors la gentille Peggy prend une gueule mauvaise. Elle est agressée et se rebiffe. Son gendre l'insulte avec le sourire, il l'insulte en lui donnant l'argent qu'elle lui demande. Il l'insulte car il met son sex-appeal en question. Il la prend pour une vieille ! Pour l'une de ces pêcheuses de gigolos au rabais qui font tapisserie dans certains bars d'hôtels clinquants.

— Charly, vous êtes un fameux dégueulasse, mine de rien ! grince la vieille écervelée. Pourquoi me prêtez-vous cet argent si vous pensez que Iouz est un escroc ?

— Parce que c'est le tarif qu'il a lui-même fixé pour vous prouver qu'il en est un, Peggy. Suivez mon conseil de fils : faites-vous baiser mais ne payez jamais. Je vous aime beaucoup, vous savez ; rarement j'ai trouvé aussi harmonieusement réunies l'extravagance et l'innocence. Vous allez me haïr jusqu'à demain soir, mais ensuite vous aurez confiance en moi. Allez vite poster cet argent ; vous n'imaginez pas le paquet de lires que ça représente, dix mille francs suisses ; et prenez tout votre temps car pour ne rien vous cacher je vais faire l'amour à Mélancolia.

Et le violon de Yehudi Menuhin enchanta leur étreinte.

Ses parents habitaient maintenant dans la banlieue lyonnaise, non loin d'un hospice pour vieillards. Le Petit Garçon avait dix-huit ans et se jugeait vieux. Il n'espérait pas vivre longtemps. Par la suite, se prolonger devint une surprise de tous les jours à tel point qu'il en concevait une espèce d'inquiétude et quand il atteignit l'âge mûr, il eut la sensation pénible d'avoir lésé quelqu'un.

Il passait son temps libre au bistrot champêtre de son ami Léon. Peut-être Charles écrirait-il de Léon dans son livre, et peut-être non, car il y avait trop à en dire. De même ne parlerait-il pas non plus tellement de la sœur du Petit Garçon, parce que pour lui, romancier enchevêtré, elle constituait un domaine en marge, sorte d'îlot émergeant au soleil du bonheur dans un océan gris.

Les vieillards de l'hospice se réfugiaient au café de Léon, buvant du beaujolais ou des cafés en racontant leur passé plein de beaux miroitements et leurs malheurs présents. Il y avait un pavillon pour les hommes, un autre pour les femmes. La loi du sexe amenait certains d'entre eux à forniquer dans les dépendances. Les infirmiers de l'hospice les guettaient et leur lançaient des seaux d'eau en les traitant de chiens en chaleur.

Le Petit Garçon s'était lié d'amitié avec une vieille femme « pas comme les autres », moineau montmartrois exilé, tombé des ailes du Moulin de la Galette dans ce mouroir provincial. Elle se fardait, alors que ses compagnes d'asile avaient abdiqué toute coquetterie. Ses vêtements, à la limite du ridicule, affichaient son souci à l'originalité. Elle avait connu nombre de célébrités et éblouissait son jeune ami en lui confiant qu'elle avait été la maîtresse de Dufy (l'autre) ou en lui montrant une vieille photo jaunie et craquelée la représentant dans un groupe de jeunes femmes rieuses dont elle affirmait que l'une d'elles était Colette. D'ailleurs, la vieille cigale se faisait appeler Claudine.

Il arrivait que le Petit Garçon fît à son amie la charité de l'emmener en ville. Ils prenaient le trolleybus et traînassaient dans Lyon. La vieille femme était amoureuse du garçon et risquait parfois des sous-entendus sur ses propres capacités sexuelles.

Il comprenait les allusions, mais feignait la candeur afin de ne pas désobliger Claudine, préférant lui paraître innocent plutôt que dédaigneux.

Un jour, il l'emmena chez la veuve d'un peintre défunt ayant eu son heure de gloire. Il devait écrire quelques lignes dans la revue où il travaillait à propos d'une rétrospective de l'œuvre. La veuve était une aimable vieillarde qui fut charmée de pouvoir converser avec une personne pour qui le Montmartre du *Lapin Agile* n'avait pas de secrets. La cordialité régnait et la veuve de l'artiste proposa d'aller faire du café.

Pendant qu'elle était absente, Claudine s'approcha d'un vaste placard mural garni de claies qui supportaient une quantité de toiles. Sur l'une d'elles s'empilaient des œuvres de petit format peintes sur carton. Claudine en prit une qu'elle glissa prestement dans son cabas de faux cuir. Puis elle se tourna vers le Petit Garçon stupéfait pour lui adresser un clin d'œil complice. Elle paraissait charmée par son larcin. Ils prirent le café en devisant ; mais le jeune journaliste avait du mal à parler. Il sentait une boule d'angoisse au fond de sa gorge. Il lui semblait que la veuve du peintre allait s'apercevoir du vol et qu'elle réagirait violemment.

Ils se retirèrent rapidement. Claudine congratula chaleureusement leur hôtesse et lui déclara que son défunt ruisselait de génie, ce dont l'autre ne doutait pas.

Lorsqu'ils eurent atteint le coin de la rue, Claudine sortit l'œuvrette du sac. Cela représentait un « bord de Saône » dans les tons verts. Elle chaussa ses lunettes pour mieux la contempler.

— Pas mal, n'est-ce pas ?

Elle en parlait comme si elle venait de l'acquérir le plus légalement du monde. Elle la tendit au Petit Garçon d'un geste brusque.

— Tiens, prends : ça me fait plaisir de t'offrir ce tableau ; tu le garderas toujours en mémoire de moi, n'est-ce pas ?

Cela ressemblait à une vraie donation et c'était si émouvant que le Petit Garçon sauta au cou de la vieille cigale en sanglotant. Il promit de ne jamais s'en séparer. Mais, par la suite, il déménagea souvent et le tableautin disparut de sa vie.

Pourquoi Charles échafaude-t-il cette scène en contemplant le Dali de Samy Kovski ?

— Ça te la coupe, non ? demande le marchand qui prend sa méditation pour une marque de profonde admiration.

Dejallieu regarde la toile qui représente un piano sur une plage.

— Formidable.

— C'est con que Mélancolia ne t'ait pas accompagné, elle aurait pris un pied terrible, non ?

— Elle n'a pas voulu, révèle Charles, elle a eu peur que je l'achète ; alors comme elle sait que je ne le ferais pas sans elle, elle a préféré me laisser venir seul.

— Elle est conne ou quoi ! glapit Kovski. Si tu achetais ce morceau de roi, tu ferais un placement fantastique.

— Mélancolia me dit que les chefs-d'œuvre ne sont pas destinés à moisir dans des coffres mais à vivre la vie des gens.

— Elle a raison. Pourquoi joues-tu les Harpagon au lieu d'accrocher ta collection sur tes murs ?

— J'attends d'avoir « mes » murs !

— C'est-à-dire ?

— J'attends de trouver « ma » maison ; voilà des décades que je la cherche. Un vrai point d'ancrage, ça doit être fantastique. « Reconnaître » le pays, la demeure sans les avoir jamais vus auparavant, je sais que ça se produira un jour. Je passe, je vois, je crie « C'est là ! ». Et c'est bien là, Samy, tu comprends ? Alors j'achète quitte à virer les occupants à coup de millions. Je déballe mon fourbi, je dispose mes tableaux ; je deviens un souverain.

— Tu ne trouveras jamais, annonce Kovzki en souriant.

— Ne me dis pas ça ! supplie Charles. Laisse-moi espérer.

— Tu ne trouveras jamais, reprend l'impitoyable, parce que « ta » maison existe dans ta tête et ne peut pas exister ailleurs. Nous autres, les youdes, nous n'avons pas de ces tracasseries-là. Chez nous, c'est l'endroit où nous nous trouvons au moment où nous y sommes. Chez nous, c'est nous ! Voilà pourquoi nous pissons au cul des gentils avec nos bibites circoncises : ils perdent leur temps à chercher ce que nous possédons.

Il rit en frottant la paume de sa main sur ses cuisses ; un tic qui le prend lorsqu'il est assis et de belle humeur.

— Il vaut combien ? questionne Dejallieu en désignant le tableau d'un hochement de tête.

— Deux cent mille dollars pour toi, déclare Samy d'une voix mourante.

— Avec une telle somme, je pourrais m'acheter une vraie plage et un vrai piano, plaisante Charles.

— Tu parles comme un charcutier de village, soupire Kovaski.

Une femme fait son entrée dans la vaste pièce savamment éclairée. La dernière « conquête » du marchand. La fille est grande, très brune, avec de longues boucles en pluie sur les épaules, des yeux verts, un peu sauvages, mais elle doit cultiver ça. Elle porte un bout de short en jean délavé et effrangé qui glorifie ses longues jambes et sa taille mince. Un chemisier blanc noué à la diable et déboutonné révèle tout de ses seins tendus, aux mamelons sombres. Elle se déplace nu-pieds, d'une démarche féline, étudiée elle aussi, comme le regard.

— Oh ! voilà Maud, s'écrie Samy, radieux. Viens t'asseoir près de nous, arrogante salope, que je te présente Charles Dejallieu, le célèbre romancier ; le plus grand écrivain à gauche en sortant de la gare de Gstaad. Tu as fatalement lu ses œuvres ? *les Trois Mousquetaires, Crime et Châtiment, l'Amant de Lady Chatterley* ?

— Cesse de toujours prendre les gens pour des cons ! soupire Maud en tendant à Dejallieu une main blasée ; quand on ne bande pas on ne se fout pas de la gueule des autres.

Au lieu de sourciller, Samy exulte.

— Toujours cette mythologie du caniche, pouffe le gros homme. Elles prennent nos braguettes pour des tabernacles et s'intéressent davantage à ce que nous avons dans la culotte que dans la tête. Ma Mimi ravissante, sois gentille : va nous chercher à boire, Victior Yougo meurt de soif.

Maud s'apprête à protester, seulement Samy lui adresse un clin d'œil et elle obéit.

— Comment trouves-tu la bête ? demande Kovski.

— Superbe, on dirait un poster de *Lui*.

Samy cesse de sourire.

— Si le cœur t'en dit...

— Je te remercie, mais j'ai déjà donné, dit Charles.

Il regarde sa montre.

— L'exploit a eu lieu il y a moins d'une heure et j'arrive à un âge où l'on ne bisse qu'après un honnête délai de récupération.

Samy paraît déçu.

— Tu ne serais pas fidèle, par hasard ? demande-t-il, bougon. Je n'ai jamais entendu ragoter à ton propos, ça m'inquiète.

— Je tiens à mon confort sexuel, explique Charles. Peut-être l'ignores-tu, mais ces dames n'ont pas toutes la même conformation et j'ai tellement pris l'habitude de baiser à un étiage précis que d'en changer me déconcerterait.

Samy hausse les épaules.

— En somme, tu as trouvé le bonheur par la résignation ?

— Il n'est qu'en elle, assure gravement Charles.

Maud revient, lestée d'un plateau abondamment chargé. Elle est extrêmement bandante, pense Dejallieu, et probablement beaucoup moins bête que sa beauté fracassante ne le donnerait à croire. Où donc ce diable de Kovski, moche comme cent poux, va-t-il chercher de telles pin-up? Certes, il doit les « dédomma-ger », mais la performance demeure.

Il sent qu'il intéresse la fille. Sans doute le gros Samy et elle avaient-ils manigancé une « séance » avec Charles et Maud attend le déclenchement des opérations. La passivité un peu mondaine du romancier la surprend.

— Comment trouves-tu Victior Yougo, ma superbe? questionne Samy.

— Intéressant, répond-elle avec un regard qui souligne.

Charles s'efforce de ne pas rougir.

Le Petit Garçon avait un vieux copain dans sa banlieue champêtre. Un homme ravagé par une jalousie d'autant plus tourmentante que sa femme était plus jeune que lui. Leur vie n'était qu'une succession de scènes qui éclataient à tout propos.

Une fois par semaine, l'épouse descendait en ville pour les courses, elle l'avait exigé lorsque le couple était venu s'installer dans cette localité suburbaine. Cet après-midi hebdomadaire devenait le cauchemar de l'ami. Il demanda au Petit Garçon, alors adolescent, de suivre sa femme pour contrôler ses faits et gestes. Et le jouvenceau accepta de perpétrer cette petite infamie qu'il était prêt à considérer comme une « mission de confiance ».

Pour l'exécuter, il descendit s'embusquer au terminus de la ligne de trolleybus. L'épouse suspectée arriva, endimanchée. On la devinait « hennissante de liberté ». Elle s'engagea dans les venelles du vieux quartier Saint-Jean qui menaçait ruine. Après un cheminement assez bref, elle s'engagea dans une traboule obscure traversant un immeuble vétuste de part en part...

— Tu parais dans le cirage, Victior Yougo, c'est Maud ou le Dali qui te trouble?

Charles sursaute, importuné.

— Les deux, fait-il pour se débarrasser.

Il s'efforce de « rester en leur compagnie », mais la sollicita-tion est trop forte; ses pensées sont irrésistiblement entraînées comme l'est une souche de bois par le flot d'un torrent en crue. Alors il se laisse arracher à la salle d'exposition, à ses hôtes troubles, au verre plein d'il ne sait quoi qu'on lui a placé dans la main.

Le Petit Garçon s'arrêta à l'orée de l'immeuble, indécis sur la conduite à tenir. La femme de l'ami avait-elle traversé la maison, ou bien s'y était-elle arrêtée pour y rencontrer quelqu'un? Il se hasarda dans « l'allée » encombrée de poubelles, sombre, sanieuse, réceptacle d'un grand nombre de pissats et d'excréments de toutes origines. Une admirable cour formait le centre de l'immeuble, riche d'un escalier extérieur Renaissance, qu'on classerait enfin un jour. Mais ce chef-d'œuvre survivant recelait mille immondices ; des réduits lépreux y avaient poussé comme autant d'excroissances honteuses, des voitures d'enfant abandonnées y gisaient, des bicyclettes rouillées, jusqu'à une carcasse de voiture à bras semblable à celles qu'on place dans les barricades de cinéma.

Comme il s'engageait sur cet espace libidineux, on l'appela par son nom et il découvrit la femme de l'ami embusquée derrière une porte de cave. Elle le considérait avec un sourire un peu triste, sans colère ni mépris, simplement avec du désenchantement plein sa figure fatiguée. Le Petit Garçon sentit ralentir les battements de son cœur. Il resta figé, ses deux bras pendant pareillement, de la même manière lourde et irrévocable, le droit comme le gauche, tels des bras de mannequin de vitrine qu'on ôte ou raccroche pour vêtir ces illusions humaines.

Et ils demeurèrent ainsi, à quelques mètres l'un de l'autre dans cette cour pourrie, se dévisageant en silence, tandis que tout près, dans les ténèbres de ces demi-ténèbres, miaulait un chat en détresse. Ils se regardaient comme pour se guérir l'un de l'autre, s'entre-conjurer. Lui, aspirant à la guérir de son ressentiment ; elle, voulant le guérir de sa vilenie. Ils se regardaient intensément, une étrange confiance mutuelle les « emparait » comme une aube ou une musique. Et à mesure que le temps passait, ils se prirent à se regarder autrement encore, avec amour presque, moi je dis. Oui, c'est comme ça : avec amour ; il faut tenter de comprendre. Eux deux, le chasseur et le gibier, dans la cour fielleuse Renaissance, pleine de sanies et d'obscurité, de sales odeurs aussi, de celles qui te mettent la honte au nez. Eux deux, là, immobiles, tu les vois ? La femme avec une sorte de béret à la con sur ses cheveux épais, lui, freluquet de merde entouré de merdes. Ils sont là, attentifs et éperdus. L'aube pointe, la musique commence, piano, piano. Des violons ? Pas même : une harpe ! Dans la cour du quartier Saint-Jean où une putain de chatte se fait forcer, à moins que ce ne soit le matou qui prenne son fade ; prière de se reporter à « La Vie des Animaux ». Eux deux, tremblant d'une inexplicable misère.

A la fin. La fin de quoi ? Du sortilège ? Non, puisqu'il continue. Le Petit Garçon s'avance vers la femme tapie dans l'ombre. Il doit bredouiller quelque chose, non ? Supposons. Il bredouille n'importe quoi. Elle ne l'écoute pas, ça n'est plus le problème. Ils sont l'un contre l'autre. Elle est moelleuse et chaude. Il se colle à elle, comme un ivrogne à un arbre pour éviter de tomber. Ses deux bras sont toujours pendants, le droit comme son pauvre copain le gauche. Il ne sait qu'en faire. Se souhaiterait pingouin. Il est pingouin ! Pingouin frileux, pingouin éperdu. Une intense chaleur l'investit. Une grande bouche rafle la sienne, douce et un peu gluante ; une langue prend possession de sa bouche. Une main vient à sa rencontre pour faire vraiment connaissance. Un chat miaule et ça pue l'abomination de tous les déchets végétaux et animaux qui se puissent accumuler. Elle le dégrafe avec une douce autorité. Extrait son sexe en détresse. Il est au comble de... De rien. Au comble, simplement ; au comble, que puis-je employer qui soit plus juste ? Ses bras redeviennent vivants, y compris le gauche. Ils soulèvent la robe imprimée. Elle fait le reste. C'est un bon guide. Il pense à son vieux copain et sourit triste.

— Je vais peut-être le prendre, déclare Charles en refaisant surface.

Samy n'exprime aucun sentiment. Son regard ne trahit pas le moindre contentement. Maître vendeur, sachant tout d'un marché, il n'ignore pas qu'un mot, un geste, une mimique peuvent faire capoter une affaire à l'instant suprême.

— Combien m'as-tu dit ? soupire Charles en quittant son siège pour s'approcher du tableau.

— Deux cent mille dollars, fait Samy, le ton atone.

Cette fois il n'ajoute pas « pour toi ». C'est Charles qui demande, faussement guilleret :

— Et pour moi ?

— Pour les autres, il vaut deux cent vingt-cinq mille, rétorque Kovski.

Dejallieu se retourne.

— Samy, si je te demandais de me prêter vingt-cinq mille dollars, tu refuserais, n'est-ce pas ?

— Ça dépend.

— Mais si, tu sais bien que tu refuserais. Alors pourquoi me « donnes-tu » ce que tu refuserais de me « prêter » ?

— Parce qu'un petit bénéfice n'est pas comparable à une sortie d'argent, dit le vieux bougre.

Il essuie ses lunettes pour fuir. Sans verres, il est comme aveugle, en tout cas hors d'atteinte.

— Bien répondu, admet Charles. Je prends. Garde-le-moi jusqu'à la fin du mois, j'attends mon bordereau semestriel car je n'aime pas retirer le fric placé : mon côté cul-terreux.

— Tu le paieras quand tu voudras, déclare Samy.

Il va décrocher la toile.

— Emporte-la !

— Non, quand je te l'aurai réglée.

— Emporte-la, je te dis, et fais-moi plaisir, Victior Yougo : accroche-la en face de ta machine à écrire, ça te dopera pour travailler.

— Tu ne veux pas un chèque en garantie ?

— Tu me prends pour un peigne-zizi ?

— Et si je meurs ? objecte Charles.

— Si tu meurs, j'irai bouffer le cul à ta veuve, c'est tout ce que je suis encore capable de faire convenablement ; n'est-ce pas, Maud ?

Charles prend congé de Samy et va récupérer sa voiture sur le terre-plein bitumé, derrière la galerie. Il trouve le photographe bigleux assis sur le pare-chocs de son gros véhicule. Muzard se lève en l'apercevant.

— J'ai reconnu votre bagnole, monsieur Dejallieu, et comme je voulais vous voir, je me suis permis de vous attendre.

L'écrivain serre la main du souilleur de pellicule. Il note qu'il a la paume moite et que ses doigts sont grêles et frémissants. La chevelure bouffante de Franky, à contre-jour, n'en finit pas de mousser comme un flacon d'O Bao renversé dans la baignoire.

Le regard croisé de son interlocuteur l'incommode car il ne sait jamais quel œil il doit regarder pendant leur conversation.

— Vous vous rappelez, vous m'aviez promis de m'accorder un reportage photo ?

— Je m'en souviens parfaitement, admet Charles.

— Ça ne vous ennuierait pas qu'on réalise une interview par la même occasion ? Je fais équipe avec Aldo Moretti qui s'est reconverti dans la presse.

— Il a lâché le cinéma ?

— Ce serait plutôt le contraire, vous savez quel métier de chien ça peut être : un jour vedette, le lendemain complètement dévalué...

— Je sais, dit Charles. Le domaine artistique est exaltant mais capricieux ; Moretti a parfaitement raison de tourner la page, j'espère qu'il aura suffisamment de force de caractère pour ne pas entretenir de regrets ni d'espoirs. Il est pénible de se passer de la célébrité lorsqu'on l'a connue ; elle laisse d'éternelles séquelles comme une grave opération.

Brusquement conscient de verser dans le doctoral, il hausse les épaules. Dejallieu déteste les gens sentencieux et redoute de jouer au « cher maître » à son insu. L'on devient si facilement verbeux et théâtral lorsqu'on occupe la position « d'homme écouté ».

— En tout cas, c'est d'accord pour l'interview, mon petit vieux.

— Je peux vous demander une date ?

— C'est tout bon, à condition que ce soit l'après-midi car je travaille le matin.

— Après-demain ? risque Muzard. C'est jeudi, vous serez en famille.

— Va pour après-demain. On dit seize heures ?

— O.K., monsieur Dejallieu.

— Il aime le champagne, votre complice? questionne Charles.

Le terme de « complice » fait tressaillir Franky.

— Naturellement, mais ne vous dérangez pas pour nous! Muzard avise le tableau que son interlocuteur tient sous le bras.

— Une emplette? remarque-t-il.

— Ma toute dernière, déclare l'écrivain, non sans fierté. Il montre le tableau.

— Un Dali! s'exclame Muzard, et un chouette. J'adore le surréalisme. Quand on regarde ça, on a l'impression d'être intelligent. C'est le père Kovski qui vous l'a vendu? Il a toujours des toiles de première bourre.

Il sourit et ajoute :

— Des filles aussi. C'est un personnage, non? Il vend très cher les toiles, mais il offre les filles. Un jour que j'étais venu lui tirer une série de diapos pour son assureur, il m'a fait sauter une exquise Eurasienne.

Charles songe à Maud. Un regret confus l'émoustille. Il se promet de revenir.

Et ce jour marqua la fin de la vie paisible pour Charles Dejallieu, romancier.

VIII

Charles ayant prévenu sa belle-mère que des journalistes allaient venir, Peggy se harnache en guerre, « à toutes fins utiles ». Elle sait la fortuité des choses. Toute rencontre peut engendrer des péripéties, il s'agit de demeurer en éveil. La vieille femme palpite comme un appareil à sous malmené. Ses atours jettent de hardis scintillements, ses éclats de voix résonnent dans toutes les pièces à la fois et elle s'est à ce point parfumée que le chalet empeste le salon de coiffure. Elle a surmonté la désillusion « Iouz » lequel, comme l'avait pronostiqué Charles, n'a plus donné signe de vie. « Mais, vous ne perdez rien pour attendre, a-t-il assuré à sa belle-mère. Lorsqu'il aura bouffé mes dix mille francs, il reprendra contact avec vous pour tenter de vous en extorquer d'autres sous de nouveaux prétextes fumants. »

Dora fait ses devoirs sur la table de la cuisine, avec l'aide de Mélancolia. Elle achève « la crevette » ; c'est Charles qui lui en a dessiné une, reproduisant sans vergogne celle du Larousse. Elle la colorie en rose. Tout en promenant la mine du crayon, elle récite « Wagner 1813-1883 », mais qui a fait tant de choses entre ces deux dates : tous ces opéras, ces triomphes, ces échecs à Paris, maître de chapelle, deux épouses dont la seconde était la fille de Liszt, mort à Venise où il passait ses hivers. *Parsifal,* son ultime opéra, et puis quoi encore ?

Charles, qui l'écoute distraitement depuis le salon, reste sur Venise. Il perçoit le clapotis des eaux contre les énormes piliers de bois. Il voit danser les troupeaux de gondoles à l'amarre. Un enchantement capiteux glisse sur son âme sans vraiment la troubler.

Le Petit Garçon rêvait d'Italie. Pauvre dans son enfance, il ne fit aucun voyage, sinon quelques visites « pour son bras » à un médecin lausannois. Quand il se retrouva marié...

« S'attarder sur le mariage », songe Dejallieu. Et de créer une parenthèse dans Venise. Souviens-toi que, romancier, merci bien : ce n'est pas une sinécure ! Toujours galoper d'une idée à l'autre ; ça se croise, s'imbrique, s'interfère. Il pousse des branches aux idées, et des pensées parasites après les branches... Un cerveau n'est jamais en repos. Même dans le sommeil, il continue de distiller, le cerveau du romancier. Des personnages, des scènes, des décors se malaxent, s'organisent, se disloquent et se dispersent. Un monstrueux fourmillement dans lequel il faut bien puiser sa moisson. En vertu de quels critères s'opère le choix ? Pourquoi opte-t-il pour une image plutôt que pour une autre ? Sans toujours obéir à ses réels penchants ; sans vraiment céder à des coups de cœur, le romancier ? Un être lui sort de la tête pour se mettre à vivre sur le papier ; un épisode qui sommeillait dans la torpeur de sa mémoire demande à voir le jour...

Mariage. Un tout petit mariage d'Occupation composant un « cortège » de dix personnes ! Les mariés, leurs parents, leurs témoins, la grand-mère, le patron du marié... Repas furtif dans un bistrot de banlieue auquel on avait dû fournir la matière première : un poulet. Et le patron n'aimait pas le poulet. Il était parti après les radis, prétextant ses affaires. Il marchait avec une canne dans les grandes occasions, à cause d'une blessure au pied de quatorze-dix-huit. Somptueuse canne de bambou avec un embout de caoutchouc. Son départ avait détendu l'atmosphère. Le matin, très tôt avant la cérémonie, le Petit Garçon était allé chercher sa grand-mère à l'hôpital où elle se remettait d'une mastoïdite. Elle portait un gros pansement à la tête, qui modifiait sa physionomie. Ils se tenaient assis face à face dans un tramway brinquebalant, muets et effarés, très pâles comme des noctambules rentrant chez eux à l'aube. Le Petit Garçon évoquait son enfance auprès de cette femme et sentait bien qu'il la trahissait en se mariant. La vie avait vaincu cette tendresse un peu fanatique et irrationnelle qui les liait. De plus, le pansement la rendait pitoyable ; elle était terrassée physiquement et moralement, ce matin d'octobre ; discrètement bafouée, et sa vie dériverait désormais sur le flot lent des souvenirs et des peines indéfiniment ressassés.

A un certain moment, il se pencha sur elle et murmura à son oreille valide :

— Et si nous partions ?

Il envisageait sérieusement cette étrange fugue d'un petit garçon qu'on avait eu tort de laisser vivre, avec une vieille femme convalescente, sans voir plus loin que le modeste pactole qu'il avait constitué pour se marier. Sans se demander comment s'écouleraient les raides et secs instants de ce tête-à-tête. Ni ce qu'il adviendrait des autres personnes qu'il aimait. Il lui proposait de partir comme on peut proposer l'euthanasie à un être aux douleurs inguérissables. Lui proposait une espèce de double mort, en ce jour de noces. Une misérable fugue pour sanctifier l'amour qu'il avait eu d'elle, qu'il éprouvait encore, mais qui s'élimerait au long de son âge, ils le savaient parfaitement l'un et l'autre. Et cela constituait une ultime offrande de son enfance reconnaissante. Un don inacceptable qu'elle refusa très vite d'un hochement de tête, sans parler ni sourire.

Et puis le mariage eut lieu ; et le soir, les époux neufs se retrouvèrent dans un hôtel miteux. Le Petit Garçon avait passé son pyjama par-dessous ses vêtements de ville. Quelle sotte idée ! Il était fou, il était fou. Paix à son cœur !

Charles s'étire, va jusqu'à l'encadrement de la porte.

— Je descends écrire quelques lignes ; quand mes gars arriveront, préviens-moi.

Mélancolia acquiesce distraitement. Elle est toujours très tendue lorsqu'elle fait travailler Dora. On dirait qu'elle a personnellement de la peine à assimiler ce que l'enfant étudie.

Peggy entre en trombe. Elle vient à l'instant de changer de toilette. Elle en changera encore avant la venue des journalistes. Elle demande conseil à sa fille. Que pense-t-elle de cette jupe de daim rouge avec ce chemisier bleu ? Mélancolia dit qu'elle préférait la robe précédente. Peggy annonce qu'elle va passer un tailleur.

Charles est soulagé de retrouver son bureau. La présence de Dora et de sa grand-mère « lui pompe l'air ». Les deux simultanément, c'est trop. Il voudrait devenir chartreux, s'abîmer dans le silence, la méditation. Oui, mais et baiser, hein ?

Il s'abat sur son trône, regarde la rame de papier blanc à droite de sa machine, la chemise orange, à gauche, où s'accumulent les feuillets noircis.

Il aime s'entourer de couleurs vives ; elles sont tonifiantes. Il a suivi le conseil de Kovski et accroché le Dali en face de lui. Le tableau, mal éclairé, conserve néanmoins une certaine vigilance. Il se met à l'aimer. Le personnage de Dali l'agace, mais il aime une grande partie de son œuvre.

Bon, que voulait-il noter ?

Il cherche. C'est brusquement le blanc, le vide.

Le mariage... La grand-mère et le Petit Garçon dans ce tramway. Mais cela n'était qu'une incidence, non, une parenthèse. Initialement, c'est Venise qui était en lumière. Et quelle lumière ! Charles décide d'aller habiter Venise. Il a besoin du Grand Canal, des *vaporetti*, des grandes claques de l'eau croupie sur les façades limoneuses. Des bruits et du silence dominical à nul autre comparable.

Le Petit Garçon, peu de temps après son mariage, était parti pour l'Italie. Seul. Il était fou ! Il était fou ! Charles ne comprend pas cet égoïsme forcené. Le Petit Garçon qui abandonne sa jeune épouse pour prendre le train. Délectation de la frontière franchie. Les douaniers. *Dogana !* Torino, bruyant ! Un hôtel pouilleux... Il part à la conquête de la ville et s'ennuie. S'ennuie à mourir. Alors, il prend le train pour Rome. Un hôtel pouilleux. Il part à la conquête de la ville. Le Vatican, le Colisée. Il s'ennuie, s'ennuie ! Il prend un train pour Venise... La nuit dans le train. Il lit *la Peste* de Camus. En face de lui se trouve un grand type au cheveu rare. Italien. Il est blond ! Cela existe donc, un Italien blond ? Il parle français. Camus, il connaît. Il parle de Venise, de Camus et de Venise. Ah ! Venise ! Vous descendez où ? Pas d'hôtel ? J'en connais un : propre et bon marché : *Stella de Oro,* à deux pas de la place Saint-Marc ! Ah ! la place Saint-Marc ! Ils parviennent à Venise, la gare... pareille à toutes les gares. Et puis tu sors et c'est le choc ! Le Petit Garçon et son compagnon prennent le *vaporetto* bondé. Le Petit Garçon est saoulé par le verbiage des passagers. Il arrive jusqu'à cette féerie qu'est San Marco. Il suit son compagnon. Une calle obscure... Un hôtel confidentiel. Il y a du tapis sur le roide escalier ciré. L'entrée est exiguë, agrandie toutefois par une théorie de miroirs. La réception se trouve au premier. L'Italien blond parlemente. On propose une chambrette au Petit Garçon, modeste mais propre effectivement. Il prend congé de son aimable compagnon de voyage. Les volets sont fermés. Il les ouvre, constate alors qu'il plonge dans un appartement situé à moins de deux mètres. Une dame en combinaison de satin rose fait son ménage. Le Petit Garçon referme précipitamment.

Il compte l'argent qui lui reste. Peu de chose. Il a tout claqué en billets de train. Il part à la conquête de Venise. Pour commencer un Cinzano Bianco sur la place Saint-Marc où deux orchestres se font vis-à-vis, reconstituant la Belle Epoque de tous leurs crincrins. Après quoi il musarde un peu, mais très vite s'ennuie.

Où aller ? Que faire ? Voir quoi ? On ne regarde bien qu'à travers les yeux d'un être aimé. Qu'espérait-il de l'Italie en solitaire ? A quoi rime cette errance ?

Le soir tombant, il retourne dans sa chambre parce qu'elle constitue vaille que vaille une espèce de foyer, ou plutôt de refuge. Des bourrasques de cris déferlent dans les venelles. Des fragrances de cuisine épicée se lancent à la conquête des étages. Le Petit Garçon a décidé de ne pas manger ce soir ; pour couper à la tentation, il se dévêt, étire son pantalon sous le matelas du lit fatigué. Il a chaud. La chambre étroite est un sauna. Il dîne d'une lecture : *la Peste.* Puisqu'il faut l'appeler par son nom...

Il aime le dépouillement de Camus, et pourtant le souhaiterait lyrique. Le Petit Garçon a une attirance marquée pour ce qui claque, chante, parle au cœur. Le langage de l'intelligence s'accompagne d'une certaine froideur. Lui, il est plus de l'âme que de l'esprit.

Au plus fort de sa lecture, voilà qu'on toque à sa porte. Une peur lui vient. Qui donc, hormis l'hôtelier, peut lui rendre visite à cette heure ? Il passe son slip, sa veste de pyjama (à cause de son bras, car là est sa véritable nudité) et va entrouvrir l'huis. Il découvre son compagnon de train, le grand type blond à la figure aimable.

— Je ne vous dérange pas ?

Il répond que non, en tirant sur sa veste. Il pense à son pantalon sous le matelas, en train de « se refaire un pli » ; il aurait dû l'en retirer pour le mettre.

L'arrivant entre, va s'asseoir près de la table minuscule sur laquelle repose *la Peste,* à plat, formant toit de pagode. Objet vivant, curieusement français dans cet univers de « bruyance » marine. La couverture N.R.F. veille au cœur d'une Venise conquise par le graillon.

L'obligeant mentor se remet à parler de l'ouvrage. Puis il s'inquiète des allées et venues de son « protégé ». A-t-il vu le théâtre de la Fenice ? Visité le Palais des Doges ?

Il se tient très droit contre le dossier de sa chaise. Le Petit Garçon l'a rejoint à table, devant le livre. La présence du visiteur l'agace confusément ; tout au long de sa vie, il sera incapable de « conversation gratuite » et ne s'intéressera qu'aux gens qu'il aime ou avec lesquels il travaille. Dérouler des banalités lui semble inutile et la courtoisie dont il fera preuve lui sera pénible. Il connaîtra maintes soirées déprimantes au cours desquelles seule la ronde des aiguilles de sa montre l'intéressera. La tolérance des autres est une prouesse ; se montrer disponible pour eux confine à l'héroïsme.

L'Italien blond a un léger accent, commet quelques impropriétés de termes. Il déclare être ici pour affaires, mais il sera libre demain soir et emmènera son « protégé » déguster des « seiches à l'encre » uniques, s'il le veut bien. Le Petit Garçon accepte en songeant à son pécule trop maigre pour lui permettre de rendre sa politesse à l'Italien.

Et tout à coup, il se passe une chose effarante. Le visiteur pose ses deux mains sur les jambes nues du Petit Garçon. Il les coule le long de ses cuisses en un mouvement voluptueux. L'attaque est si imprévue, si prompte, que le Petit Garçon met quelques secondes à réagir. Il se lève. Son regard se pose sur le visage suppliant de son compagnon. C'est la première atteinte de ce genre qu'il subit, les précédentes « expériences » relevant plutôt de la curiosité entre gamins de son âge, tout à fait négligeables.

Venise, soudain, l'épouvante. Il s'y croit en perdition. Il se sent ridicule avec sa veste de pyjama trop courte et son slip. Scène de vaudeville.

L'Italien tente « d'enchaîner ». Il parle. Un ronron. Le Petit

Garçon n'écoute plus, le chasse par son attitude stupide de soubrette terrorisée. Le visiteur se retire. Tout de même, sur le seuil, il dit : « A demain. »

Le Petit Garçon assure le verrou, puis, le jugeant trop mièvre, bloque la porte au moyen d'un dossier de chaise. La peur bat à ses tempes. Il ne dort pas. C'est un être traqué qui attend l'aube, prépare son bagage, règle sa note furtivement et se sauve en coltinant sa petite valise de carton. La place Saint-Marc baigne dans une pureté infinie. Un soleil capiteux enflamme déjà les toits où s'ébrouent les pigeons gavés de maïs. La foule du *vaporetto* jacasse un peu moins fort que la veille. Venise s'éveille, triomphale, dans une magnificence toujours renouvelée. La peur du Petit Garçon commence tout juste à se dissiper.

Charles a jeté les phrases en vrac sur ses feuilles de droite. Sa rame de papier accueille ses notes dont il ne tient presque jamais compte au moment de l'écriture parce que tout se déclenche alors différemment et vit sa vie d'imposture. Créer, c'est alimenter une sécrétion échappant aux meilleures résolutions. Il « note l'épisode » du Petit Garçon à Venise, et lorsqu'il a achevé son canevas, se met à chercher sa justification, ce qui est mauvais signe car tout ce qui n'est pas évident est frelaté. Il s'obstine. Il veut comprendre ce qui mérite à l'incident vénitien de surgir dans son bouquin. Confrontation du personnage avec l'homosexualité? Sûrement pas. L'histoire d'un processus de peur? Car, somme toute, si la tentative de l'Italien blond avait été perpétrée dans le fief du Petit Garçon, celui-ci aurait maîtrisé l'incident avec calme ; peut-être même aurait-il « discuté » avec son aimable agresseur de leurs mœurs respectives? Ils auraient plaisanté à propos du « malentendu ».

Dora ouvre sa porte.

— Les messieurs sont arrivés! annonce-t-elle.

— C'est pas une raison pour t'éviter de frapper! ronchonne Dejallieu. Mon bureau, ce n'est pas les chiottes!

L'enfant a un acquiescement docile.

— Va leur dire que je viens!

Dora s'éloigne. Charles déchire les feuillets contenant l'escapade italienne. Il regrette aussitôt son geste. Parce que, enfin, l'épisode démontrait l'inconscience de son héros qui, jeune marié, délaissait son épouse toute neuve pour courir l'Italie. L'Italie où il retournera souvent, par la suite, mais chaque fois avec des êtres aimés. Alors il va pêcher les débris de papier dans sa corbeille que Mélancolia ne vide jamais par crainte de détruire des trésors. Il sait pourtant qu'il ne réanimera pas ce qui aurait pu être une prose et s'abstiendra de transvaser cet instant de son esprit dans un autre esprit.

*
* *

Aldo ressent une excitation proche du bonheur. C'est comme un orgasme qui se préparerait sans jamais s'accomplir. Il contrôle la situation. Il est le chef d'orchestre qui vient de se hisser devant son pupitre et qui, la baguette basse, promène un regard d'avant-conquête sur ses musiciens. Il est assez content de l'air détaché de Franky. Le bigleux s'affaire sur son « bastringue ». La petite Dora le regarde déballer d'une mallette métallique capitonnée de caoutchouc à l'intérieur, un savant matériel. Muzard sort ses objectifs des bocaux de plastique, les visse aux appareils sans nez qui retrouvent leur identité une fois que ce groin leur a poussé. Moretti a mis des lunettes teintées, pas trop foncées, mais suffisantes pour dénaturer son regard bleu. Il perçoit le charme de Mélancolia, s'amuse de l'esbroufante Peggy. Tout va bien. Une seule inquiétude pourtant : la modestie du chalet *Trafalgar*. Est-ce là la demeure d'un auteur nanti ?

Assis près de la baie, il reste silencieux dans l'attente du « maître ».

La vieille doit avoir le cul brûlant car elle lui fait un rentre-dedans terrible. Elle n'en finit pas de lui flanquer dans le nez les plis d'une espèce de crinoline noire pour soirées andalouses. Ne pouvant lui parler directement, because sa réserve, elle pérore de tout à la cantonade, reprochant à sa fille un manque d'harmonie entre sa jupe vert sombre et son corsage marron (Aldo trouve au contraire l'ensemble parfait), ou bien recoiffant dix fois Dora, en prévision des futures photos. L'enfant se laisse manipuler sans protester. La dame en remet, se donne de l'importance, joue les jeunes « mamies ». « Tu sais que je t'emmène dîner à l'*Olden* samedi soir, mon trognon ? Rien que nous deux. On ne veut pas de papa et maman, nous ferons les grandes filles. »

Moretti ricane intérieurement. Il te lui en foutra de la « grande fille » à cette carne ! Coureuse de bites garantie ! S'il en avait « l'opportunité », il l'ajouterait volontiers à sa collection de mémères voraces. Elle doit avoir du coup de reins, la mémé, et cette loufoquerie américaine qui se manifeste en toutes circonstances, y compris dans les parties de jambes en l'air. Oui, il la grimperait avec plaisir.

Charles entre brusquement, sans qu'on l'ait entendu gravir les marches du sous-sol. Il porte un complet de velours bleu, élégamment fatigué, un polo jaune. Il a prévu la partie couleur du reportage, le bougre. Un type de métier. Le succès est un bon guide. Il serre les mains, sourit, fait l'empressé, allant jusqu'à remercier les deux garçons de s'être « dérangés ».

— Un petit coup de champ' pour commencer, ou on travaille d'abord ?

Les deux loustics préfèrent « travailler ». Muzard demande qu'on ne « s'occupe pas de lui ». Bien entendu, Peggy ne fait que ça ! Elle prend des poses, des mines, croisant les jambes en veillant à ce que sa jupe soit haut retroussée ; feuilletant une revue, assise sur le bras d'un canapé, dans une attitude de mannequin ; ou bien arrangeant des fleurs (les dérangeant plutôt) dans un vase, tout en guignant le déplacement du photographe. Quand celui-ci annonce qu'il souhaiterait une photo de famille, elle glousse d'aise et se précipite au centre du canapé.

Mélancolia, au contraire, fuit l'objectif. Cette animation l'ennuie, bien qu'elle n'en laisse rien paraître. Cela fait partie des obligations professionnelles de Charles. « Un métier de putain », soupire-t-il à la fin de ces séances. Il ne suffit pas de vivre les affres de l'écriture, il convient ensuite d'assurer la « promotion ». Le terme l'écœure. Rousseau assurait-il sa promotion ? Et Stendhal ? Et Baudelaire ? Vendre son livre après se l'être arraché de l'âme, des tripes, n'est-ce pas une dure condition ? Une honte admise et complaisamment endurée ? Lorsqu'il rechigne, son éditeur lui démontre qu'il a l'obligation de « se défoncer ». Il s'agit du « bien commun ». De nos jours, un bouquin ne reste pas longtemps en librairie. Un mois, un mois et demi. D'autres surgissent en rangs serrés, qui le balaient. Alors il faut taper dur dans le créneau. Encore un mot du charabia : trouver « son créneau ». Figurer dans le classement des meilleures ventes, capital ! On peut dès lors escompter deux mois de survie supplémentaire. Emissions, interviewes... Pilonner à mort (pour que le bouquin ne pilonne pas !). Et, dans l'intervalle, se garder présent à la mémoire des foules. Rester coûte que coûte dans « le guignol ». Alors flashe, flashe, flashe, petit bigleux ! Arrose les rédactions de cette gueule frémissante. Prends-le au milieu des siens, « l'illustre », ce sera touchant. Non, pas de chien, dommage ! Il faudra qu'il se décide à en acheter un. Un beau, émouvant avec de grands yeux tristes et les oreilles tombantes. Et puis qu'il se résigne aussi à commander une Rolls. Une blanche, décapotable. La Range Rover, bon pour le chalet, les courses, d'accord. Mais ça ne parle pas comme une Ferrari, une Maserati ou une Porsche. Les photographes de presse acceptent mal que tu les reçoives sans Rolls, comme un peigne-cul, merde avec le blé que tu engranges ! Dis, et la piscine ? Tu y penses, grand homme de mes fesses, à la piscine couverte ? Curd Jurgens en a une, lui ! Et qu'est-ce que c'est que ce chalet *Trafalgar* qui est presque celui de M. Tout-le-Monde ? Tu en fais quoi de ton pognon, bonhomme ? Des lingots ? Fi !

Charles sert enfin le champagne. Dom Pérignon, naturellement. Il propose des cigares bagués à son nom par les bons soins de Davidoff. Le gadget est payant. Mais il ne faut pas en rester là. Tu as un rang à tenir, Dejallieu. Tu te dois à ton public.

Aldo étudie chacun des personnages, et plus il les « capte », plus il sent que son instinct ne l'a pas trahi : c'était bien sur ces gens qu'il devait jeter son dévolu.

Avant que la bouteille soit vide, il demande à Charles de bien vouloir se plier à l'interview. L'écrivain accepte, à la condition qu'ils aillent s'isoler dans son bureau. Moretti ne demande pas mieux. Il a préparé une liste de questions, mais une gêne le prend au dernier moment. Avant de brancher son magnéto, il explique à Charles les raisons qui l'incitent à se risquer dans ce délicat métier. Garçon perspicace, il déballe la vérité, ce qui est toujours plus avantageux que de mentir. Il raconte sa carrière finie, sa reconversion dans le lit des riches quinquagénaires, son besoin moral d'en sortir.

Charles écoute et comprend. Aldo lui est sympathique, malgré ses expressions dures. La voix est ferme. Ce type sait parfaitement où il en est et le déclare sans emphase ni effets. Il ne cherche pas à amadouer, seulement à s'expliquer.

— Eh bien plongeons ! lance gaiement Dejallieu.

— Avant tout, je voudrais éviter les questions « bateau », explique Moretti : ce que vous gagnez, vos heures d'écriture, votre manière de travailler...

— Merci, soupire Charles. Il est en effet très éprouvant de sans cesse devoir répondre à ce genre d'interrogatoire.

— Il me semble intéressant, étant admis que vous êtes un romancier à succès, de vous questionner sur votre approche de la vie.

L'écrivain hoche la tête.

— Pas d'approche, Moretti, pas d'approche : la vie, je trempe dedans, j'en ai jusqu'aux lèvres, et quand j'ai le malheur de remuer, j'en avale !

Aldo lui adresse un sourire complimenteur. Voilà, le ton est trouvé. Ça risque d'être bon.

IX

Charles les dépose devant l'*Olden* et leur déclare qu'elles devront prendre un taxi pour remonter car Mélancolia et lui dînent au Palace, en compagnie de Nina Kandinsky. Il a déjà répété la chose à deux ou trois reprises, mais avec cette fofolle de Peggy, il ne faut pas craindre de ressasser.

Elle s'est affublée d'une robe tourterelle qui comprime à l'extrême ses formes épanouies. Elle a jeté sur ses épaules un boléro de vison blanc qui commence gentiment à jaunir. Elle part à la conquête de l'*Olden* d'un pas décidé d'alpiniste. Dora est en kilt à dominantes bleues, chemisier blanc, blazer. Sa grand-mère a voulu absolument lui arranger une coiffure qui la vieillit de trois ans et plaquer sur sa petite bouche charnue un soupçon de rouge, malgré la vive opposition de Mélancolia.

Elles gravissent les quelques marches du perron. Peggy se retourne pour un superbe au revoir, style vedette sur une « passerelle d'avion ». Geste large, puéril, merveilleux d'assurance inattaquable. Dora aussi se retourne. Mais elle se contente de jeter à Charles un long regard soumis qu'il n'oubliera jamais et qui va changer la face des choses.

Le jour n'en finit pas et cette guirlande mauve au ciel paraît devoir résister à la nuit ; on dirait les reflets d'un immense incendie qui sévirait de l'autre côté des montagnes.

Au moment de repartir, Charles entend cogner sur la carrosserie de sa voiture. Il se penche et avise Jerry Woolf, l'un des sédentaires de Gstaad. Jerry est anglais, riche, homosexuel et ivrogne à ne plus pouvoir parler à partir de dix heures du soir.

— Hello ! crie Jerry.

Il est trapu, déplumé, couperosé. Ses manières efféminées déconcertent car il fait très viril à première vue.

Charles lui adresse un signe de la main et s'apprête à démarrer, espérant être quitte, mais l'Anglais se remet à tambouriner contre la voiture.

Dejallieu se décide à baisser sa vitre.

— Venez par ici trente secondes, Charly, j'ai un truc inouï à vous montrer.

— Je suis terriblement pressé !

— On ne peut pas vivre à Gstaad et être pressé à trente secondes près ! riposte l'oisif.

Le romancier en convient d'un sourire et descend de son haut véhicule.

— Suivez-moi, Charly, vous allez voir la huitième merveille du monde !

— Elle est de quel sexe ? ricane Charles.

— Féminin, bien qu'elle possède deux chibres de taureau !

Dejallieu s'engage dans la fausse impasse jouxtant l'*Olden*. Jerry Woolf marche devant, sans s'occuper de lui. Il franchit une vingtaine de mètres et stoppe à l'orée d'un renfoncement servant de parking aux clients de l'hôtel.

— Regardez un peu, vieux !

Et il désigne un monstre à quatre roues, bas, rouge, chromé, avec des ailerons redoutables et une paire de pots d'échappement pareils à des tubes lance-torpilles.

— *Look, my friend !*

— Dedieu, la belle bête ! s'exclame Dejallieu, sincèrement admiratif.

— C'est la nouvelle Ferrari ; il n'en existe que deux au monde avec cet équipement spécial, Charly. Le commendatore s'est réservé la première pour foutre dans le hall de sa villa, et c'est moi qui ai obtenu la seconde, de haute lutte. Si je vous disais ce que ça m'a coûté, vous chieriez plein votre froc !

— Bravo, Jerry, complimente Charles. Et vous allez faire quoi avec ce bolide ? Descendre vous acheter des croissants, le matin où votre valet a congé ?

Car il est notoire que Woolf ne quitte jamais la station. Il drague dans les bars, attendant le soir pour aller se finir chez des copains, ou bien chez lui où il a table ouverte. Il prend en charge son homosexualité très discrètement et on ne lui connaît pas de liaison suivie.

Jerry, radieux, rit de la boutade.

— On va l'arroser en vitesse, Charly. Juste un drink, au bar de l'*Olden*.

— Déconnez pas : le service bat son plein et je glande encore en pantalon de velours. On fêtera votre acquisition demain à l'apéritif, Jerry.

Il flanque une tape dans le dos de Woolf et le quitte rapidement. L'autre se met à caresser amoureusement la carrosserie de la Ferrari comme les hanches d'un minet.

Mélancolia achève de s'habiller devant sa longue glace où elle se voit « en pied ». Elle porte une robe noire, sobre et élégante, coupée par une large ceinture de cuir verni. Elle sent croître en

elle une angoisse étouffante. Il lui arrive de ressentir à certains
moments d'intenses oppressions, comme si on déposait un poids
énorme sur sa poitrine et qu'on le lâche doucement, jusqu'à ce
qu'il lui coupe complètement la respiration. Dans ces cas-là elle
va à la fenêtre, l'ouvre, respire le plus profondément possible,
puis se masse le buste à l'eau de Cologne. Son docteur assure
que ces malaises sont d'origine nerveuse ; il lui a prescrit
d'anodines pilules qui ne lui fournissent qu'un très relatif
soulagement. Mélancolia met son angoisse du moment sur le
compte de sa mère. Chaque fois que les deux femmes se trouvent
réunies, Mélancolia éprouve une sensation de malheur immi-
nent. La notion de catastrophe est liée à Peggy.

Lorsqu'elle alla vivre avec elle, pour la seconde fois de sa vie,
chez le paralytique, elle attendit jour après jour qu'un drame se
produise. Mais la vie s'était organisée, un peu huileuse et trop
calme, solide en tout cas, lui semblait-il : Elle sortait peu, assez
cependant pour se lier avec un jeune architecte de la région, père
de trois enfants blonds, dont la femme avait une langueur
bovine. Lucien Chevrel était un homme péremptoire et com-
plexé, qui s'embusquait derrière un collier de barbe et une voix
tranchante, mais dont il était aisé de découvrir les faiblesses.

Ils eurent une liaison provinciale, plutôt sage, qui ne dut son
intérêt qu'au mystère dont l'amant tint à l'entourer pour
préserver son foyer et sa situation.

Beaucoup de liaisons ne tiennent que par les précautions
qu'on prend pour les garder secrètes. Le barbu la culbutait dans
des sous-bois, ou bien à l'arrière de sa voiture (tu as bien remis ta
culotte, au moins ?) voire sur les chantiers des maisonnettes
« Sam Suffit » qu'il pondait comme des œufs de Pâques dans la
campagne d'alentour. Mélancolia revenait de ces étreintes avec
des brindilles ou des plâtras aux fesses, craignant de se trouver
enceinte à la suite de ces bâclages.

Elle s'était prise de tendresse pour le paralysé. A force de lui
faire la lecture, elle avait acquis une culture autodidactique qui
devrait la servir par la suite puisqu'elle la prédisposait à devenir
la femme d'un homme de lettres.

Un soir qu'elle lisait à haute voix *Si le grain ne meurt*, d'André
Gide, et qu'elle achevait les lignes suivantes : « Nos actes les
plus sincères sont aussi les moins calculés ; l'explication qu'on en
cherche après coup reste vaine. » (elle ne devait plus oublier
cette phrase), le paralytique cria son nom, une partie du moins :
« Mélanc.... » Lorsqu'elle releva la tête, elle vit qu'il était mort ;
mort en une poussière de temps. Il avait le teint instantanément
nécrosé, les lèvres blêmes et retroussées, les yeux fermés. Au
lieu de s'affoler, la jeune fille s'était mise à le regarder fixement,
essayant avant tout de sonder l'infini mystère de ce visage
anéanti.

Puis elle s'était enhardie à lui palper le poignet, à la recherche

d'un pouls disparu. Tout s'opérait au ralenti. Peggy naturellement étant absente, de même que la bonne. Mélancolia n'éprouvait aucun sentiment notoire, tout juste une surprise mêlée de
curiosité. Elle marchait dans le salon, revenait au mort pour le
contempler. Elle se rappelait son père écrasé à ses pieds, la tache
de sang sur sa main, tous les éclats de verre fichés dans la viande
du peintre. Pourquoi des hommes la laissaient-ils brusquement
vivante en mourant foudroyés ? Car c'était de là que venait sa
stupeur profonde. Elle concevait brusquement sa vie en regardant leur mort. Ils devenaient d'inquiétants faire-valoir. Elle
éprouvait une confuse honte à exister auprès de ces cadavres si
rapidement éclos.

La période de déroute dépassée, Mélancolia avait alerté le
médecin de famille, puis la police, chose que sa mère ne lui
pardonna pas car, lorsqu'elle était rentrée, particulièrement tard
cette nuit-là, tout avait été déjà mis sous scellés et elle n'avait pu
récupérer ses propres bijoux, non plus que des napoléons et des
titres dans le coffre-fort dont elle possédait la combinaison. Un
fils prodigue avait hérité du tout. Les deux femmes s'étaient
retrouvées « à la rue ». Cessant d'interpréter son rôle de mère,
Peggy avait donné quelques billets de banque à sa fille en
l'assurant qu'elle pouvait, « jolie comme elle était », se
débrouiller toute seule.

Mélancolia s'était donc débrouillée, et plusieurs années passèrent avant qu'elle ne revît sa mère.

Charles revient d'accompagner belle-mère et belle-fille. Ses
vêtements sont sur le lit, préparés par sa femme. Mélancolia
aime le classicisme : complet bleu, chemise blanche, cravate
bleue. Elle trouve que son grand homme doit surveiller sa mise
lorsqu'il sort.

— Ça n'a pas l'air d'aller, remarque-t-il ; ce dîner te rase ?

Mélancolia hoche la tête. Non : elle aime beaucoup Nina
Kandinsky, cette petite Russe qui lui fait penser à un oiseau de
Moscou. Elle adore son accent et la manière pénétrée dont elle
assume son long veuvage. Et puis elle fourmille de souvenirs
allègres comme les grelots d'une troïka.

— J'ai « mes angoisses », avoue Mélancolia.

Charles lui caresse la joue.

— Si nous n'étions pas à la bourre, je t'en guérirais, fanfa-
ronne-t-il.

Elle a un sourire qui ressemble à son nom. Toujours cette
suffisance masculine... Ils prennent leur sexe pour une baguette
magique.

Sans penser à mal, Charles déclare :

— Tu boiras un drink corsé en guise de préambule.

Elle s'abstient de répondre. Dejallieu craint de l'avoir vexée.
Il songe aux bouteilles de Teacher's Royal Highland empilées

dans la cave, qui d'ailleurs n'est pas une véritable cave, mais plutôt un réduit, à côté de la chaufferie !

Mélancolia demande, pour rompre le silence :

— Tu n'as vu personne, à l'*Olden* ?

— Je ne suis pas rentré.

— Tu as mis le temps.

— Parce que Jerry Woolf a absolument voulu me montrer sa nouvelle Ferrari, il en est davantage fier que M. Ferrari lui-même.

Il s'habille rapidement, avec une économie de mouvements très étudiée. Il s'agit d'un jeu pour Charles. Sa femme lui a même préparé ses boutons de manchettes agrémentés de saphirs. Au moment opportun, elle l'aide à les fixer.

Il l'embrasse dans le cou car elle est si divinement maquillée.

— Chaque fois que ta mère vient, tu te recroquevilles comme s'il y avait une bombe dans la maison, dit-il.

Mélancolia approuve :

— Quand elle est là, il y a une bombe dans la maison, Charles.

— Tu exagères, mon amour ; c'est une follingue, mais elle n'est pas mauvaise.

— Elle n'est pas mauvaise, seulement avec elle, je m'attends toujours au pire.

Ils partent chercher Nina Kandinsky, laquelle habite un chalet neuf au-dessus du *Palace*.

*
* *

Peggy chipote. Elle a commandé une assiette de jambon de Parme qu'elle n'en finit pas de coupailler pour dégager « l'absolument maigre ».

En face d'elle, Dora s'explique avec une raclette. L'enfant adore le cérémonial s'attachant à ce mets. Elle épluche les petites pommes de terre, les tranche en rondelles, les nappe de fromage fondu, se hâte, une fois la préparation en bouche, de croquer un cornichon afin que ces goûts différents s'agrègent.

Peggy déclare tout à trac :

— J'ai l'air d'être ta mère, n'est-ce pas ?

— Pourquoi ? demande Dora, la bouche pleine de nourriture brûlante.

— Je veux dire, les gens qui nous entourent et ne nous connaissent pas, *doivent* penser que je suis ta maman, non ?

Dora est suffisamment instruite des coquetteries des femmes mûres pour réserver son point de vue.

— Sûrement, admet-elle.

— Tu as vu qu'il y a David Niven, près du piano ?

— C'est qui ?

— Un grand acteur. Je me demande si c'est sa femme qui est avec lui ?

Dora songe que cela n'a pas d'importance. Cette sortie avec sa grand-mère ne lui apporte aucun plaisir. Elle sent son aïeule dépourvue de tendresse, uniquement préoccupée d'elle-même. Peggy ne s'intéresse jamais aux autres, sinon par référence et pour se valoriser.

Les serveurs en blouse bleue brodée s'activent prestement dans un perpétuel chassé-croisé. Les plats d'argent valsent dans la salle, plongent comme des barques par temps de houle, se redressent au bon moment et viennent s'échouer avec grâce sur la plage blanche des nappes.

— J'adore cet endroit, déclare Peggy. Il est si chaleureux et l'on y côtoie des gens tellement inouïs.

Fausto, le maître de maison qui connaît Dora, lui administre une caresse au passage.

— Alors, on est de sortie, grande fille ?

L'enfant, intimidée, acquiesce d'un bref hochement de tête.

— Tu pourrais répondre ! glousse Peggy.

Mais les enfants n'ont pas envie de répondre aux grandes personnes qui ne sont pas leurs parents ou leurs maîtres, car ils n'ont rien à leur dire. Ils se trouvent de l'autre côté de la réalité, là où les hypocrisies sont inconnues.

— Elle est si timide, plaide Peggy, tout de suite en représentation devant le sourire éclatant de Fausto.

Dora songe que c'est faux : elle n'est pas timide, mais elle ne voit pas la nécessité de parler à tout propos. Elle pense également qu'elle aimerait se trouver ici en compagnie de sa mère. Elles ne sont jamais seules, vraiment seules. Cela ne leur est arrivé qu'une seule fois, lorsque Charles a dû se rendre à Genève pour une grande émission de télévision. La fillette s'était trouvée au chalet, le soir de la diffusion. Elles avaient dîné devant le poste, de sandwiches variés achetés à l'épicerie Grossmann ; ce qui était autrement mieux qu'un véritable repas. Elles s'embrassaient souvent. Dora se souvient comme elle était bien, blottie contre sa mère dans la pénombre traversée des fulgurances blafardes de l'écran. Elle se sentait en totale sécurité. Sur le téléviseur, Charles parlait avec assurance et enjouement. Deux intervieweurs calmes et précis se relayaient pour le questionner : Jean Dumur et Claude Torracinta. Dejallieu racontait sa vie à Gstaad, et Dora constatait avec surprise que cela ne ressemblait pas à celle qu'elle connaissait ou croyait connaître. A travers ce qu'il révélait de sa femme, Mélancolia cessait d'être sa maman pour devenir un personnage un peu ambigu, une sorte d'héroïne amoureuse. Alors elle regardait le visage de sa mère, éclairé par le téléviseur et, en effet, lui trouvait une figure surprenante, celle des comédiennes interprétant un destin qui n'est pas le leur.

Mélancolia écoutait discourir son époux, fixement. Parfois, un mouvement de ses lèvres ou un battement de paupières soulignait ses réactions ; mais ce n'était qu'une légère ponctuation de ses sentiments. Elle mettait de l'âpreté à regarder et à entendre son mari, cherchant, elle aussi, pourquoi sa vérité télévisée différait sensiblement de la vérité quotidienne. N'avait-elle pas *perçu* Charles parfaitement, ou bien se croyait-il obligé de fournir, dans la lumière des projecteurs, une existence *décalée*, comme s'il tenait à déplacer l'axe focal de leur vie pour en préserver la substance secrète ?

— A quoi penses-tu, Dora ? demande Peggy à brûle-pourpoint.

L'enfant qui piochait dans son émincé de veau bafouille, comme prise en défaut.

— A maman.

— Quelle idée de penser à ta mère alors que tu m'as rien que pour toi ! proteste la perruche, vexée.

Dora n'a pas besoin de trouver une réponse car Peggy est déjà en plein rentre-dedans avec un grand bel homme tout de blanc vêtu, ce qui fait ressortir son bronzage. Il vient de prendre place à une table voisine, en compagnie d'un couple d'amis. Le trio parle allemand.

L'homme en blanc s'est aperçu de l'effet qu'il produisait sur Peggy. Il lui adresse un discret sourire. Peggy s'enflamme. Elle commence à faire l'amour avec les yeux. Une nature ! Plusieurs jours de chasteté perturbent son système nerveux.

Au bout de dix minutes de ce manège, elle annonce à sa petite fille qu'elle descend aux toilettes. Regard éloquent au blanc Germain. Celui-ci n'attend pas longtemps pour quitter ses amis et gagner le sous-sol à son tour.

Dora continue de manger du bout des dents. Elle s'ennuie. Ce brouhaha l'étourdit. Elle aperçoit le photographe bigleux *de l'autre jour* qui se faufile en direction du bar, son barda à l'épaule, toujours sur le pied de guerre. Il lui sourit au passage, elle répond de même. Tiens ! Il s'est fait couper les cheveux. Franky s'approche de la table de David Niven pour lui demander la permission de flasher. Le comédien, parfait homme du monde, lui adresse une moue presque suppliante. Le côté : « oui mais faites vite ».

Trois ou quatre éclairs calment les conversations. Le photographe s'en va. Nouveau sourire à Dora.

La sauce brune de l'émincé commence à se figer et le riz d'accompagnement devient froid. Dora repousse son assiette. Sa grand-mère tarde à revenir. L'enfant s'ennuie. Elle voudrait bien avoir un crayon et du papier pour faire des dessins, mais n'ose en demander au serveur affairé. Jo, le maître d'hôtel (il porte une blouse noire) ne la regarde pas, sinon elle lui ferait signe. C'est un gentil Italien, du genre enveloppé, avec un sourire joyeux.

Le temps passe. L'homme en blanc réapparaît, puis Peggy. Une Peggy émoustillée, qui ne tient plus en place.

— Figure-toi, mon petit ange, que je viens de rencontrer aux toilettes une vieille amie d'Amérique. Elle m'a invitée à aller prendre un drink chez elle ; je suppose que ça te barberait de venir avec moi, d'autant que ça risque de durer. Je te commanderai un taxi, après le repas. Tu as la clé, n'est-ce pas ? Tu n'as pas peur de rester une heure ou deux seule au chalet, j'espère ? Ici, c'est le paradis, on est en sécurité.

Dora ne proteste pas. Au contraire, elle est pressée de rentrer, ainsi elle pourra regarder la télé jusqu'à la fin des émissions. Elle refuse de prendre un dessert. Vingt minutes plus tard, sa grand-mère la fourre dans une Mercedes bleue et règle d'avance la course en gratifiant le chauffeur d'un bon pourboire. La nuit est à elle.

Par la suite, le chauffeur déclarera qu'il y avait une voiture stationnée près du chalet *Trafalgar.* Mais qu'il n'a « personne vu ». L'auto devait être une Opel, sous toutes réserves, dans les teintes caramel.

Il manœuvre sur le terre-plein. Dora a allumé la lanterne de fer forgé éclairant le seuil. Elle a déjà préparé la clé pendant le trajet. Elle l'engage maladroitement dans la serrure. Cela force un peu, il convient de tirer sur le pommeau de la porte au moment d'actionner la clé. L'enfant s'escrime quand une voix sort de l'ombre :

— Vous êtes miss Dora ?

Elle sursaute. Une voiture est survenue en roue libre, profitant de la pente. Une femme en descend ; une grande femme dans une robe noire. Une cape de fourrure est jetée sur ses épaules.

— Ce sont vos parents qui m'envoient, dit la dame ; je suis passée par l'*Olden,* où votre grand-mère m'a dit que vous veniez de rentrer...

Intimidée, Dora ne fait pas l'élémentaire calcul qui l'amènerait à comprendre que ces allégations sont fausses. La « dame » n'arrive pas de l'*Olden,* c'est-à-dire « d'en bas », mais « d'en haut ».

— Les amis de vos parents ont tout plein d'enfants et vous allez pouvoir jouer ensemble : je suis la gouvernante, venez !

Dora est ravie de l'aubaine. Elle hésite à propos de la clé. Doit-elle la conserver ou la laisser à la disposition de Peggy ? Elle demande conseil à la dame.

— Laissez-la, répond celle-ci, il n'y a pas de voleurs à Gstaad.

Toutes deux prennent place dans l'auto. La femme a un

parfum encore plus violent que celui de grand-mère. Elle porte des gants de fil, Dora note qu'elle a des mains plutôt fortes.

L'auto suit les méandres de la route, passe sous le viaduc de pierre et atteint la rue principale, déserte à cette heure. Dora regarde distraitement les vitrines éclairées. Elles suivent la rue et n'empruntent pas la route du *Palace*.

— On va où ? demande Dora, surprise.

— Chez les amis.

— Ils habitent où ?

— Du côté de Feutersoy.

Dora se contente de l'explication. Elle admire la façade peinte de l'*Olden* dans la lumière des projecteurs. Tiens, sa grand-mère débouche sur le perron, escortée d'un monsieur vêtu de blanc. Dora voudrait lui faire un signe, mais Peggy regarde son compagnon. La voiture prend de la vitesse au sortir de la station. Elle fonce sur la route noire. Les constructions s'espacent. On voit briller des lumières, çà et là à travers la montagne, et les cloches des vaches sonnaillent dans la nuit.

La dame se racle la gorge.

— Vous êtes bien, ma chérie ?

— Oui, madame.

La conductrice a une voix grave, douce, vibrante ; une voix prudente aussi, on dirait qu'elle pense soigneusement ses mots avant de les proférer.

— Ecoutez, Dora, vous êtes une grande fille, je vais vous parler franchement.

— Il est arrivé un accident à maman ? s'écrie Dora.

— Oh ! non, mon petit chou. Votre mère va bien, rassurez-vous. Mais nous allons devoir faire un long voyage toutes les deux. Ensuite, votre papa nous donnera un peu d'argent et nous vous ramènerons à la maison.

Dora ne comprend pas ; elle ne peut pas comprendre. Elle ose à peine regarder la conductrice dont elle distingue le reflet dans le pare-brise.

La gamine cherche à rendre ce langage intelligible. Elle ne saisit pas. Elle a beau s'efforcer, ses réflexions tournent court.

Elle parvient à balbutier, d'une voix morte :

— Charles n'est pas mon papa.

Il y a un blanc. Aldo prend cette affirmation comme un coup de poing à l'estomac.

— C'est-à-dire ? demande-t-il.

— Mon vrai papa vit en Amérique du Sud, je ne le connais qu'en photo. Charles est seulement le mari de maman.

— Mais vous l'aimez beaucoup tout de même, non ?

— Oui...

— Et lui aussi, je pense ?

— Je ne sais pas. Où est-ce que vous me conduisez ?

— Dans un endroit tranquille, à deux cents kilomètres de Gstaad.

Dora pousse un cri de terreur. Elle vient seulement de réaliser qu'on l'enlève, que c'est cela un kidnapping ! Sa frayeur est si intense qu'elle a envie de vomir. Des sanglots l'étouffent. La *conductrice* redoute qu'elle ait une crise de nerfs. Mais la petite fille se contente de pleurer désespérément.

— Non ! Oh ! non, soupire Aldo. Je ne veux pas vous faire le moindre mal, croyez-moi. Il ne s'agit que de quelques jours... Vous vous rendez compte : plus d'école !

Il constate que ses paroles passent sur la frayeur de l'enfant sans laisser la moindre trace.

L'auto grimpe à l'assaut des Diablerets. Les phares balaient les sapins, la route sinueuse, se perdent un instant dans des trouées. Un animal étrange court un instant dans le faisceau blanc.

— Regardez, on dirait un ourson ! s'exclame *la dame*.

Mais Dora s'en fout. Dora a besoin de sa mère. Elle sait qu'il lui arrive une aventure inouïe. Des récits lui reviennent à l'esprit ; des faits divers... Conversations perçues à la table des grandes personnes. Enfants enlevés... Fréquent, en Italie. La seule chose positive, c'est cette bienveillance qu'elle devine chez sa ravisseuse. A croire qu'elle déplore ses propres agissements et voudrait les atténuer au maximum.

— J'ai des jouets pour vous dans le coffre de la voiture, annonce-t-elle. Jouez-vous encore à la poupée ?

Dora continue de pleurer. L'auto traverse le village endormi des Diablerets et plonge en direction d'Aigle. Parfois, une voiture les croise. L'idée ne vient pas à Dora de profiter du ralentissement pour sauter et s'enfuir. Elle est épouvantée mais soumise. Infiniment fragile, démunie comme un bébé. On l'emporte. Elle murmure « Maman » à travers ses sanglots. Cela ressemble à l'eau qui vous entraîne. On reste immobile, allongé sur l'onde, et le flot passe une large main moelleuse dans votre dos pour vous faire glisser d'une vague à l'autre, comme glissent les plats d'argent de l'*Olden* sur les mains prestes des serveurs italiens.

La voiture ralentit pour s'engager dans une voie forestière aux ornières profondes. Ils ne vont pas loin, simplement Aldo s'isole de la route. Il coupe le moteur.

— Surtout, n'ayez pas peur, ma chérie. Je vous jure sur Dieu que je ne vous ferai jamais de mal. Mais nous allons devoir prendre certaines précautions pour continuer notre voyage. On va traverser des endroits éclairés.

La dame saisit un rouleau d'étoffe noire coincé entre les deux sièges, le développe. Une chemise de nuit sans manches se révèle, sorte de housse pour enfant.

— Que je vous explique, Dora. Vous allez enfiler ce machin,

puis vous vous allongerez à l'arrière de l'auto, sur le plancher. J'ai installé une päillasse ; vous pourrez dormir car nous avons trois heures de route au moins. En outre, je vais vous bander les yeux. Soyez très calme. Puisque vous ne risquez rien !

— Je veux rentrer ! balbutie Dora à travers ses pleurs.

— Bientôt, promet sottement Aldo.

Il quitte son siège, va ouvrir la portière du côté de la fillette. La forêt est pleine de bruits étranges. Le vent acide agite les branches. Le ciel est confus, avec des traînées presque blanches, et sans lune.

Aldo passe la chemise-housse à Dora qui, dès lors, se trouve privée de bras et de jambes car ce fourreau est étroit. Après quoi, il l'aide à s'allonger à l'arrière de l'auto, lui noue un foulard sur les yeux, et la couvre d'un plaid noir.

De l'extérieur, il est impossible de distinguer la présence de Dora dans le véhicule.

Il a quelques difficultés à sortir du chemin en marche arrière, à cause des ornières boueuses. Lorsqu'il a rejoint la route, il branche la radio, tripatouille les boutons du poste jusqu'à ce qu'il trouve de la musique. Il la met à fond.

Tout se passe comme prévu. Jusqu'à la gosse qui semble subir son sort avec un certain courage.

Il roule à bonne allure, compte tenu de la montagne. Peu après, il prend la route des Mosses. Le paysage s'élargit et un horizon se forme, dentelé, presque lumineux. Aldo songe qu'il avait toujours promis à sa mère de l'emmener en voyage. Et puis, quand il a connu la gloire, il n'avait plus le temps, et quand la gloire a disparu, il n'avait plus d'argent. Ensuite, l'esprit de sa mère a sombré. Et maintenant, il ne lui reste plus d'autre raison de vivre que cette saloperie qu'il est en train de commettre.

Il passe le col des Mosses. Tout est superbe et sidéral. Il devine le silence qui s'abattrait sur lui s'il coupait le moteur. Armstrong a-t-il ressenti une impression de « déjà vu » en débarquant sur la Lune ?

Il roule, la radio vocifère, mais il a l'esprit trop mobilisé pour l'entendre vraiment. De temps à autre, il se tourne de côté et demande :

— Ça va, ma petite fille ? Vous n'avez pas froid ?

Dora ne répond rien. Si elle ne reniflait pas bruyamment, par moments, il pourrait croire qu'elle s'est endormie. Or il tient à ce qu'elle reste éveillée. Il faudra, plus tard, qu'elle garde une notion de long parcours. C'est pourquoi il la questionne fréquemment.

Après le col des Mosses, il descend en direction de Château d'Oex. Après quoi, il oblique à droite pour retourner sur Gstaad. Un quart d'heure plus tard, il traverse Rougemont. Le *Café du Cerf* est éclairé ; au passage, il entend sévir l'orchestre champêtre de Jacob Bach (frère de Jean-Sébastien). Musique innocente, allègre. Ici, on l'appelle « musique pain et fromage ». Il décide qu'il viendra manger une raclette demain soir avec sa vieille Mary, toujours partante pour une équipée de ce genre. En rentrant, il la baisera dans l'auto : elle adore ça. Toutes les bonnes femmes sur le retour rêvent de troussées soudardes.

Il sourit. Se juge « drôle de type ». N'est-il pas un peu *dérangé* pour penser baise et raclette alors qu'il perpètre un kidnapping ? S'il vieillit, fera-t-il lui aussi un ramollissement du cerveau, comme sa mère ?

Avant Saanen, un chemin d'herbe s'en va en direction de la Saarine. Il le prend. A deux cents mètres, il voit luire les chromes de la voiture de Franky Muzard. Il décélère lentement et opère un cercle dans l'herbe pour se retrouver face à la route.

Franky sort de l'ombre. Aldo met son doigt sur ses lèvres. Il marche à la rencontre de son complice.

Muzard l'interroge d'un hochement de tête. D'un autre, Aldo lui signifie que tout est O.K. Muzard opine. Il est pâle dans la nuit. Son regard sombre brille comme des pépins de chirismoyas. Pour un peu, il claquerait des dents. Pourtant, il va prendre la place d'Aldo au volant. Moretti regarde s'éloigner la voiture qui retrouve la direction de Château d'Oex.

Il gagne celle de Franky et entreprend de se dévêtir.

X

Nina Kandinsky parle d'abondance, d'une voix menue où roule l'accent russe. Elle raconte sa jeunesse à Moscou, sa découverte du peintre. Son école les emmenait au musée, ses condisciples et elle, *admirer* des croûtes solennelles. Au cours de la visite, elle s'est sauvée avec une amie pour se rendre dans une galerie voisine où l'on exposait des œuvres modernes. Le choc devant une toile de Kandinsky, le maître de l'abstrait. Quelques mois plus tard, un ami de ses parents, arrivé de Finlande, déclare qu'il a un message pour Kandinsky. Mais il ignore son adresse. Nina propose de la trouver. L'ami lui remet le message. L'adolescente rencontre Vassili et c'est le coup de foudre.

Elle raconte leurs amours, leurs exils : l'Allemagne, puis la France... C'est simple, c'est beau : l'amour et le génie en fuite.

Lorsqu'elle se tait, Charles lui prend la main pour la porter à ses lèvres.

— Le vrai tombeau des morts, c'est le cœur des vivants, assure-t-il. Vous continuez son œuvre en continuant sa gloire.

Nina sourit mystérieusement. C'est une petite femme aimable et vigilante, qui puise dans le passé la force de faire vibrer le présent. Elle sait Kandinsky par cœur et lit son œuvre comme elle parle sa langue. Elle reste en faction devant le mausolée de son époux.

Le grill du *Palace* est bondé. On en est au café, l'orchestre joue une valse anglaise. A une table proche, Marcel Dassault et son épouse sont en conversation avec le « maître de plaisir ». Ainsi appelle-t-on en Suisse l'animateur d'un grand hôtel. Il est danseur professionnel, organisateur des matinées enfantines, de l'arbre de Noël, meneur de jeu. Celui du *Palace* est un monsieur d'un âge certain, grand, bon chic bon genre, d'allure britannique bien qu'il soit suisse-allemand. Son complet vient de Londres, sa cravate de France et sa pochette d'Italie. Il a la moustache grise et admirablement coupée, le geste plein d'élégante nonchalance. Les Dassault font grand cas de lui. Ils sont très aimés à Gstaad où l'on apprécie les gens fortunés, surtout lorsqu'ils se montrent, comme l'illustre *avionneur,* pleins de gentillesse et de simplicité.

Un quatrième personnage se trouve à leur table : un homme d'une trentaine d'années qui fait joujou avec un appareil photographique bon marché, flashant les convives sous tous les angles en les conviant à prendre des poses. Les illustres Dassault se comportant au *Palace* comme des touristes de Jet Tour font sourire Charles.

Après la valse anglaise, les musiciens en smoking attaquent un slow. Le maître de plaisir invite Mme Dassault qui accepte de bonne grâce.

Dejallieu aime la langueur confortable du grill. Il se croit à bord d'un paquebot d'autrefois. C'est plein de gens d'ailleurs qui ont de belles manières et le temps de les mettre en évidence. On s'attend à voir surgir le commandant en spencer blanc, flanqué du commissaire de bord.

Ce sont des instants raffinés. Il a appris à aimer une certaine forme de luxe ; non celui qui « en installe », mais le luxe délicat d'où sortent des états d'âme. Celui qu'il pratique est une espèce de musique silencieuse, de caresse subtile. Un bain tiède et parfumé. Charles goûte la grâce, la joliesse, l'élégance.

Dans un palace, les femmes sont plus jolies qu'ailleurs, le champagne de meilleure qualité, l'ambiance rare et les travers des hommes mieux fardés.

— Me permettriez-vous d'inviter Mme Dejallieu à danser ?

Il lève les yeux. Aldo Moretti est devant lui, élégant dans un complet bleu nuit ; l'air mélancolique sous le sourire de commande.

— Naturellement, répond Charles.

Lui, déteste la danse. Il ne la sent pas, « l'intelligence des pieds » lui faisant défaut, comme il se plaît à déclarer.

Mélancolia a un geste de dénégation.

— Je ne veux pas quitter notre amie, pardonnez-moi, argue-t-elle.

— Vous seriez jalouse de moi ? plaisante Nina Kandinsky.

Une œillade de son mari contraint Mélancolia à accepter. Charles redoute toujours de froisser les gens. Alors elle se lève, et voilà qu'Aldo la prend délicatement dans ses bras pour l'embarquer à bord de ce slow de vieux paquebot des mers perdues.

Il jubile en songeant à Franky en train « d'user » de la route en compagnie de la petite fille pendant qu'il danse avec la mère. Et soudain une grande détresse le prend. Cette femme vit ses derniers moments de quiétude. Dans une heure ou deux, plongée dans une horreur sans fond, elle comprendra que ce qu'elle vivait « avant » c'était cela, le bonheur : cette chose dont elle n'avait pas conscience et qui a brutalement cessé.

Il ressent une immense compassion pour sa victime. Son plan

machiavélique cesse de le ravir; il suffit d'une pensée perni-
cieuse pour chasser les meilleures exaltations. Les bourreaux
nazis étaient-ils véritablement démoniaques quand ils lançaient
des capsules de gaz Zyklon B. dans les « salles de douches », ou
bien se raccrochaient-ils à l'idée de « mission » ?

A cet instant de slow langoureux, Aldo Moretti se demande si
la finalité de son entreprise peut excuser les tortures que cette
femme recevra cette nuit.

Il danse avec application, sans parler, ni se montrer *envelop-
pant;* en gentleman. Ce buste qu'il enserre délicatement sera
bientôt déchiré de sanglots. Il pense à sa propre mère endormie
dans un asile, près de Versailles. Sa partenaire est très belle. Il
perçoit des ondes tièdes sur son visage. Il devrait être excité,
seulement il la voit telle qu'elle sera tout à l'heure : crucifiée. On
ne désire pas une femme qui grelotte de chagrin. Peut-être
pourrait-il tout stopper? Mais il a eu tellement de mal à
conditionner Muzard. Les préparatifs ont été si laborieux, si
minutieux. De la belle ouvrage! Bast, il faut savoir offrir au
diable les souffrances qu'on inflige aux autres. Etre un demi-
salaud constitue une tricherie. Il se laisse porter par la musique.
La formation du grill interprète *Roses de Picardie,* arrangement
slow. Mélancolia répond au sourire de Mme Dassault. Dans son
chalet plein d'anglaiseries, la mère Stockfield doit ronger son
frein. Qui sait si elle ne va pas faire irruption à la recherche de
son gigolo. *Des roses sont nées en Picardie...* Les paroles se
déroulent dans l'esprit d'Aldo, comme sur un télex.

— Vous dansez à la perfection, dit poliment Mélancolia.

« Lieu commun », songe Aldo. « Cliché ». On « danse à la
perfection », on est « fort comme un Turc », on travaille comme
un Noir ». Il est séduit par l'accent indéfinissable de sa « cava-
lière », le trouve sexy. Il ne répond rien. Sa tristesse colle bien à
cette musique, ou inversement. Il n'empêche que pour une
femme d'écrivain, ce « vous dansez à la perfection » la fout mal.
Pourvu que ce con de Muzard ne se mette pas à parler à la
mignonne !

Nina en est à l'exposition qu'elle va aller inaugurer à New
York. Elle passe sa vie dans des avions. Tokyo, Moscou, Los
Angeles. Kandinsky partout ! Kandinsky *for ever. Da ?*

Charles écoute en regardant évoluer son épouse dans les bras
de Moretti. Il apprécie la froide galanterie de l'ex-comédien. Il
déteste qu'on serre sa femme *de trop près.* Les hommes sont
chiens : ils convoitent toutes les femelles passant à leur portée.
Chaque regard est une déclaration qui se prépare, chaque
pression de main, un début d'enculade. Il faut que le couvercle
de l'amour soit bien fermé, sinon chacun vient grappiller dans ta
marmite.

Le Petit Garçon détestait la danse. Avec son infirmité, que voulais-tu ?

Dejallieu décide qu'un soir d'adolescence, avant les fiançailles du Petit Garçon... Cela se passait en Savoie, pendant l'Occupe. Un samedi probablement. Il y avait bal clandestin dans un hameau proche du village où sa merveilleuse allait en vacances. Elle tenait à s'y rendre en sa compagnie et avec deux autres couples d'amis à elle. Le Petit Garçon flageolait de détresse. Il avait déclaré, devant l'insistance de l'élue : « Bon, j'y vais, mais je ne danserai pas. »

Ils avançaient par un chemin de lune ; leurs pas et leurs voix composaient un bruit de ruisseau. Les garçons marchaient devant, les filles suivaient en échangeant des confidences. Elles parlaient de lui. Ces demoiselles le trouvaient un peu orgueil-leux. Sa presque fiancée assurait qu'il n'était que timide. Baissant le ton (mais le Petit Garçon eut toujours la meilleure oreille traînante du Sud-Est), elle se mit à le comparer avec d'autres garçons qu'elle avait fréquentés. Ses compagnes don-naient leur avis. Lui, marchait comme un somnambule. La jalousie l'*inondait de feu ;* il se trouvait au centre d'un incendie où des flammes de haine et d'autres de détresse s'élevaient jusqu'au ciel.

Ils atteignirent le hameau perdu. Des dégueulandos d'accor-déon s'étiraient dans la nuit fraîche. On entendait peu de musique populaire à l'époque ; elle était mise à l'index par Vichy ; la musique de musette essentiellement.

Au fur et à mesure que le groupe s'approchait du bal, le Petit Garçon défaillait. Jamais sa *merveilleuse* n'avait évoqué d'autres amours que les leurs et il découvrait un effroyable grouillement comme celui qui existait sous une grosse pierre déplacée. Ainsi, elle en avait aimé d'autres avant lui, cette gamine aux yeux pincés qui sentait si bon la fille fraîche. Sans doute s'était-elle laissé embrasser. Ce qu'il éprouvait ressemblait à de l'affole-ment. Il était terrorisé par ce qu'il venait d'entendre, à bribes lancées d'une voix primesautière. Il se demandait comment il pourrait se poursuivre après une telle révélation. Il aimait d'un amour sans partage, sa passion butée ne pouvait rien tolérer qui lui fût extérieur.

Ils parvinrent devant le cabaret où se tenait le bal clandestin. Des vélos s'empilaient contre la façade. La musique débordait de partout et des ombres chinoises valsaient jusque sur la maison d'en face.

Lorsque l'on ouvrit la porte, le tohu-bohu connut un paroxysme. Les pieds paysans martelaient le plancher avec force, à croire qu'une douzaine de chevaux tournaient sur les lattes disjointes. On entendait un moutonnement de conversa-tions, des rires, des cris, des bruits de verrerie entrechoquée.

Le Petit Garçon se cabra.

— Je n'entre pas, dit-il à sa *promise*.

Elle eut l'air surpris.

— Pourquoi ?

— Parce que je ne danse pas.

— Mais, qu'est-ce que cela peut faire !

— Je préfère ne pas te voir danser.

Il espérait qu'elle allait se résigner à abandonner la fête. Il aurait voulu qu'elle le prenne par le bras et l'entraîne loin de ce joyeux vacarme.

Mais elle dit : « Je ne resterai pas longtemps » et pénétra dans l'estaminet.

Le Petit Garçon se retrouva seul avec ses déchirements. Il choisit un coin d'ombre, s'assit sur une borne de pierre blanche. Comment était la nuit ? Il détestait tous les vivants et souhaitait ardemment mourir. Toute sa vie serait ponctuée par cet infini besoin de cesser. A tout propos, pour des tourments mineurs, voire de simples contrariétés, il ressentirait cette trouble aspiration. Le froid de la pierre gagnait son corps.

Il regardait de loin le cabaret bruyant. Pas une seule fois il ne s'en approcha pour guigner sa fiancée à travers les vitres. Il savait que s'il l'apercevait dans les bras d'un autre, il foncerait comme un furieux sur la piste pour y commettre des folies. Alors il se contenait tristement, préférant remâcher sa rancœur ; raclant le pus de son âme avec une sombre délectation. Seigneur, il faisait bon souffrir, aigrir dans la solitude en écoutant cette musique naïve qui permettait à d'autres hommes de serrer contre leur cœur la fille qu'ils chérissaient.

Il se leva pour partir, parcourut un kilomètre, chassé par son trop-plein d'amour. Revint sur ses pas, rappelé par son trop-plein d'amour. Il sentait pendre son bras gauche et aurait voulu pouvoir le trancher au niveau de l'épaule. Dans la vie courante, il l'oubliait souvent, mais cette nuit-là, il le charriait comme un mort et le trouvait lourd.

Aldo raccompagne Mélancolia jusqu'à sa table et la remercie presque cérémonieusement.

— Vous dansez à ravir, ma chèrrrre, assure Nina Kandinsky.

Charles s'est levé pour accueillir le retour de son épouse. Il se demande pourquoi il ne déploie ce genre de politesse qu'à l'extérieur. Jamais l'idée ne lui en viendrait à la maison ; donc, il n'est pas galant pour Mélancolia, mais pour la galerie.

— Je le trouve assez sympathique, ce Moretti, dit-il en se rasseyant.

— Il ne parle pas, répond Mélancolia ; je préfère cela d'ailleurs aux fadaises que se croient obligés de débiter la plupart des cavaliers. Cela dit, il ne me plaît pas beaucoup.

— C'est un triste, assure Dejallieu, voilà pourquoi il m'intéresse : les tristes et les ivrognes cachent des secrets.

Aldo consulte sa montre, se livre à un rapide calcul et décide d'inviter une seconde personne à danser, de manière à bien marquer sa présence au grill.

Il jette son dévolu sur une jeune fille sans grâce qui se languit à la table de deux couples âgés. La demoiselle semble affolée ; elle quémande du regard l'autorisation de ses parents. On la lui accorde. L'orchestre joue un tango. Aldo Moretti adore le tango, mais sa partenaire danse mal. Il lui sourit. Il est important qu'il lui parle. Elle répond par phrases brèves. Oui, elle est en vacances au *Palace*. Elle fréquente la faculté de lettres de Nantes. En effet : elle connaît La Baule. *L'Hermitage ?* Justement, c'est là qu'elle descend.

Aldo juge ce tango interminable. La formation du grill le joue « en retenant ». Pas suffisamment « gomina ». Les Suisses-Allemands sont plus inspirés par la valse.

*
* *

C'est amusant : il se nomme Schwartz et il est complètement blanc. Il loue un étage à l'année dans un petit chalet du côté de l'Eggli. Sa femme est morte l'an dernier accidentellement : c'est elle qui pilotait.

Gustav Schwartz habite Hanovre, il fabrique du papier hygiénique. Ça paraît bête à dire, mais il en faut et on en consomme un fameux tonnage, journellement, dans les pays civilisés. Ses deux hobbies sont les promenades en montagne et le piano.

Il prie Peggy de s'asseoir. Elle choisit un fauteuil tapissé de cretonne rose à fleurettes. Son hôte est superbe : athlétique, doré, avec un regard de faïence et une voix impérative faite pour commander à un peloton d'exécution.

— Scotch, vodka ?

Peggy opte pour le whisky. Gustav la sert.

Ensuite, il se met au piano et lui interprète du Liszt. Il peut se le permettre malgré l'heure tardive car il n'y a personne au-dessus.

Peggy écoute en réprimant son impatience. Ce beau Germain ne va tout de même pas lui casser les oreilles toute la nuit avec son piano ! Elle n'est pas venue pour ça.

*
* *

Franky achève le circuit accompli naguère par Aldo : Diablerets, col de Mosses, Château d'Oex, Gstaad. Au sortir du passage à niveau placé dans le virage avant Saanen, il se déroute pour prendre le chemin d'herbe. Il reconnaît la forme blanche d'Aldo, travesti en femme dans l'ombre du boqueteau de Charmilles. Soulagé, il stoppe et va rejoindre son complice.

— O.K. ? chuchote Aldo.

— Impec.

— Elle n'a rien dit ?

— Elle a pleurniché en demandant sa mère, je crois qu'elle a fini par s'endormir.

— Tu ne lui as pas parlé, j'espère ?

— Pas une broque.

— Bon, on y va. File le premier et n'oublie pas ton camouflage.

Moretti reprend le volant de l'Opel. Il est nerveux, sachant que d'une minute à l'autre « l'affaire » va éclater.

Il traverse Gstaad lentement pour laisser à Franky le temps d'arriver avant lui et de brancher le magnétophone.

Aldo n'aurait jamais imaginé qu'il fût si simple de commettre un forfait de cette ampleur. Il pense que son aisance provient de son détachement. Les criminels se perdent par crainte du châtiment ; or, lui ne redoute rien. Il est disponible. Si on le fourre en prison pour plusieurs années, il écrira. Il a toujours eu envie de chercher sur le papier le secret de son tempérament douloureux et cynique. Il ne se comprend pas très bien, se juge avec impartialité et donc, se condamne. « Du kidnapping considéré comme un des beaux arts ! » Pas mal combiné, cette randonnée en deux temps qui permet à Muzard et à lui de se forger un alibi, ou plus exactement de s'exclure de la liste des futurs suspects. N'est-il pas, dans l'histoire du crime, le premier ravisseur à danser avec la mère de sa victime pendant que s'opère le rapt ?

Il poursuit sur la route qu'il a prise naguère, jusqu'au vieux chalet dans la clairière. Quand il stoppe, la fraîcheur de la nuit lui procure un enchantement passager. Il respire profondément. Les affres de Mme Dejallieu lui paraissent improbables ; en tout cas sans importance. La vie, c'est un interminable enchaînement de journées et de nuits. Il en est de merveilleuses et d'abominables. La maman va vivre un cauchemar, et puis tout se rétablira, elle se remettra du choc parce que d'autres jours et d'autres nuits succéderont. *Il faut tenter de vivre.*

*
* *

Dora s'est longtemps insurgée contre le sommeil qui la gagnait. Les tournants lui flanquaient mal au cœur. Elle avait des bouffées d'horreur, mais la fatigue de la nuit finissait par reprendre le dessus et une somnolence suave brouillait l'horrible réalité.

Elle s'accroche à l'image de sa mère pour renforcer son espoir ; et elle songe aussi, en pointillés, à son école. Le sourire de la vieille demoiselle Tendret constitue une lumière dans sa nuit. L'auto a viré, viré, viré. Elle s'est arrêtée, elle est repartie, opérant de courtes manœuvres, parfois. *La Dame* ne lui parle plus depuis longtemps. Dora essaie de se rappeler ses paroles rassurantes.

Plus que le ton et les mots apaisants, c'est le voussoiement qui la rassure. Une bandite cruelle ne dit pas « vous » à sa victime. Alors, si elle n'est pas cruelle, elle n'est pas une vraie bandite ; et si elle n'est pas une bandite, pourquoi l'enlève-t-elle ? S'agit-il d'une de ces femmes en manque d'enfant qui ravissent ceux des autres pour se croire mère pendant quelque temps ?

Elle dort.

Un arrêt la réveille.

Elle se rendort, dès que l'auto a redémarré.

La voix de la dame retentit à nouveau :

— Dora ! Dora, ma chérie : nous sommes arrivées.

Dora sent s'accélérer son cœur. Arrivée ! C'est cela le danger : l'arrêt final. Tant qu'elles roulaient elle était pour ainsi dire protégée. Mais à présent ?

Elle perçoit un gros bruit de circulation, toute proche. Elles sont stoppées près d'une route à fort trafic.

— Attendez, Dora, avant de quitter l'auto, il faut que vous compreniez une chose : vous êtes une grande fille, n'est-ce pas ? Lorsque vous retournerez chez vos parents, dans deux ou trois jours, vous allez raconter tout ce qui s'est passé. La police essaiera de me retrouver pour me faire des ennuis, c'est normal. Or, je ne voudrais pas avoir d'ennuis. Il me faut donc prendre des précautions. La première est de vous empêcher de voir la maison où je vous conduis. Vous saisissez bien, mon chou ? Tout est très simple, croyez-moi, il s'agit de ne rien compliquer. Vous êtes une adorable petite fille que j'ai honte de tourmenter. Dites que vous comprenez, Dora !

— Je veux ma maman, répond Dora du fond de l'auto.

— Dans deux ou trois jours, pas davantage. Maintenant, je vais vous enfiler cette cagoule par-dessus le bandeau, et je vous guiderai.

Dora devine le visage mangé d'ombre de la dame penché sur elle. Deux mains gantées s'avancent, tenant une nouvelle étoffe noire. La nuit se fait. Elle respire mal dans ce méchant sac... La dame l'aide à se lever. Elle retrousse le bas de son fourreau pour lui permettre de marcher. Dora est engourdie, mal réveillée, épouvantée. Elle trébuche. Une main ferme la retient par l'épaule, l'entraîne.

— Faites attention : ça monte.

Elles escaladent assez péniblement une butte herbeuse, trempée de rosée.

— Restez tout contre moi : nous allons traverser un petit pont.

Elles s'engagent sur des planches flexibles, parcourent quelques mètres et atteignent une plate-forme. Le grondement du trafic devient davantage présent. Elles doivent se trouver très près d'une grand-route.

*
* *

Charles coupe le contact de l'auto.
— Tu ne la rentres pas ? demande Mélancolia.
Elle bâille.
— Les voitures sont faites pour vivre dehors, répond Dejallieu.
Il saute du véhicule et le contourne rapidement afin d'aider sa femme à en descendre. Sa fatigue se teinte de vague à l'âme. A cause de la musique, des souvenirs moscovites de Nina Kandinsky, et de ce texte en gestation, à propos du Petit Garçon. S'il en a le courage, il va aller « brouillonner » la chose pendant que Mélancolia se démaquillera, car il lui vient des phrases bien ciselées qu'il ne retrouverait plus demain.
— Nos « demoiselles » doivent dormir, dit Mélancolia, ne faisons pas trop de bruit, sinon Peggy se relèvera pour nous raconter leur soirée.
— Ces deux connes ont laissé la clé sur la porte, déclare Charles.
Il retire la clé et la brandit.
— La petite devait sans doute tomber de sommeil, chuchote Mélancolia.
Ils pénètrent dans le chalet et Dejallieu met le verrou.
— Je descends noter quelques trucs qui m'ont trotté dans la tête en cours de soirée.
La chose lui arrive fréquemment. Mélancolia se dit que le métier d'écrivain est à la fois somptueux et harassant. Il transporte mais astreint. Charles est toujours en état second, somme toute. A l'écoute de la vie et de lui-même.
Mélancolia passe dans sa chambre pour se dévêtir. Elle se sent préoccupée, comme elle l'était avant de partir au *Palace*. Une sensation la creuse, mais quelle sensation ? Cela ressemble un peu à du désir rentré. Un instant, elle se demande si elle n'a pas eu envie d'Aldo Moretti pendant leur slow. Elle l'a trouvé beau et énigmatique, drapé dans une réserve exagérée. Il l'a fait danser par politesse, en s'appliquant, mais sans se mettre en frais. Il est rare que les hommes restent distants avec elle. Mélancolia s'examine dans la glace. La soirée ne l'a pas « marquée ». Elle se découvre telle qu'en elle-même : rare et secrète avec des traînées de nostalgie dans la région des yeux. C'est le point de fixation de son passé saumâtre. Elle a vécu trop de drames et de meurtrissures ; les contemplatifs de son espèce n'ont besoin que de paix. Les drames, ça ne se *contemple* pas, ça se *regarde*. A trop « tirer » sur ses yeux, ils se fatiguent et changent d'expression.

*
* *

Il vient de plaquer l'ultime accord : ouf ! Peggy s'est approchée du piano. Elle bat des mains, mais point trop, de peur qu'il se mette à jouer autre chose.

— C'est fantastique ! dit-elle ; il faut que je vous embrasse.

Elle s'arrange pour faire pivoter l'interprète sur son tabouret tournant : avant tout l'éloigner de son gros bestiau noir ! Elle se coule entre les jambes de Gustav et lui roule une pelle superbe qui débute par du lèvres à lèvres avant de se poursuivre par un léger titillement de la langue. Ensuite de quoi le baiser s'élargit, s'approfondit, devient accommodement respiratoire. Elle roucoule des naseaux, la mère. Et hop ! sa menotte part en vadrouille du côté de chez Swann. Opération de reconnaissance, lente et savante caresse sur la braguette du Teuton. Schwartz trique déjà. Tiens, il en a une plutôt modeste, pas en rapport avec sa carrure. Qu'à cela ne tienne « on fera avec ». Il est déjà arrivé à Peggy de se régaler avec des petits chibres bien dressés, caracoleurs en diable. Elle lui bouffe la gueule de tout son mufle. C'est exquis, la bestialité. Poli, le Schwartz envoie la main à son tour. Peggy espère qu'il ne débandera pas à palper ses formes mollissantes. Sa vanité souveraine n'exclut pas un certain sens critique. Elle sait que, de plus en plus, elle n'intéresse les hommes que par son côté putassier-qui-s'en-va-t'en-guerre et que si elle « rentrait » dans son âge, ils ne lui jetteraient pas un regard. Ça se déglingue, malgré la gym et les onguents. Les chairs se préparent à la fonte des neiges. Surtout s'activer pour emballer le « client » sans lui laisser le temps de désillusionner. Elle a la main en prise directe, jouissant d'une autorité absolue sur les fermetures Eclair. Aucune ne lui résiste, sinon les siennes, parfois. Celles des messieurs sont verticales, ce qui simplifie la manœuvre.

Schwartz Gustav a les doigts encore pleins de Liszt, alors les formes fondantes de la mère Peggy ne télescopent pas son sensoriel.

Dès qu'elle fait relâche, il se lève. Il a la bouche et le pourtour poisseux de rouge un peu écœurant, à la fois parfumé et sucré.

Il prend sa « conquête » par la taille et l'entraîne dans la chambre.

— Eteignez la lumière, grand fou, je suis si timide ! dit la goulue.

Gustav fait droit à sa requête. Le clair de lune est bien suffisant. Ils se dévêtent rapidement, face à face, comme deux imbéciles.

C'est à ce point précis de mon livre que l'impensable s'est jeté sur ma vie et que ma propre fille a été kidnappée, comme si le sort voulait me faire mesurer l'horreur d'une situation que j'inventais.

Frédéric DARD

La « dame » vient de déballer Dora. Eblouie par la lumière, pourtant faible, l'enfant cligne des yeux avant de découvrir ce qui l'environne. Son premier sentiment est qu'elle se trouve à bord d'une caravane. Ou bien d'un fourgon aménagé en caravane, car les parois ripolinées sont plus ou moins bien assemblées et l'on voit dépasser les têtes dorées des vis, çà et là. Un lit dont le soubassement comporte des tiroirs ; une tablette rabattante, deux tabourets, une sorte de penderie fermée par un rideau d'étoffe et, dans un angle, un bloc sanitaire, constituent l'aménagement du local qui mesure tout juste deux mètres sur deux. Il s'agit probablement de la partie située au fond de la caravane. Maison de poupée telle que la petite fille rêvait d'en posséder une lorsqu'elle était plus jeune. Elle l'aurait voulue dans un gros arbre comme le souhaitent la plupart des enfants pour qui la vie arboricole est le symbole de l'aventure.

La dame lui sourit.

— Pas trop fatiguée, Dora ? Le voyage a été long, n'est-ce pas ?

Elle continue de ne pas répondre. Une dignité instinctive la pousse à s'abstenir de communiquer avec sa ravisseuse ; lui parler équivaudrait à entrer dans son jeu, une certaine connivence s'établirait alors. Dora est résolue à endurer sans mot dire. Sa peur est du second degré. Elle ne redoute pas pour sa vie, ne craint pas qu'on la molette, simplement, elle sait que la situation peut durer longtemps, or elle a besoin de sa mère, un besoin si ardent, si total qu'il lui cause une souffrance physique. Elle est terrorisée par la perspective que des jours, des semaines, et qui sait ? des mois peut-être, s'écouleront avant qu'elle ne retrouve Mélancolia.

— Vous allez manger un yogourt, Dora. Il faut rester en forme. Que penseraient vos parents s'ils vous retrouvaient toute pâlotte...

Elle sent bien que ces paroles sont cyniques. La dame lui semble bizarre. Elle lui rappelle très confusément quelque chose : pas quelqu'un, quelque chose. Le Balko au naturel est posé sur la tablette, auprès d'un paquet de sucre en poudre. Une cuiller de plastique est plantée dans le pot. La dame ajoute du sucre, touille et présente le yogourt à Dora qui oppose son inertie. La dame crispe les mâchoires.

— Ecoutez, ma petite Dora, il va falloir que vous obéissiez, sinon comment voulez-vous qu'on s'en sorte ? Allez, mangez !

L'enfant hésite, puis elle prend le pot crémeux et se met à piocher dedans misérablement. Elle avale le yogourt à menus coups de glotte. A la quatrième cuillerée, elle dépose le pot de carton sur la tablette. La dame s'en saisit et le lui redonne en proférant sèchement :

— Finissez-le, je vous prie !

Dehors, Franky Muzard est en train de démolir la passerelle de planches qu'ils ont dressée entre le balcon du petit chalet dont ils ont décloué un côté de la balustrade, et une butte voisine. Aldo est un mec supérieurement organisé, plein d'astuces insensées. Il pense à « après », ne pense qu'à ça. Créer des sensations, donner de fausses notions. La gosse doit se croire loin de Gstaad, au bord d'une route à grosse circulation (le magnétophone est là pour créer l'illusion), dans une caravane sur un parking d'autoroute.

Ayant terminé sa besogne de charpentier, il rentre ses cheveux à l'intérieur d'un casque de motard dont il abaisse le heaume de plastique teinté.

Mais quand il pénètre dans la « caravane », le yogourt a déjà produit son effet et la gamine dort, en chien de fusil sur le lit.

Lorsque Charles fait un rapide bilan de son personnage, il constate que le Petit Garçon est un être de larmes. Il aura consacré sa vie à pleurer sur le laid et le beau, sur le passé et l'avenir, sur la détresse et sur la joie ; à verser des larmes de sang, des larmes de boue, des larmes de lumière aussi comme on en voit perler aux cils de certains Christs de la Renaissance italienne. Le Petit Garçon fut un mutilé de l'âme plus qu'un mutilé du bras, et chaque instant de sa vie inscrivit une cicatrice en lui, chacune de ses pensées le conduisit vers un désespoir au cours lent, presque majestueux comme un estuaire. Charles le veut ainsi, parce que son héros l'exige. Il a beau tenter de capter des périodes de joie, ne lui sont transmises que des visions mélancoliques. Dans le raccourci d'un destin écrit, il n'y a de place que pour l'essentiel, et l'essentiel du Petit Garçon, c'est cette immense peine toujours surmontée, toujours recommencée, pareille au circuit sanguin ; cette éternelle becquée provenant d'un malheur émietté ; cette sombre intuition que la mort elle-même « n'arrangera rien ».

Charles vient de jeter sur le papier la scène du bal défendu. Il regrette l'époque où il composait un manuscrit au lieu de s'exprimer directement sur un clavier de machine à écrire. D'ailleurs les trois mots « machine à écrire » ont quelque chose d'assez barbare et impliquent un renoncement. L'écriture est avant tout un dessin. Il se complaît dans son écriture mouvante, s'étonnant qu'elle soit tantôt large et dilatée, tantôt menue et cachottière. Il se console en songeant que les caractères froids de son I.B.M. électrique lui rendent un compte précis de sa phrase puisqu'ils sont sans aucune complaisance graphique.

Un coup de sonnette sur un rythme complice le fait tressaillir. C'est la première fois qu'on carillonne à leur porte à deux heures du matin. Alarmé, il s'élance en direction de l'escalier et parvient à la porte d'entrée en même temps que Mélancolia. Son épouse est en chemise de nuit blanche et tient un tampon d'ouate imbibé de lait démaquillant. Au moment où une femme se débarrasse de son maquillage, elle ressemble peu ou prou à un clown. Sa personnalité désarme. Elle n'est plus qu'une chose dépeinte.

Les époux échangent un regard inquiet. Puis Charles va ouvrir. Il est stupéfait de découvrir sa belle-mère, seule sur le pas de la porte, avec un sourire chiffonné mais triomphant.

— Navrée de vous déranger, Charly. Je n'avais plus la clé.

Mélancolia intervient :

— Et Dora ?

— Elle est rentrée avant moi, figurez-vous que j'ai rencontré des vieux amis à l'*Olden* qui m'ont invitée à prendre un pot chez eux. La petite poulette tombait de sommeil, alors je l'ai fourrée dans un taxi.

— Voilà pourquoi la clé était sur la porte ! conclut Dejallieu.

— Je t'en prie, maman, essaie de ne pas la réveiller en montant te coucher, dit Mélancolia.

— Je serai discrète comme une mouche sur du velours, promet Peggy ; ah ! mes enfants, quelle merveilleuse soirée ! Il y avait chez mes amis un bel Allemand romantique qui joue Liszt mieux que Liszt !

Mélancolia hausse les épaules et retourne se démaquiller. Charles cligne de l'œil à sa belle-mère d'un air complice.

— Je parie que vous avez encore fait des ravages, Peggy ?

L'Américaine a la vantardise d'un notable provincial en goguette...

— Charly, chuchote-t-elle, cet Allemand faisait l'amour comme un dieu.

Elle hésite, hisse sa bouche à l'oreille de son gendre pour confier :

— Et pourtant il a une bite dont je n'aurais pas proposé dix dollars.

La dévoreuse gravit l'escalier en tortillant son cul comblé.

XI

Mélancolia a une façon de dormir bien à elle : la main gauche fermée en poing au niveau de sa bouche. L'on dirait qu'elle réfléchit, les yeux fermés, et qu'elle va les rouvrir pour déclarer quelque chose d'important. Son sommeil est sage, presque grave. Il n'affecte en rien sa beauté mais, au contraire, paraît la sanctifier.

Comme à l'accoutumée, Charles s'assied sur le bord du lit, contre le flanc de son épouse. Son poids fait pencher le matelas et suffit à réveiller la jeune femme. Elle redevient très rapidement lucide, sourit à son mari. Ensuite, son regard se dirige vers les rideaux mal fermés qui laissent deviner du soleil.

— Il fait beau ? s'enquiert-elle.

— A ne plus en pouvoir, assure Charles.

Ils s'embrassent. Mélancolia garde ses lèvres serrées pour le cas où son haleine matinale manquerait de fraîcheur, mais cette crainte n'est jamais justifiée. Dejallieu qui jouit d'un sens olfactif exacerbé, apprécie justement chez sa femme son manque d'odeurs *contrariantes*. Elle a un corps net comme du linge propre.

— Tu te lèves, ma Douce ; « c'est » prêt.

Effectivement, des odeurs de café frais l'ont accompagné dans la chambre.

Il retourne à la cuisine où il a dressé le couvert du petit déjeuner. Le grille-pain est branché, il ne reste qu'à fourrer des toasts entre ses mâchoires. Un assortiment de confitures plus ou moins exotiques cerne les grandes tasses de faïence blanche à motifs anglais. Charles branche la radio pour écouter les nouvelles de France. Il joue des différents postes comme un organiste de ses claviers, butinant sur chacun l'émission qu'il aime : France Inter, Europe, R.T.L., Radio Monte-Carlo. Ainsi procède-t-il avec les journaux. Charles se compose « son » programme, « son » quotidien, « son » hebdomadaire.

Mélancolia survient dans un kimono noir à parements jaunes.

Ses cheveux sont prisonniers d'un serre-tête de plastique qui ressemble à un dérisoire diadème. Il trouve qu'elle ressemble à la princesse Grace. Elle n'est pas maquillée, naturellement, pourtant son visage conserve les mêmes dominantes, ombres et reliefs, que lorsqu'elle l'est.

Ils commencent une nouvelle journée, ce qui est important. C'est l'instant où ils se sentent *réellement mariés,* où ils forment attelage pour tirer les heures qui se préparent. Les tirer où ? Vers demain ? Charles pense qu'on marche, qu'on marche sur un tapis roulant en sens contraire et qu'on n'avance pas. On fait du surplace et c'est la mort qui vient à nous.

— On devrait peut-être faire un grand voyage, lorsque j'aurai terminé mon bouquin, murmure-t-il.

Elle tique sans trop le montrer. Les humeurs vagabondes de son mari constituent une sonnerie d'alarme ; lorsque Dejallieu parle voyages, c'est que son « âme se met à bâiller », comme il dit en plaisantant.

— Comme tu voudras.

— Qu'est-ce qui t'amuserait ?

— Te suivre, allons où tu crois.

— Bon Dieu, je te propose les cinq continents, tu n'as pas une préférence ?

Elle lui répondrait bien : « Si, Gstaad », mais elle le décevrait.

Mélancolia beurre un toast croustillant, les yeux dans le vague, à croire qu'elle regarde déjà par un hublot d'avion.

— Procédons par élimination, fait-il. Tu n'aimes pas l'Asie...

La sonnerie du téléphone retentit.

— La journée commence tôt, bougonne Dejallieu en allant répondre.

Il décroche, écoute. Personne ne se manifeste. Il crie plusieurs « Allô ! » impatientés et s'apprête à raccrocher, croyant qu'il s'agit d'un appel avorté, quand une voix fortement teintée d'un accent italien demande :

— Monsieur Dejallieu ?

— Lui-même.

— Je viens vous donner des nouvelles de votre fille.

Charles ne comprend pas, il demande :

— Des nouvelles de qui ?

— De votre fille Dora.

— Qu'est-ce que vous racontez ?

— Je raconte qu'il faudra cracher deux millions de francs pour la récupérer. Des francs suisses, bien entendu. Commencez par les préparer en petites coupures usagées et attendez la suite des événements. Pas un mot à la police, si vous voulez la retrouver vivante !

Son interlocuteur raccroche. Charles en fait autant, d'un geste

machinal. Il reste abasourdi ; assailli par des pensées tumultueuses.

— Que se passe-t-il ? demande Mélancolia angoissée devant
l'attitude de son mari.

Au lieu de lui répondre, Charles s'élance dans l'escalier qu'il
gravit quatre à quatre et ouvre en trombe la porte de Dora. La
pièce est vide, proprette, sage, avec des jouets bien rangés, le lit
non défait. Il prend cette vision en pleine poitrine, comme un
formidable coup de poing.

Il se rend alors dans la chambre de Peggy et ne se soucie pas de
frapper. La vieille perruche dort, calée par deux oreillers.
Contrairement à sa fille, le sommeil la défait et son visage
démaquillé pend comme un masque de caoutchouc.

L'intrusion brutale de son gendre la fait sursauter. Mais en
apercevant Charles, tout de suite elle récupère son expression de
vamp au rabais.

— Hello, Charly !

— Où est Dora ? aboie le romancier.

— Comment cela, mais dans sa chambre, je suppose ?

— Elle n'y a pas dormi ! Vous m'entendez ? Elle n'a pas
couché ici cette nuit ! Pourquoi l'avez-vous laissée rentrer seule,
hier au soir, espèce de vieille peau !

— Charly ! Je ne vous permets pas...

Mélancolia les a rejoints. Elle est passée par la chambre de sa
fille. Elle a tout compris ; se jette à ses genoux en implorant :
« Oh ! Seigneur, pitié, pitié, pitié ! » Ses mains jointes sont
blanches. Sa figure est tragique, soudain enlaidie par l'horreur
de ce qu'elle vient de découvrir.

Charles l'oblige à se relever et la presse contre lui.

— Attends, chuchote-t-il, attends, attends, nous allons voir.
Voir quoi ?

La situation lui apparaît dans une lumière froide de laboratoire. Il s'étonne de demeurer si lucide, si maître de soi ; presque
indifférent, presque cynique. Ce n'est pas la chair de sa chair que
l'on vient de voler, juste une fillette encombrante, une gamine
qui est en trop dans sa vie. Le devenir de Dora ne l'intéresse pas.
Il n'est que contrarié par l'effroyable chagrin de sa femme. Leur
vie va être gâchée par ce chagrin. Si les choses tournent mal, il
trimbalera une épouse dolente, pétrifiée par le malheur. Il la
trimbalera comme si une hémiplégie la réduisait à un fauteuil
roulant. Il est frappé au second degré. Seulement au second
degré. Il a beau penser à Dora, aucune émotion véritable ne lui
vient. Il reste étranger au drame.

Dora était une gentille petite ennemie pleine d'innocence et
d'autant plus redoutable. Quelqu'un de marginal qui trottinait à
côté de leur couple et en corrompait la qualité. Et voilà qu'elle
va peut-être s'engloutir dans une aventure de l'époque. Notre

civilisation se fissure, Dora est happée par un gouffre brusquement ouvert.

Il réfléchit, s'efforce de garder en mémoire les paroles de son correspondant.

Bien entendu, la vieille Peggy se croit obligée de jouer du Shakespeare dans sa chemise de nuit de vieille pute, style *baby doll* qui ne cache rien d'elle. Elle a sauté de son lit, se traîne à genoux sur le plancher en hurlant des suppliques en américain, se cognant le front contre le pied du lit, ou bien se jetant à plat ventre, mais les fesses hautes comme pour se faire prendre en levrette.

— Arrêtez vos conneries, Peggy! lui jette Charles froidement. Ce n'est plus le moment.

Et il berce Mélancolia, la respire, déguste sa chaleur femelle, tout en chuchotant de nouveau des « Attends, attends » misérables, pareils aux mots d'encouragement qu'on prodigue à un enfant subissant des soins médicaux douloureux.

Juste ce mot : *attends...*

Et cela lui ramène son Petit Garçon, le vilain bougre « insisteur » qui abuse de toutes les situations pour investir Dejallieu. Il lutte pour s'en défaire, le repousser, ne rien lui accorder. Ces créatures sorties « du noir clair de lune de l'encrier », comme dit Nabokov, et qui se mettent à piller le romancier, à toute heure, en tous lieux, sont des émanations de l'enfer. Elles sont sans cesse à l'affût et lui sautent dessus au plus fort des périodes ténébreuses. « C'est bien le moment! » songe Charles, prêt à se plaindre. Il s'apitoie sur son propre sort d'écrivain en butte à ses écrivasseries, sans participer à l'épouvantable malheur de sa femme. « Attends, attends. » Le mot implique qu'il s'agit d'un état de crise aiguë, mais qui va cesser. Les paroxysmes ne peuvent s'éterniser puisqu'ils culminent. A peine atteint, l'autre versant se propose.

Sa femme demande, d'une voix qu'il ne lui a jamais encore entendue :

— Qu'est-ce qu'on t'a dit au téléphone?

Charles rassemble toutes ses facultés pour retrouver chaque mot du ravisseur. Cela se brouille déjà dans son esprit surmené.

— Il a dit qu'il venait me donner des nouvelles de ma fille.

— Et puis?

— Il a ajouté que nous devions préparer deux millions de francs suisses en coupures usagées et attendre la suite des événements.

— C'est tout? questionne âprement Mélancolia.

— Il a recommandé de ne pas prévenir la police si nous voulions la retrouver vivante.

Mélancolia pousse un grand cri d'agonie et plaque ses mains sur ses oreilles. « La retrouver vivante. » Voilà qui résume férocement la situation.

Peggy, qui a fini par récupérer quelque calme, demande :

— Vous les avez, j'espère ?

— Quoi donc ? grogne Dejallieu.

— Les deux millions ?

Tiens, donc, vieille morue ! Elle pense au fric, la saleté fétide !
Il lui semble très naturel que Charles casque la rançon, le bon
pigeon, pour une gamine à tête de naine qui l'encombre depuis
des années.

— Sûrement pas, répond-il.

Il est buté, hargneux, grigou. Lui qui ignore l'avarice se
découvre soudain d'une ladrerie totale. Pas question de toucher
à son pognon ! Il l'a gagné en essorant son cerveau, en filant des
mots comme les graines d'un chapelet.

La vieille rebiffe à outrance :

— Comment, Charly ! Vous n'avez pas deux millions devant
vous, avec tout l'argent que vous rapportent vos bouquins !

Il éprouve pour la perruche une haine insoupçonnée. Elle lui
inspire dégoût et mépris. Elle n'est que fange et ridicule. Rien
qu'un vieux cul plein de bites, une gueule fatiguée en constante
minauderie. Il va la massacrer si elle continue.

— Ecoutez, vieille morue, lui dit-il — et son regard doit être
plus intense et tranchant qu'un rayon laser —, c'est à cause de
vous que la gosse a été kidnappée, alors fermez votre putain de
gueule de putain ou je vous fous mon pied dans le ventre !

Peggy, terrorisée, recule jusqu'à la chaise où gît sa robe de
chambre. Elle la passe en tremblant. Elle a enfin cent ans ! Elle
ne triche plus. Elle abdique. Elle veut bien tout ce qu'on voudra.

Mélancolia s'est détachée de Charles et retourne dans la
chambre de Dora. Elle regarde. Cela fait une immense,
immense symphonie en elle, Charles le sait. Ces lapins et ours en
peluche, ces poupées, ce berceau mousseux, ce lit si chaste, la
cretonne à fleurs roses, les cahiers d'écolier sur la table et le
cartable à terre. Symphonie ! Charles se rappelle le regard que
lui a lancé la fillette, la veille, au seuil de l'*Olden*. Un regard
nouveau. D'adieu ? Il en frissonne. Sa gorge se crispe.

— Que faut-il faire ? demande Mélancolia.

— Prévenir la police, bien entendu.

— Mais ce type t'a dit...

— Tous les ravisseurs exigent le silence, mais ils savent bien
que personne n'en tient compte. Tu dois admettre une chose, ma
chérie : nous ne sommes pas de force à lutter seuls.

Le regard de Dora continue de l'incommoder.

Le Petit Garçon a essuyé un regard aussi calme et terrible, un
jour. Charles décide de le laisser « entrer », afin de faire
diversion.

Le Petit Garçon était marié depuis une vingtaine d'années.
Après avoir beaucoup aimé sa femme, voilà qu'il en aimait une

autre. Il tentait de s'accrocher à son foyer, comme l'alpiniste en rupture d'équilibre s'efforce de rétablir la situation en raclant désespérément la paroi rocheuse à la recherche d'une saillie.

Mais il chutait implacablement dans le gouffre d'une nouvelle vie. Et Dieu sait qu'il était honnête, cependant, et pétri de bonne volonté, et écartelé par le désespoir, et riche de toutes les amours, et scrupuleux et tout ce que tu voudras, ce pauvre cher Petit Garçon égaré...

Un dimanche ensoleillé, après un déjeuner pris en famille dans un restaurant campagnard, il sut que le moment fatidique du départ était arrivé. Cela lui venait comme vient l'enfant à naître. Il entra dans leur chambre où son épouse accablée par le sale climat qui s'était établi entre eux se reposait, et lui annonça son départ le plus sobrement possible. Sa femme répondit simplement : « D'accord, pars, mais auparavant, va annoncer cela à notre fille, moi je ne m'en sens pas le courage. » Et le Petit Garçon acquiesça tout en sachant bien que là était le test suprême. S'il « pouvait » se séparer de son enfant c'est que l'irrémédiable s'était accompli.

Sa fille, âgée de seize ans, se trouvait chez des amis où elle participait à ce qu'on appelait alors une « petite sauterie ».

En arrivant dans cette maison pleine de fleurs et de musique, le Petit Garçon crut qu'il allait renoncer. L'ami vint à lui et, le regardant, comprit qu'il y avait « drame ». C'était un homme plein d'humour et de pudeur qui savait se taire lorsqu'il est inutile de parler. Le Petit Garçon lui exposa l'objet de sa venue. L'ami écouta en lui offrant un regard clair, riche de compréhension et d'une compassion retenue.

— C'est en effet mieux que vous la préveniez vous-même, dit-il. Je vais la chercher.

Elle survint, rose d'excitation, avec encore sur les lèvres les rires de la fête. Mais, devant l'expression bouleversée de son père, sa lumière s'éteignit.

Le Petit Garçon parla. Il ne sut jamais ce qu'il raconta car les assassins ne se rappellent plus ensuite de quelle manière ils tenaient le poignard pour frapper. Non, ce qu'il proféra comme paroles meurtrières, tueuses de foyer, il l'ignora toujours. C'était des mots, rien que des mots comme nous en employons tous les jours, toi et moi, pour coexister. Des mots répertoriés dans les dictionnaires où leur définition est sensiblement identique, n'importe l'ouvrage : Larousse, Robert ou Littré. Des mots qu'on prononce sans toujours les penser, car les véritables pensées s'expriment en sentiments et non par le truchement du vocabulaire.

Seulement, quand il l'embrassa longuement et puis qu'il la reprit dans son bras pour encore et encore l'embrasser, elle posa sur lui un regard d'animal en souffrance. Un regard bref dans sa durée, mais éternel par son intensité. Un regard en déroute qui ne contenait aucun reproche, juste une surprise que la vie fût ainsi, le dimanche après-midi pendant qu'on vient danser avec des copains, et boire des jus de fruits, croquer des biscuits, parler des films, des absents, de l'amour et des dernières compos. Et ce regard enseigna au Petit Garçon que tout est « âme », ici-bas. Que rien n'existe, sinon cette légère touche d'infini que seuls peuvent déposer en toi les yeux d'une adolescente, qu'elle soit ta fille ou non. Symphonie, symphonie !

Symphonie, dit la chambre. Symphonie…

Les nounours béats, les lapins effarés, les poupées qui ont des expressions de Peggy.

Dora est absente. Son absence hurle par la voix de sa mère. Mélancolia a une respiration de bête forcée. Elle se tord les mains, elle donne des grandes gueulées à vide, pour mordre l'air privé de Dora.

Elle tremble.

Charles ne la supplie plus « d'attendre ». Car maintenant il faut agir. *Il est temps.*

Il songe à la gendarmerie d'ici et au grand gendarme bernois, avec son calot bordé d'astrakan gris. Est-ce cet homme qu'il convient d'alerter, et qui va arriver, massif, suspicieux, plein de lourdes questions mal dites dans un français qu'il ne maîtrise pas ? Ce même gendarme venu s'informer des raisons de son « suicide » quelques semaines plus tôt. Un être si éloigné de lui, de sa mentalité, de sa latinité.

— Je vais appeler mon avocat à Genève pour lui demander conseil, décide Dejallieu.

Mélancolia s'agrippe à son bras.

— Oh ! Charles ! Crois-tu que ce soit une bonne chose ?

— Il faut bien commencer, répond Charles.

Elle se laisse glisser à terre, mais ce n'est pas théâtral, ni tragique. Mélancolia est simplement épuisée par la position verticale. Alors elle choit comme un vêtement dépouillé sur la moquette usée. Elle pose sa tête contre le lit de Dora. Son lit non défait de petite fille qui n'est plus là, qui n'y sera jamais plus si ses bourreaux le décident.

— Que lui font-ils, que lui ont-ils fait ? balbutie la pauvre femme.

Charles s'écrie :

— Mais rien ! Comprends qu'elle représente pour eux une denrée d'échange. C'est sa vie qu'ils nous vendent, sa vie, Mélancolia ! Sa vie !

— Comme elle doit avoir peur !

— Pas forcément ; ce sont des techniciens de la chose. Il est plus facile pour eux de séquestrer quelqu'un qui est calme que quelqu'un qui est terrorisé. Le type avait un accent italien très prononcé, le rapt est devenu une industrie en Italie. Ils ne font pas de fausses manœuvres.

Elle reste dubitative, pourtant les paroles apaisantes de son époux la réconfortent confusément. Mélancolia a besoin de se raccrocher à n'importe quelle espérance. Elle en est au goutte-à-goutte, aux rebouteux, aux mages et à la foi.

*
* *

Mary Stockfield accomplissait des mouvements gymniques sur le tapis de haute laine de sa chambre à coucher, face à une glace à trumeau placée entre les deux fenêtres. A plat ventre sur le lit, son café au lait posé sur un plateau d'argent, Aldo la regardait s'efforcer en réprimant un sourire. Il trouvait dérisoires, mais un brin pathétiques, les gestes mécaniques de sa vieille maîtresse. Tous ces vieux qui luttent du muscle et de l'onguent contre l'envahissement irrémédiable de l'âge lui faisaient pitié. Si le sort lui accordait de vivre longtemps, il était décidé à se résigner, à s'installer dans une intrépide acceptation de la décrépitude.

La jeunesse ne se prolonge pas, mais beaucoup l'ignorent et s'obstinent à se teindre et à se faire masser pour tenter *de réparer des ans l'irréparable outrage.*

Mary s'interrompit, à bout de souffle.

— Bravo! lui lança son amant. A présent, tu parais dix ans de plus!

Elle lui montra le poing.

— Tu n'es qu'une sale vermine, *darling.*

Puis elle vint s'asseoir près de lui. La tasse pleine de café se mit à tanguer et le liquide déborda pour se répandre sur le plateau.

Aldo ne réagit pas. Il pensait à Mélancolia et aurait aimé la voir à présent qu'elle savait. Il jubilait en songeant que le hasard leur avait accordé toute une nuit de sursis, car c'était par son coup de fil que les Dejallieu venaient d'apprendre la nouvelle. Désormais, quand il aurait à leur téléphoner, il devrait prendre des précautions, utiliser une cabine publique discrète, de nuit, dans un bled désert. Mais rien ne pressait. Surtout bien se ficher cette évidence dans le crâne : le temps travaillait pour lui. Pendant cette période d'inertie, la mère de l'enfant souffrirait mille morts et passerait les journées à regarder l'appareil téléphonique, bondissant dessus à chaque sonnerie, déçue jusqu'au tréfonds quand il s'agirait d'un appel qui ne serait pas le sien. Ce qu'il ressentait à cette évocation lui mettait un bloc de glace dans la poitrine. « Une sale vermine ! » s'exclamait Mary. Elle demeurait très en dessous de la vérité. Mais Aldo ne dérogeait pas de son but. Il montrait la froide détermination du chirurgien tentant une intervention désespérée. Plus tard, lorsque tout serait accompli, il essaierait de réparer, ou plutôt de « compenser ». Ce n'était qu'une idée en l'air, sans « armature ». Il ne voyait pas de quelle manière racheter une telle vilenie, malgré tout, il se promettait d'y parvenir.

Mary le caressait doucement, après avoir coulé sa main sèche sous le peignoir de bain rugueux.

— Pas le matin, *please !* grogna Moretti.

— C'est bon à toute heure, objecta l'Anglaise.

— Pas le matin, s'obstina-t-il, ça me fait l'effet d'une blessure.

— Quelle idée invraisemblable !

— Je suis plein d'idées invraisemblables, c'est pour ça que tu m'aimes.

Il lui accorda un baiser qui paraissait sincère et se leva avec la souplesse d'un chat, pour ne pas chahuter le plateau du petit déjeuner.

— Tu ne bois pas ton café ?

— Il est froid, j'en prendrai un au village.

— Tu pars encore ?

— Nous interviewons Curd Jurgens, aujourd'hui, il nous attend dans son chalet de Grüben. Tu sais que ça démarre pas mal, notre association, à Muzard et à moi ? Notre reportage sur Charles Dejallieu va passer dans un grand hebdomadaire parisien.

Il ouvrit son peignoir et se campa devant elle, les jambes écartées, faisant sautiller son sexe dans sa main.

— Je vais bientôt pouvoir te rembourser ta mise de fonds autrement qu'avec ça, ma vieille *queen* Mary !

*
* *

Dora rêve qu'elle court dans la forêt, au-dessus de l'école. Ils vont s'y promener parfois, empruntant un chemin moussu, aux ornières toujours gorgées d'eau, qui plonge à travers les sapins et file droit à une clairière marquée par un gigantesque bloc de rocher en surplomb. Sous ce bloc menaçant, on a foré un tunnel fermé par une lourde porte métallique à deux battants. Des mots allemands s'y inscrivent, peints au pochoir en gros caractères noirs.

La maîtresse leur a expliqué que ce tunnel est l'œuvre de l'armée suisse et que, au cours de la dernière guerre, la Confédération y a entreposé le trésor national, pour le cas où le pays serait envahi par les Allemands. Cette caverne artificielle a fortement impressionné Dora.

Elle rêve que la porte s'ouvre en grinçant. D'une grande bouche ténébreuse sort un fracas de galopade, répercuté par de sinistres échos. Et aussi le bruit de forge d'une respiration haletante. Mélancolia en sort, la portant elle, Dora dans ses bras. Elle a un visage de folle, les cheveux au vent, comme sur les affiches exprimant une notion de grande vitesse. Elles sont talonnées par une cohorte de « dames » aux yeux rouges.

Dora pousse un cri et s'éveille. Elle est trempée de sueur. Elle considère la caravane à la lueur d'une petite loupiote verdâtre qu'on a laissé éclairée pour la rassurer précisément, mais cette lumière d'outre-tombe ne fait qu'accroître son effroi. Les voitures continuent de déferler à proximité. Il en arrive des flots grondants. On devine qu'elles se doublent. Elles sombrent dans l'éloignement, mais d'autres surgissent, et d'autres encore. Par instants, on pourrait croire qu'elles vont télescoper de plein fouet la caravane. Dora met ses mains sur ses oreilles.

Elle veut se recroqueviller, quelque chose tire sur sa jambe gauche. Elle constate alors qu'elle a une chaîne au pied, comme sur les gravures de son manuel d'Histoire représentant Louis XI visitant ses geôles de Plessis-lez-Tours. Et aussi Jeanne d'Arc au cours de son procès. Elle a besoin de faire pipi. Elle se lève et gagne le bloc sanitaire, c'est le seul parcours que lui permet la chaîne.

La porte divisant la caravane en deux s'ouvre et un type sombre paraît, vêtu d'une combinaison de mécano, bleue à bandes blanches le long des jambes. Il a les cheveux courts, une casquette à visière verte, de grosses lunettes noires et une barbe floconneuse.

Dora a honte de faire pipi devant lui, seulement il est trop tard : elle a déjà commencé. L'arrivant s'exprime avec un fort accent italien. Dora connaît bien car, à Gstaad, tous les serveurs de restaurant sont italiens. Quand ils parlent, ça fait plein de « ma qué, ma qué ».

— Tou as bésoin dé quelqué chose, pétite ?

Elle secoue négativement la tête.

— Tou né veux pas manger ? Boire ?

Non, non, fait la gamine.

— Né té fais pas dé souci, ça né séra pas long. Tou né crains rien. On né té féra pas dé mal, même si lé papa, il né paie pas. Tou lui diras bien, après ? Même s'il né paie pas, on té rendra, *a capito* ?

Elle s'abstient de répondre et l'homme se retire. Ses paroles ont achevé d'éclairer Dora ; jusqu'alors, le comportement sucré de la « dame » laissait planer un doute ; elle ne comprenait pas clairement la démarche du rapt. Maintenant, elle sait : on l'a enlevée pour l'échanger contre de l'argent, comme on enlève tous les enfants d'aujourd'hui. Sa seule véritable surprise vient de ce qu'elle croyait en la sécurité helvétique. Il y a, aux *Bleuets*, plein de pensionnaires que leurs riches parents étrangers ont mis là pour avoir l'esprit en repos. La sœur de l'un d'eux, fille d'un gros fabricant de pâtes italien, a même été enlevée, à Rome, l'année auparavant. Au bout de huit jours, ses ravisseurs ont palpé une fortune et l'ont libérée en pleine nuit, sur le bas-côté d'une *autostrada*. Dora préfère cela aux explications brumeuses de sa ravisseuse. Il lui suffira d'attendre.

Racontez votre dernier Noël.
Elle retourne s'allonger sur le lit et se le raconte. Il lui semble moins triste, vu d'ici.

*
* *

Allergique aux noms à consonance alémanique, Charles n'a pas retenu celui du policier, non plus que son grade. Il pense qu'il correspond à commissaire. L'homme est un solide quinquagénaire dont les favoris frisottés descendent tout au bas du visage, donnant à ce dernier une vague allure lamartinienne ; à moins qu'il ne ressemble à Bernadotte ? La figure est étroite et allongée, le nez fort, la bouche charnue, ses yeux clairs fixent les gens, mais se dérobent dès qu'on surprend leur examen. Il parle parfaitement le français, avec toutefois un léger accent.

Il prépare minutieusement ses questions, se plante devant son interlocuteur et attend longtemps avant de les poser, sans éprouver de gêne. Quand il se décide, il parle en détachant chaque syllabe et l'on a l'impression de suivre le mécanisme de la pensée comme on voit le mouvement d'une montre-squelette.

Trois inspecteurs l'accompagnent. Des jeunes à la mise désinvolte. L'un d'eux porte un blouson sur un tee-shirt frappé du sigle noir et rouge de l'U.B.S., un autre est complètement chauve avec une moustache de phoque et d'étranges bajoues maladives, le troisième ne fait pas « suisse » le moins du monde et ressemble à un étudiant indien. Ce dernier doit être chargé des questions de laboratoire, car il n'en finit pas de relever les empreintes de Peggy et celles des Dejallieu. Ensuite, il fouille dans le cartable de Dora, feuilletant chacun de ses livres et cahiers comme s'il s'attendait à y trouver la solution du problème.

Une atmosphère de « retour d'enterrement » règne dans le chalet *Trafalgar*. On évite de parler, de se regarder. Les bruits sont secs comme ceux qui retentissent dans l'aube. Charles pense que le Petit Garçon adorait les bruits de l'aurore et aussi qu'il en avait un peu peur parce qu'ils l'impressionnaient.

C'était des bruits venus d'ailleurs, ceux de la naissance du monde. Il ne les entendait que les jours où son père l'emmenait avec lui à la pêche dans des fins de nuit cafardeuses. Ils prenaient le premier tramway où d'autres pêcheurs se trouvaient déjà, chargés de tout un barda. La somnolence était générale en ce dimanche matin, malgré les premières cigarettes et les haleines chargées d'odeurs de rhum. Le lourd véhicule ferraillait, bourdonnait, éclatait par instants en grêles sonneries qui ressemblaient à une gerbe d'étincelles sonores (pensait le Petit Garçon). Les voyageurs dodelinaient. Leur attirail sentait le poisson de la dernière sortie et il restait même des écailles séchées dans les mailles des épuisettes.

Une fois sur le quai de Saône, on prenait le train bleu, qui ne ressemblait plus tout à fait à un tramway, malgré son trolley, et pas non plus à un vrai train. Il se composait de trois ou quatre voitures qui remontaient la rive gauche de la rivière. Le jour se levait en cours de trajet. Les vieux immeubles des bords de Saône se dégageaient lentement de la grisaille, leurs toits commençaient à flamber et pendant un instant, Lyon se mettait à ressembler à la Toscane.

On arrivait à l'île Barbe... Le vieux pont suspendu dansait sous les pas. Une fois dans l'île, il fallait chercher la bonne place. Il faisait frais. Des poissons sautaient hors de l'eau si vite que l'on doutait d'eux malgré les cercles concentriques qui s'étalaient. Le père « engrenait le coup », c'est-à-dire qu'il lançait à poignées des céréales cuites : blé ou chènevis, afin d'attirer les perches et les ablettes. Le Petit Garçon restait sceptique, estimant que leur fournir de la nourriture à gogo diminuait les chances de les voir mordre à l'appât. Il commençait à s'ennuyer. Il prévoyait que l'existence ressemblerait à cette attente silencieuse au bord de l'eau verte, à regarder flotter un bouchon rouge ; tressaillant quand il s'agiterait, s'exaltant lorsque d'aventure, un poisson voudrait bien se laisser ferrer. Le passage d'une péniche mettait un peu d'animation en agitant cette eau pour peintre impressionniste. Le jour s'enflait, le soleil devenait brûlant, le Petit Garçon se taisait et préparait des souvenirs.

« Toujours au moment inopportun », peste Charles. Il doit rester mobilisé pour assumer la situation peu commune à laquelle il est confronté. C'est bien le moment de divaguer !

Le « commissaire » l'entraîne à l'écart.

Il tarde à parler, contemple ses grands pieds en « V ». On dirait qu'il attend un message. Il se décide tout de même :

— Vous me permettez de vous poser une question, monsieur Dejallieu ?

— Je vous en prie.

— Etes-vous en mesure de payer cette rançon ?

— Non, répond Charles catégoriquement.

Il est le premier surpris par sa vivacité.

Le policier enregistre sans marquer le moindre sentiment.

— Donc, le ou les ravisseurs ont fait une fausse estimation en vous réclamant deux millions de francs ?

Le romancier hoche la tête, embêté.

— C'est-à-dire que le problème se pose en d'autres termes. Bien sûr, je pèse cette somme, comme disent les Américains, mais il me serait difficile de la réunir en billets de banque. Nous autres, artistes, sommes des cigales, vous le savez, et ce sont nos dépenses qui constituent notre capital.

Son interlocuteur met du temps à comprendre. Le mot cigale,

par exemple, lui est inconnu. Pourtant, il finit par débroussailler la réponse de Charles.

— Les banques devraient pouvoir vous aider, assure-t-il.

— Les banquiers ne sont pas des philanthropes, rétorque Dejallieu. Si je vous comprends bien, vous souhaiteriez me voir payer ?

— Naturellement.

— Curieuse attitude ; je croyais la police hostile à ce genre de tractations.

— Pas la police suisse, monsieur Dejallieu. Notre politique est avant tout d'assurer la sauvegarde de l'enfant. Nous n'entreprendrons rien pour contrecarrer la remise de la rançon.

— En somme vous baissez les bras ?

— Nous différons notre intervention.

Le ton devient âpre, le policier détourne les yeux comme s'il craignait de laisser capter sa pensée. Charles croit sentir un début de mépris chez son interlocuteur. Ce dernier observe un long silence. Il questionne, sans avoir l'air de s'intéresser à la réponse :

— Il n'est pas dans votre intention de payer ?

— Non. Simple question de principe ; si tous les gens étaient intraitables, cette forme de criminalité disparaîtrait.

— Quelques enfants pourraient disparaître également avant la fin d'un tel racket.

Il se met à arpenter la pièce, ses grosses mains au dos, un peu voûté, les pieds en canard.

Quelque chose de pensif chez l'homme intimide Charles. Ce n'est pas un flic ordinaire.

Une bouffée de chaleur enveloppe la tête de Dejallieu. Il est en grande honte, se méprise et ne comprend pas pourquoi il s'accroche ainsi à son argent.

— Cette enfant n'est pas la vôtre, n'est-ce pas ? reprend le policier.

— Je vous l'ai dit ; mais je la considère comme ma fille et...

— Si vous la considériez comme votre fille, je pense que vous vous arrangeriez pour payer.

— Je ne vous permets pas de formuler une telle supposition ! s'écrie Charles, rouge de colère.

Son interlocuteur ne s'émeut pas.

Il soupire seulement un « Pardonnez-moi » insultant par sa légèreté.

— Sa mère a de la fortune ? demande-t-il brusquement.

— Rien !

— Son père ?

— Inconnu au bataillon !

— Si bien que, côté rançon, la situation est bloquée ?

— Pour les ravisseurs, oui. Ils auront fait chou blanc ; c'est une expression française qui signifie...

— Je crois savoir.

Le téléphone sonne, le policier fait signe à Charles de décrocher.

C'est le service littéraire de son éditeur qui appelle Dejallieu. Isabelle Ramone, une femme pleine d'esprit avec qui le romancier entretient des relations affectueuses. Elle lui fait part d'un léger problème concernant la réédition d'un de ses livres. Lorsqu'il l'écrivit, il ne prévoyait pas de lui donner une suite, mais à présent, il convient de tenir compte dans le premier ouvrage des développements survenus dans le second.

— Arrange ce replâtrage à ton idée, soupire Dejallieu, je ne suis pas du genre remailleur de bas.

— Bon Dieu, je ne peux pas prendre ça sur moi! se récrie Isabelle, effrayée.

— Mais si : prends! Si tu savais comme je m'en fous!

Isabelle est alarmée par le ton brisé de son auteur.

— Tu as des problèmes, Charles?

— Tout le monde en a, dès lors qu'il a mis le pied sur cette foutue planète!

— Santé, famille, boulot?

— Une pincée de ceci, une tombée de cela, un zeste du reste ; mais ne t'inquiète pas, ça ira mieux dans cinquante ans. Pardonne-moi, j'ai quelqu'un dans mon bureau.

Le quelqu'un feint de ne rien entendre, de se fondre, tel le caméléon, dans le milieu ambiant. Son complet beige a presque la couleur des boiseries et sa tête celle des doubles rideaux.

— Cela vous ennuierait de me redire votre nom? demande Dejallieu, j'ai un mal fou à mémoriser les patronymes, surtout lorsqu'ils ont pour mes pauvres oreilles françaises une consonance étrangère.

— Mültzeler, articule posément le policier en s'efforçant de mettre l'accent tonique sur chaque syllabe.

— Vous avez des enfants?

— Et même des petits-enfants.

Pourquoi Charles repense-t-il au dernier regard de Dora, sur le seuil de l'*Olden*? Un regard pathétique comme celui qui ponctue un adieu. Merde! Il ne va pas se laisser envahir par ses « gamberges » ; il va cesser de se raconter des histoires ; de mettre ses tourments en musique. Car, en vérité, il compose de la musique, Charles Dejallieu. *Sa musique.* Quand Menuhin joue, il restitue la musique des autres, avec art, avec âme, certes, mais il n'apporte de personnel que la vibration de son poignet, que son extase de virtuose couché sur son violon comme sur une femme. Lui, Charles, il transforme le quotidien en symphonie ; le moindre tourment, le plus subtil dérapage de sa pensée, la plus légère accélération de son cœur le propulsent vers des lyrismes éperdus.

— Comment concevez-vous la suite de cette affaire ? questionne-t-il.

Mültzeler hoche la tête.

En réalité, il fait très peu flic. C'est le genre de bonhomme qu'on verrait mieux dans une banque ou une fiduciaire, voire dans un atelier d'architecte.

— Les ravisseurs reprendront contact avec vous, évidemment, pour vous demander si vous avez rassemblé les fonds. A ce moment, vous leur expliquerez que vous ne voulez ou ne pouvez pas payer et ce sera quitte ou double. Soit ils insisteront pour avoir de l'argent, soit ils vous raccrocheront au nez.

— Dans la seconde hypothèse ?

— Ils laisseront passer beaucoup de temps avant de se manifester de nouveau, afin de vous saper le moral, du moins celui de votre femme ; ou bien alors, ils se vengeront de leur échec sur l'adolescente. Il se peut aussi qu'ils la libèrent, mais je ne vous cache pas que je tiens cette hypothèse pour la plus improbable de toutes.

— Une partie de bras de fer, quoi, murmure Charles.

Le policier ne répond pas et abandonne Charles. Un de ses hommes arrive pour poser un enregistreur sur le poste téléphonique. Il dit à l'écrivain qu'avant de décrocher, il devra *peser* sur tel bouton noir. De toute manière il est sur table d'écoute, mais l'enregistreur permet de réécouter la communication immédiatement.

Charles regarde sa machine à écrire avec angoisse. Quand donc pourra-t-il se « vautrer » sur elle et épancher ses fantasmes ?

Soudain, il se fige en pensant que l'affaire « sortira » immanquablement, dans quelques heures ou quelques jours. Et ce sera la ruée des journalistes suisses et français. Leur chalet sera assiégé, le téléphone n'arrêtera plus de sonner, les télégrammes de pleuvoir. Ils seront traqués, Mélancolia et lui, harcelés jour et nuit. Cette perspective l'anéantit. Il habite la Suisse pour avoir la paix et prendre le temps de vivre sa vie. Il se sentait à l'abri des vertes montagnes, préservé du tumulte brouillon de Paris où rien n'existe vraiment, ni les hommes ni leurs œuvres ; et puis le rapt de cette sotte gamine à tête trop grosse vient de tout compromettre. Dans une poignée d'heures, il deviendra la vedette d'un fait divers, car bien entendu, il ne sera question que de lui. Il devra se composer un personnage pour la circonstance : celui que les médias voudront qu'il soit, car ce sont eux qui orientent, eux qui décident, font et défont, d'un commun accord, étrangement alliés, n'importe leur bannière, pour ensemble bâtir une affaire ou un personnage selon des normes mystérieuses.

Cette menace en suspens bloque un moment la vie de Charles. Il prévoit la chute de sa quiétude, réalise qu'il était « bien dans sa peau » avant que la chose n'arrive. Il n'avait à penser qu'à ses pensées. Il les subissait, les modelait, s'en grisait.

L'adjoint de M. Mültzeler se retire après avoir fait un essai satisfaisant. Il y a de la brume d'été sur l'Eggli en face. Elle corrige le vert ardent des pâturages, celui presque noir des sapins.

— Charles ! chuchote Mélancolia.

Il ne l'a pas entendue arriver. Dejallieu se retourne et il est frappé par le teint de son épouse. Sa peau est d'un blanc marbré de traînées mauves, ses yeux semblent s'être agrandis.

Elle se tient immobile, les bras pendant le long du corps. Elle ressemble à une statue de monument aux morts — dans quelle ville était-ce, déjà ? —, représentant la France douloureuse, debout devant la tombe d'un poilu dont le casque avait été accroché à la *croix de bois*.

L'accablement de Mélancolia a quelque chose de marmoréen.

— Charles, oh ! Charles...

— Mon cher amour, dit Dejallieu. Quelle atroce épreuve ; mais garde confiance, ce cauchemar ne durera pas.

— Charles, le policier m'apprend que tu refuses de payer la rançon ?

Salaud de flic ! Cafteur !

— Mélancolia, tu connais mes théories en ce qui concerne les rapts et les prises d'otages ? C'est en opposant une fermeté inébranlable que...

Elle soupire :

— Charles, je me fous de tes théories : je veux ma fille, tu comprends ? Et je vais m'arranger pour remettre à ces gens les deux millions qu'ils réclament.

— C'est une somme énorme !

— Puisque tu refuses de la donner, je me débrouillerai sans toi. J'ignore encore de quelle manière, mais je l'aurai. Quand ces gens rappelleront, je te demande de me laisser leur parler. C'est une affaire entre eux et moi, comprends-tu ?

Charles est partagé entre une rage froide et une confusion quasi douloureuse. Il fait un complexe de prince consort.

— Ma pauvre amie, jamais tu ne parviendras à réunir deux millions de francs suisses, lâche-t-il avec cruauté.

— Mais si ! Je les mendierai auprès des banques, des ambassades, des journaux. Je ferai ouvrir une souscription publique s'il le faut. Mais je les obtiendrai, Charles. Je te jure que je les obtiendrai. La télévision romande ne me refusera pas de lancer un appel. Les fonds rentreront, j'ai confiance en ce pays. Parce qu'il a le sens de l'argent, il est charitable, il n'y a que les prodigues qui ne le soient pas. Seulement je veux que tu me laisses les coudées franches. Je me passerai de ton argent, mais je n'accepterai ni ta censure ni tes conseils.

Elle repart, furtive, laissant son mari livide devant la fenêtre. Un train bleu passe sur le viaduc en actionnant sa sirène.

*
* *

Franky regarde Aldo qui achève de se travestir en femme.

— Jamais je ne m'habituerai à cet accoutrement, lui dit-il, tu me gênes !

— Parle moins fort ! intime Moretti en montrant la porte de communication.

— Tu sais bien que l'insonorisation est garantie, gouaille le photographe.

Depuis qu'il s'est fait couper les cheveux, sa tête ressemble à celle d'un lapin écorché.

Il boit de grandes lampées de vin rouge, du chianti, pour créer l'ambiance italienne.

— Ne picole pas tant, conseille Aldo, c'est le moment de garder la tête froide.

— Je combats ma trouille comme je peux, répond Muzard. Il a des frissons.

— Crois-tu qu'ils ont prévenu la police ? demande-t-il.

— Evidemment ; que veux-tu qu'ils fassent d'autre ?

— Pourtant, on ne voit rien.

— Parce que ces messieurs sont banalisés, mais tu peux être assuré que la région grouille de poulets, c'est pas le moment de se singulariser.

Franky émet une sorte de hennissement malade.

— Je craque, Aldo, je sens que je craque. Je me suis lancé dans une affaire qui n'est pas pour moi. J'ai toujours été honnête si l'on excepte quelques resquilles pas méchantes.

— Quel genre, ces resquilles ?

Moretti joue *Les animaux malades de la peste,* il en est à l'interrogatoire de l'âne qui *tondit de ce pré la largeur de sa langue.*

— J'ai fauché un Nikon à un confrère étranger, j'ai emporté les draps d'un hôtel de passe, j'ai... Je ne sais plus, des conneries, quoi.

— Tu as kidnappé la fille de gens aisés, ajoute Aldo durement. Tu la séquestres à ton domicile et tu vas extorquer de l'argent avant de la restituer. Alors, pour ça, il faut avoir une belle grosse paire de couilles, mon grand, et s'abstenir de pleurnicher. *A capito ?*

— Tu te rends compte, les flics sont en train de dresser la liste de tous les gens qui ont approché les Dejallieu ces derniers temps. Suppose qu'ils s'amènent ici pour bavarder, simplement pour bavarder ?

— Eh bien, tu bavarderas.

— Et s'ils ouvrent cette porte ?

— Rien ne les y autorise. Ne confonds pas information avec perquisition.

— J'ai été con de me montrer à l'*Olden,* le soir du rapt.

— Une centaine de personnes variées s'y sont rendues également.

— Mais elles ont pignon sur rue ; moi je ne suis qu'une espèce de traîne-lattes, de saltimbanque. Nous sommes mal vus des autorités qui trouvent notre job à la limite de la légalité. Sais-tu comment un P.-D.G. m'a appelé, un jour ? L'œil du bidet ! Charmant, non ?

Aldo s'assied sur le coin de la table, sa jupe frôle la main de Franky, lequel se recule d'instinct.

— N'oublie pas une chose pri-mor-diale, mon pote : à l'heure de l'enlèvement, tu te trouvais toujours à l'*Olden.* Ton alibi est en bronze.

— Les cloches aussi, grogne Muzard. Et si tu savais ce que je me sens cloche avec cette gosse dans mon cagibi ! Elle ne veut rien bouffer, elle ne dit pas un mot, je ne vais pas pouvoir tenir le coup longtemps ; chacun de ses pauvres regards me donne envie de gerber.

— Parce que tu as une belle conscience, Franky, bien proprette. Tu ne peux pas supporter de faire saigner le cœur des mamans, ni de traumatiser les chères adolescentes qui se font tringler à peine sorties de la puberté. Une âme pure dans un corps sain : un vrai chevalier ! Mais un chevalier qui se trouve au milieu du fleuve et qui ne peut plus revenir en arrière car ce qui est fait est fait ! Si tu te dégonflais à présent, tu aurais droit à des circonstances atténuantes aux assises ; tu entends ? *Aux assises !* Crois-moi, fils : achève de traverser le fleuve sinon ton futur volerait en éclats.

« On va réussir ce coup. Ce sera le seul de ta carrière. Après tu pourras vivre sous les palmiers et devenir adjoint au maire de ta commune, car ce sont les anciennes crapules qui fournissent les meilleurs notables. »

Franky Muzard liche son fond de verre et questionne d'une voix geignarde :

— Tu n'as donc pas peur, toi ?

— Moralement, je claque des dents, assure Aldo, seulement je me persuade qu'il s'agit d'un solo de castagnettes et je rêve de l'Andalousie. Fais semblant d'avoir du courage, tu en auras.

Il flanque une bourrade à son piètre complice. En réalité, c'est de lui qu'il a peur, beaucoup plus que des flics. Il sait qu'à la moindre alerte, Franky s'affalera. Il va falloir mener cette histoire rondement.

Il passe dans la pièce où est séquestrée Dora. Le magnétophone placé de l'autre côté du panneau isolant continue de diffuser les bruits d'autoroute. Pourvu qu'il ne tombe pas en panne !

La gamine dort, assommée par les doses de somnifère qu'on la force d'avaler. Le yogourt qui le véhicule est le seul aliment qu'elle absorbe. Aldo la juge pâlotte et ses paupières bleutées le troublent.

Il appelle doucement :

— Dora, ma chérie !

L'enfant ouvre des yeux pleins d'effarement et de crainte.

La « dame » lui sourit de façon rassurante, mais Dora conserve son visage fermé.

— Je sais que vous avez pris le parti de ne pas parler et de refuser toute nourriture, cependant vous allez devoir me dire quelque chose, ma fille. Que je vous explique : je vais téléphoner en Suisse, à vos parents, tout à l'heure. Ils vont me demander si vous êtes bien vivante, pour le leur prouver, vous devez me confier quelque chose de particulier que vous et eux êtes seuls à connaître, par exemple une chose que vous auriez réclamée à votre maman ; un projet que vous auriez fait, vous voyez ce que je veux dire, n'est-ce pas ? Il s'agit de les rassurer, comprenez-vous ?

Dora écoute et comprend parfaitement ; de même qu'elle se sent presque en sécurité en compagnie de ces gredins. Leur infamie a des limites qu'elle a parfaitement perçues ; obscurément, elle est surprise par cette sorte de gentillesse en demi-teinte dont ils font montre avec elle.

La *dame* attend en montrant qu'elle est bien décidée à obtenir une réponse. L'adolescente réfléchit. Là se place un point de jonction entre elle et ses ravisseurs. Elle doit leur fournir ce qu'ils réclament car cela adoucira la mortelle angoisse de sa mère.

Aldo la contemple, cherchant à percevoir la femme qu'elle deviendra un jour. Pour l'instant elle est sans grâce, un peu massive, mais les années qui viennent remodèleront ce schéma un peu fruste. Il aime ce côté chrysalide des petites filles. Il se rappelle des gamines ingrates, du genre boudin, qui, en quelques mois, devenaient d'adorables nymphettes.

— Vous ne trouvez pas ? insiste-t-il. Faut-il que je vous aide ?

Dora fait signe que non.

— Pour Noël, j'avais demandé un lapin blanc, dit-elle, un vrai, vivant, mais Charles n'a pas voulu.

— Eh bien ! voilà, bravo !

Il ajoute :

— Si j'avais une fille comme vous, je lui achèterais un lapin blanc.

Dora regarde la dame. Elle a parlé avec beaucoup de sincérité.

Aldo murmure :

— Vous savez, Dora, je suis navrée de vous infliger ces tourments.

— Alors, pourquoi vous le faites ? objecte la fillette.

— A cause de mes chefs, mais je n'ai pas le droit d'en parler. Nous avons besoin d'argent pour mener notre combat.

Il quitte la pièce à regret.

L'autre pomme de Franky est à moitié ivre, son regard bredouille et il a de plus en plus une tête de lapin écorché à l'étal d'un volailler.

— *Va bene,* déclare Moretti ; elle n'est pas sotte, cette petite. Il va falloir que je me déguise en autre chose et qu'elle m'aperçoive par l'entrebâillement de la porte, de manière à lui donner l'impression que nous sommes plus nombreux.

— Tu ne penses qu'à la suite, reproche Muzard, et tu oublies le présent.

— Le soldat qui charge oublie aussi le présent, mon petit vieux, et plus il est téméraire, plus il a de chances de s'en sortir.

*
* *

Peggy pleurniche en racontant au policier Mültzeler sa conquête de la nuit. Elle garantit que Gustav Schwartz est un gentleman irréprochable. Quand on joue Liszt comme il le joue et qu'on enfile les dames avec une pareille délicatesse, on ne pratique pas le kidnapping. Mais Mültzeler, note, note, d'une écriture penchée d'autrefois, sur un carnet à couverture noire. Ensuite il va téléphoner à la Sûreté, probablement pour qu'on *s'occupe* de ce débaucheur de grand-mère en délire. Table d'écoute, filature, renseignements en Allemagne...

Mélancolia demeure dans un fauteuil, près du téléphone. Ses lèvres remuent, on pourrait croire qu'elle prie. Elle essaie d'invoquer le Seigneur, mais sa pensée se dérobe. Impossible de parler à Dieu quand on a un monstrueux hurlement dans la gorge. Un hurlement de louve désespérée. Elle agonise de ne pouvoir le libérer, mais si elle le jetait hors d'elle, ce hurlement femelle, quelque chose exploserait dans sa poitrine et elle mourrait probablement. Elle refuse de mourir avant d'être fixée sur le sort de sa fille, avant de l'avoir retrouvée, vivante ou morte. Elle ressent un tel besoin sauvage de Dora qu'elle se contenterait de sa dépouille. Il est impossible d'exister sans savoir ce qu'il est advenu de son enfant. Elle veut retrouver cet être, ses formes, sa chair, même si elle est foudroyée.

On sonne, c'est Charles qui va ouvrir. Un grand homme blond, au teint couperosé, habillé en prince-de-Galles beige se tient sur le seuil.

— Entrez, monsieur Schöb, fait Charles en pressant la main de l'arrivant.

Le policier s'avance déjà.

— Mon banquier, explique Dejallieu. Peut-être pourriez-vous lui expliquer la situation, monsieur Mültzeler, en swiss-deutsch ce serait plus facile.

Il ajoute, à l'intention du policier et de Mélancolia :

— Car j'ai réfléchi : je paie.

Il s'approche du fauteuil de sa femme et se laisse tomber à genoux devant elle. Mélancolia a un léger acquiescement. Elle soupire « Merci », mais d'un ton absolument détaché.

— C'est moi qui te demande pardon, déclare Dejallieu. Je ne sais plus ce qui m'a passé par la tête, tout à l'heure.

Il pose son front sur les jambes de sa femme. C'est une attitude qui lui vient souvent, le soir, lorsqu'ils regardent la télévision. Il se lève et va enfouir son visage entre les jambes de Mélancolia. Il ne s'agit pas là d'un réflexe sexuel : plutôt d'un acte de soumission. Il se prosterne devant elle, la reconnaît comme sa souveraine. Il n'a pas trouvé de geste plus éloquent pour le lui exprimer. Cette humilité éperdue éloigne les tentations physiques. Jamais elle ne les a conduits à leur lit. Un tel abandon constitue l'âme de leur amour. Et dans la nuit de sa jupe, il sent poindre la lumière du Petit Garçon tenace.

Il devait avoir une quinzaine d'années et dévorait une quantité de livres policiers ou des romans de cape et d'épée. Le père se trouvait en déplacement dans une petite ville de la Loire. La mère et le fils vivaient une existence très étroite. La petite sœur habitait chez la grand-mère, à la campagne.

Un jour qu'il avait ramené un bulletin scolaire désastreux, sa mère lui adressa de vifs reproches, criant bien fort que ce naufrage provenait de ses lectures. Le Petit Garçon était entré dans une fureur glacée. S'emparant de tous ses livres, il s'était mis à les déchiqueter à gestes rageurs, et s'enivrait de cette destruction. Les reliures éclataient, les feuilles arrachées pleuvaient comme, en automne, celles des arbres qui les avaient enfantées. Ces bouquins saccagés s'amoncelaient en un tas horrible. Le vandalisme du garçon faisait songer à un autodafé nazi. Il détruisait avec délectation ses livres aimés lus la nuit sous les draps à la lumière d'une lampe de poche. La joie morbide du sacrilège l'animait. La griserie féroce de l'automutilation. Il les disloqua, les éventra, les déchira, captant au passage un mot d'un titre, se remémorant une scène intense d'un récit. Il tuait sa bibliothèque pour abîmer sa mère, se venger de ses justes admonestations. Il assassinait Zévaco, Paul Féval, Agatha Christie, Souvestre et Alain pour se tuer un peu soi-même. Et il y eut un monceau informe dans la cuisine.

Sa mère ne disait rien. Elle s'était assise près de l'évier sur un tabouret de bois. Elle pleurait en silence. Ses larmes ruisselaient sur ses tendres joues, ô mère d'infinie tendresse, mère si simple et si proche, mère qui avait enfanté un monstre au bras atrophié et qui s'arrêtait, interdite, au seuil de ce louche personnage, interdite et meurtrie. O mère qui avait tant à pardonner et tant à recevoir et qui reçut si peu. O noble mère pleine de courage et de conscience, mère interdite par la folie destructrice de son fils, interdite devant son éclat de petit lâche provisoirement à l'abri des représailles paternelles ; interdite, mère au sourire de sainte ; de sainte sainte. Il te demande pardon à chaque heure de sa vie, à chaque pulsation de son cœur, comme il t'a demandé pardon après avoir mis à sac sa pauvre bibliothèque laborieusement constituée avec les petits sous que tu lui donnais. En voyant tes pleurs, ton beau visage effaré de mère interdite, il s'était jeté à tes pieds, avait enfoui sa frime de fausse frappe dans ta robe qui sentait la *mamma*. Et tu l'as consolé, ce vilain bougre de fils.

Charles demeure abîmé dans l'étoffe à plis. Mélancolia ne bronche pas. Du temps passe. Les autres, gênés, indécis (ah ! ces Français avec leurs simagrées...) s'efforcent de raconter la vérité au banquier effaré. On passe aux choses pratiques. Peut-on réunir très vite deux millions « sur » Dejallieu ? Le banquier ouvre son attaché-case pour compulser *le dossier* que Charles l'a prié d'apporter. Il se livre à des calculs, repère des échéances, additionne des actions et des obligations. Il opine enfin. Parfaitement possible, et très rapidement. Le temps de préparer des pièces à signer et la banque mettra l'argent à disposition, disons en fin de journée.

Charles, qui écoute, se sent étranger à ces tractations. Bon Dieu, c'est pourtant son fric qui est en jeu ! Ces deux hommes sont là à débattre la question, sans même le consulter. Il est humilié. Tout cela s'emballe, le dépasse. Et Mélancolia qui ne fait pas un geste, ne dit pas un mot. Va-t-il devoir se rabattre sur la mère Peggy pour trouver un interlocuteur ?

Il se relève.

Le Petit Garçon se relève avec lui.

Que veut-il encore, celui-là ? Qu'a-t-il à « ramener » à la surface ?

Cette soirée au cinéma « La Cigale », avenue de Saxe, en compagnie de sa mère, tandis que son père se trouvait toujours en déplacement ?

Attends, il va te raconter ça, le Dejallieu. S'essorer les méninges puisqu'il n'a rien de mieux à foutre pour le moment. Oh ! ce n'est pas grand-chose, un flot d'émotions, une vague de sensations accourues de l'océan de la mémoire...

Sa mère travaillait en qualité de caissière dans une grande pâtisserie « bourgeoise ». Le terme insiste. Bourgeoise ! Pour le Petit Garçon, lorsqu'il l'entend prononcer, il évoque la pâtisserie et ses propriétaires. Autrefois, le commerce possédait sa noblesse. On pouvait se montrer grand chic grand genre dans le baba au rhum et l'éclair au café. Une grande famille distinguée bien que le vieux père se coiffât d'une casquette et chaussât des charentaises. Sa mère déjeunait à la table des maîtres, et lui également, le jeudi. Le soir, en sortant de classe, il se rendait à la pâtisserie où il demeurait jusqu'à la fermeture du magasin. Il faisait ses devoirs dans un réduit où l'on mettait à sécher les chocolats sur des plateaux noirs empilés dans des casiers métalliques. A tout moment, il chipait une crotte ou une truffe fondante, pensant qu'on ne s'apercevrait pas du larcin : il y avait une si grosse quantité de chocolats !

Mais un jour, Mlle Marthe, la fille aînée de la maison, une célibataire à la fois aimable et guindée, lui avait dit avec un sourire qui parvenait à être grave : « Vous ne devriez pas manger autant de chocolat, sinon vous ferez une crise de foie. »

L'enfant avait blêmi et ressenti une pulsion haineuse, celle qui traverse comme une décharge électrique les êtres confondus. Il regrettait de devoir ne plus aimer cette personne intimidante dont l'autorité affable le troublait.

Parfois, le soir, sa mère achetait un peu de charcuterie en rentrant, les jours d'été probablement puisqu'ils la mangeaient sur le banc d'un square. Ensuite, ils allaient au cinéma où ils prenaient des places bon marché qui les reléguaient aux dernières galeries, parmi un public braillard et malodorant.

La mère du Petit Garçon adorait Albert Préjean, il symbolisait pour elle le sex-appeal masculin et la gouaille de Paris. « La Cigale » passait son dernier film. Ils s'y rendirent après le repas de mortadelle et de pâté en croûte pris sur le banc. En ce temps-là on passait deux films par séance, plus les actualités et un dessin animé.

Aller au cinéma, en soirée, c'était comme se rendre au théâtre. On avait le temps et des exigences. La vie coulait très lentement, on flottait à sa surface, sans effort, comme sur une eau riche en sel.

Pendant la projection du premier film, la mère du Petit Garçon se mit à se trémousser. Elle poussait son fils sur la banquette pelucheuse en libérant des soupirs excédés. Le gamin n'y prenait point trop garde, accaparé qu'il était par le western pétaradant de la première partie. Au bout d'un instant, la maman se leva et ordonna : « Viens ! »

Eberlué, il la suivit. Ils quittèrent le cinéma furtivement. L'enfant protestait, demandait des explications, s'inquiétait, croyant sa mère victime d'un malaise.

Lorsqu'ils furent dehors, elle lui expliqua qu'un « sale bonhomme l'embêtait ». Elle se tut et pressa le pas.

« Il nous suit ! » prévint-elle au bout de quelques mètres. Le gosse se retourna et aperçut un homme de type méditerranéen, au nez pointu, au regard de braise, coiffé d'un feutre vert à bord étroit, vêtu d'un complet prince-de-Galles à carreaux tapageurs qui lui faisait des épaules carrées.

Ils coururent jusqu'à « l'arrêt » du tramway. L'homme pressa le pas. Précisément, un « tram » survenait. Ils s'y précipitèrent.

L'homme grimpa à l'arrière du lourd véhicule. Il restait impassible, ses lèvres minces tordues par un imperceptible sourire, fixant la maman comme s'il cherchait à l'hypnotiser. Elle maugréait, la chaste femme, sans oser s'insurger d'autre manière.

Le Petit Garçon éprouvait un étonnement sans bornes de voir sa mère convoitée par un homme. Il n'avait jamais songé à la vie sexuelle de cette femme paisible et repoussait toujours, quand elles l'assaillaient, les images gênantes la lui suggérant dans les bras paternels.

Ils descendirent à leur station et coururent s'engouffrer dans leur immeuble proche dont ils claquèrent la porte. Ils venaient de vivre une sombre aventure qu'ils racontèrent au père, le week-end suivant. Ce dernier entra dans une grande colère et dit à son garçon qu'ils allaient aller faire le guet devant « La Cigale » pour tenter de retrouver le vilain type.

Et l'homme s'y trouvait, comme par enchantement, audacieux et tranquille, à l'affût d'une « bonne affaire ». Mais le Petit Garçon ne le désigna pas au courroux de son père, car il avait peur de la bagarre qui en résulterait. Il ne pouvait risquer de causer l'irréparable. Alors ils attendirent l'heure de la séance, puis ils prirent deux places et il put voir le programme que sa mère et lui avaient fui quelques jours auparavant.

A l'entracte, son regard croisa celui de l'homme au chapeau vert. Ce dernier dut le reconnaître car son sourire de salaud s'accentua en un défi étrange. Il les bravait, tous les deux, le père et le fils, sûr de lui, fort d'une mystérieuse énergie vénéneuse. L'enfant sentait son cœur éclater, ses genoux trembler. La peur grimpait le long de ses jambes. Il « visionna » le film de Préjean sans le voir.

A la sortie, l'homme au chapeau vert les regarda s'éloigner, accagnardé à un platane de l'avenue, fumant une cigarette qu'il tenait « à la voyou » entre deux doigts en « V ».

Le père remâchait ses regrets de n'avoir pu demander des explications à l'homme qui avait osé faire du rentre-dedans à sa femme en présence de leur garçon. Le Petit Garçon se croyait traqué par des forces mauvaises, surgies à l'improviste. Il était sombre et résigné comme une vieille veuve.

XII

Aldo admire son calme. Il est grisé comme un camé venant de s'injecter sa dose. Il plane. C'est lui « qui tient le couteau par le manche », comme disent les Suisses. Lui qui décide. Il compose posément le numéro de téléphone de Dejallieu. La sonnerie commence tout juste à retentir lorsqu'on décroche déjà. Aldo fixe la trotteuse de sa montre. Il s'est donné vingt secondes, bien qu'il sache la marge de sécurité plus grande.

Il a placé deux bonbons dans sa bouche et prend son accent italien :

— Vous avez le fric ?

— Je l'ai.

— O.K. pour cette nuit ?

— O.K.

— Réglo, réglo ?

— Réglo, réglo.

— Alors, tenez-vous prêt, j'appellerai plus tard.

Il raccroche. Douze secondes !

Il a appelé la veille et la communication a duré pile vingt secondes parce qu'il y avait du texte. Il a raconté le coup du lapin blanc, demandé si c'était d'accord pour le pognon. Il entendait les suppliques de la mère en arrière-plan sonore. Pénible. Ce soir, rien. Dejallieu paraissait déterminé. Peut-être était-il seul ? L'affaire n'est pas encore « sortie ». Il a beau rester à l'écoute des radios, aucune ne fait allusion au rapt de Dora.

Moretti quitte la cabine en croquant à pleines dents les bonbons fourrés. Il continue de nager dans la confiance, l'invincibilité. C'est merveilleux de se moquer des conséquences, ça permet de tout entreprendre, de se livrer aux pires audaces. Il gère cette affaire (cet euphémisme lui plaît) avec une décontraction absolue. Réussira, réussira pas, qu'importe ? Il accomplit quelque chose de passionnant, l'exécution de son scénario lui permet de ne pas déraper dans les objections de conscience.

Il regarde autour de lui le village endormi. La cabine est

plantée dans un renfoncement, contre la poste. Peu lui chaut qu'une vieillarde insomniaque l'observe à travers la fente de ses volets : il est vêtu en noir, porte un chapeau, et sa voiture est stationnée sur un parking Migro à l'autre bout du pays. Il pleut. Des lumières plutôt rares s'étalent sur le macadam mouillé. Ne manquent que des heures tombant d'un clocher et des aboiements de chien dans le lointain pour compléter le « climat ». Aldo se déplace sous un parapluie pliable qui, une fois rengainé, n'est pas plus long qu'un combiné téléphonique.

Il hésite à tenter le coup cette nuit. Ne devrait-il pas les laisser mijoter encore vingt-quatre heures pour bien les « désamorcer » ? Mais il repousse la manœuvre en songeant qu'il doit profiter absolument du silence entourant le rapt. Il est dangereux de différer un jour de plus. Le secret craque fatalement, car des gens qui le détiennent l'ont confié à d'autres en qui ils ont confiance, lesquels agissent de même ; et ce mystère gigogne, en se développant, cesse d'en être un. Alors, va pour cette nuit ; d'ailleurs il est mauvais de ne pas utiliser la témérité dont on dispose. Elle est fugace comme l'amour et ne se conserve pas. Le cadran lumineux de sa montre de plongée indique 23 heures 15.

« Les saint-cyriens enfilent leurs gants blancs », se récite mentalement Aldo. « Je vais vous montrer comment on se fait tuer pour quarante sous », clamait le député Baudin avant d'escalader comme un con sa fatale barricade. Moretti a un rire silencieux, un rire de berger allemand. Il va chercher sa voiture et s'éloigne à petite allure.

Dans l'immédiat, il a deux objectifs : Prévenir Franky que le jour de gloire est arrivé. Ensuite aller faire l'amour à sa *queen* Mary et flanquer trois comprimés de *Ténébral* dans le gin tonic qu'il lui offrira pour la remettre de ses prouesses.

*
* *

Longue est la nuit.

Pour tromper l'attente, Konrad Mültzeler chef de section à la Sûreté de Berne, dicte un rapport à l'un de ses hommes (celui qui porte un tee-shirt U.B.S.). La police, ça se termine toujours par des pages d'écriture. Il y a un côté « dissertation de quatrième » dans cet étrange métier. Konrad a horreur de se laisser prendre de vitesse par les rapports en devenir, aussi dès qu'il a une plage d'inaction, s'empresse-t-il de l'employer à se « mettre à jour ». Il dicte un premier jet qui, à la rigueur, pourrait rester dans cet état, mais qu'il compte bien peaufiner plus tard. Il articule bien, chaque phrase énoncée ayant été dûment agencée dans son esprit méticuleux.

Il marche dans la pièce mise à sa disposition par Charles Dejallieu, sorte de véranda vitrée encombrée de plantes vertes et de mobilier en disgrâce. L'un de ses hommes est resté avec les occupants du chalet *Trafalgar,* près du téléphone, à lire un vieux numéro de *Paris Match.* Konrad Mültzeler a l'air de réciter une leçon mal sue, s'arrêtant pour chercher la suite, repartant de son ton obstiné :

... dame Peggy Flynt, grand-mère de la jeune Dora, paraît être une personne d'une grande liberté de mœurs. Elle a lié connaissance aux toilettes de l'Olden avec M. Gustav Schwartz, de nationalité allemande, et n'a fait aucune difficulté pour l'accompagner chez lui, après avoir mis sa petite-fille dans un taxi. Elle reconnaît avoir cédé aux avances de M. Schwartz et être demeurée en sa compagnie jusqu'à deux heures quinze le lendemain matin. Le téléphone de Gustav Schwartz a été placé sur table d'écoute et les inspecteurs Von Stäfen et Bonnier observent ses déplacements. Jusque-là, ces dispositions n'ont apporté aucun élément nouveau.

Le clapotement de la machine à écrire fait songer à une averse de grêle sur un toit de zinc.

* *
*

Peggy s'étire et dit :
— Je crois que je vais monter dans ma chambre. S'il se produisait du nouveau, bien entendu il faudrait m'appeler.

Charles la hait. L'insensibilité de cette vieille sauterelle l'écœure. Ce n'est qu'une sale jouisseuse égoïste, comme tous les jouisseurs. Un anthrax sur sa gueule fanée serait pour elle une calamité bien plus grande que le rapt de Dora. Elle n'est que fonctionnelle, Peggy. Elle continue de dormir, de prendre des bains aux essences parfumées, de manger à son heure, de parler de tout et de rien en produisant un ramage de volière. Charles l'a même surprise en train de faire du charme à « l'Indien ». Il existe chez cette femme une sorte d'irresponsabilité. La vie n'est qu'un miroir chargé de lui renvoyer son image. Ce qui ne concerne pas sa personne la fait bâiller. Elle ne peut parler que d'elle-même, et quand elle se croit obligée de dégainer son chagrin, elle le déballe comme s'il s'agissait d'un reliquaire devant lequel elle s'attendrit, se prosterne, puis qu'elle brandit comme le coureur chargé d'allumer la flamme olympique brandit sa torche avant de bouter le feu.

C'est cela : qu'elle aille au lit, l'immonde greluche. Elle est tellement superflue, odieuse dans son autocontentement, qu'elle contamine jusqu'au chagrin de sa fille. Peggy est un être faisandé et poisseux. Charles songe qu'il serait soulagé s'il pouvait la frapper. Par délectation morose, il la suit des yeux et écoute son pas dans l'escalier de bois. Il est d'une tristesse organique qui lui donne presque des nausées.

Dora s'est mise à exister autrement pour lui depuis qu'elle n'est plus là. Il l'imagine meurtrie, souillée, molestée, morte peut-être... L'enfant prend une éloquence inattendue. Le pauvre regard qu'elle lui a accordé avant d'entrer à l'*Olden* est devenu un chancre dans la conscience de Dejallieu. Charles s'abandonne à la magie étrange de ces yeux pensifs et craintifs de fillette pas tout à fait heureuse. Comment a-t-il pu hésiter à fournir la rançon? N'était-ce pas un coup de griffe de la jalousie? N'a-t-il pas voulu faire payer à Mélancolia ce fruit de son passé?

Par un étrange revirement de l'âme, Charles se sent libéré de ses rancœurs. Il ose à peine se dire qu'en payant la rançon, il « achète » Dora. Choiseul acheta la Corse aux Gênois, et la Corse devint France. Il caresse l'espoir qu'à long terme Dora Nelmans, achetée par lui, deviendra Dejallieu.

Il s'approche de Mélancolia, tassée dans un fauteuil, prend place sur l'accoudoir et pose sa main sur la nuque de sa femme.

— Ecoute, dit-il, c'est atroce, mais cela va finir. Tu dois tenir. On a enlevé Dora pour obtenir de l'argent, elle est donc devenue une denrée d'échange, tu comprends, chérie? On n'abîme pas un produit que l'on se propose de vendre. Je remettrai leur fric aux ravisseurs et ils la restitueront, la vie deviendra bien plus belle qu'avant parce que nous en saurons tout le prix. Nous la retirerons du pensionnat pour la garder près de nous. Je la conduirai en classe le matin, nous irons la chercher le soir, et je l'aiderai à faire ses devoirs; tiens, ses cartes de géographie. Tu sais que je suis doué?

Mélancolia a un frisson.

— Et s'ils ne la rendent pas après la rançon, Charles?

Il contemple la pauvre femme, recroquevillée. Si pâle, presque décharnée, évidée de sa substance par l'angoisse, par l'horreur. Il la *voit* vieille, il la *voit* morte. Une mère endurant ce supplice n'est plus vivante et, pourtant, elle ne se sent pas le droit de disparaître, il lui faut attendre. Attendre! Attendre! Attendre! Se laisser empoisonner par chaque seconde, l'endurer, espérer en la suivante. La mort est un ultime bonheur qu'elle ne peut accepter, un cadeau princier, mais une trahison.

Et Mélancolia *vit* Dora. Elle commence par son odeur de fillette, une odeur de tablier, de chair neuve, de cheveux propres. Odeur d'encre, aussi, parfois. Odeur de miel, odeur de foin, odeur de toutes les fleurs non écloses. Et il y avait sa voix d'enfant sage, ponctuée de rires trop rares. Quand elle s'exclamait, c'était comme le cri d'un oiseau qui en poursuit un autre au sommet du ciel. Et il y avait sa tiédeur, un certain point de ses joues plus chaud que son front; la chaleur de ses paupières baissées avec l'œil frémissant à travers la fine membrane qui roulait sous les lèvres maternelles. L'*Adagio en si mineur* de Mozart... Et il y avait ses merveilleuses couleurs chantant toute la gamme de l'ocre pâle au rose foncé. Dora. La musique de Dora absente, de Dora qui s'est laissé voler, la chère, chère méchante fille. Qui s'est laissé dérober comme on vole un livre chez le libraire en le cachant prestement sous sa veste. Dora d'ailleurs et de nulle part, Dora qu'on ne reverra peut-être plus jamais et qui deviendra une statue d'ombres et de lumières entremêlées, avec le temps ; avec le temps qui tue tout : les hommes et leurs chagrins.

Pourquoi Melancolia pense-t-elle à sa fille au passé ? Pour conjurer le sort en lui payant la dure rançon de la soumission ? En l'amadouant, à force de l'attendre au-delà de ses cruelles limites ?

La main de son époux posée sur son cou l'incommode et les paroles de réconfort qu'il lui prodigue lui donnent envie de crier. Mélancolia ne reconnaît plus ce compagnon de route, ce compagnon de lit qui monte sur elle et lui dit des choses. Elle est seule dans le grand désert blanc à ciel noir. Seule à l'écoute d'une absence, seule à capter les ondes du passé pour essayer, vaille que vaille, de s'en faire une Dora de remplacement.

Elle envie le docteur Sullivan qui se masturbait face à sa servante noire. Pourquoi regrette-t-elle tout à coup cette époque pleine de relents, où personne ne parlait à personne, sinon pour échanger des banalités quotidiennes ? Pourquoi se figure-t-elle qu'en ce temps révolu, elle n'était pas Mélancolia, mais Dora ? Tout se confond, s'entremêle. Elle est sa fille, sa fille est elle ; une seule personnalité sous un double aspect. Cet animal bicéphale de la mythologie n'était pas deux parce qu'il possédait deux têtes. Elle se verrouille avec sa fille dans un grand mystère génétique.

Et Charles Dejallieu perçoit, à l'improviste, l'atteinte perfide du destin. Il réalise à retardement que des forces mauvaises le guettaient, dans l'ombre. De noirs oiseaux de proie au bec de rapace, possédant la collerette inquiétante des champignons vénéneux, le surveillaient, sans qu'il s'en doutât, du haut d'une branche noire de sapin noir, se préparant à fondre sur sa vie pour la dépecer. Il allait, venait, voyait des amis, écrivait, pensait, se débattait avec lui-même pendant que les oiseaux suivaient d'un regard sûr ses faits et gestes. Il repasse en pensée les visages de ceux qui l'ont approché au cours de ces derniers mois. L'un d'eux était sans doute celui du mal. Il a beau tenter de « faire un choix », il n'y parvient pas ; c'est comme une confrontation négative. L'alignement des individus ne remue rien en lui. Les policiers lui ont expliqué qu'une fois Dora récupérée, ils auront les coudées franches et jetteront de gros effectifs dans la bataille. En attendant, ils enquêtent à pas feutrés ; surtout ne pas produire de vagues ; ne pas affoler le ou les ravisseurs. La conjuration du silence sert les intérêts de l'enfant, ses « intérêts », c'est-à-dire « sa vie » !

Il perçoit le clapotement de la machine à écrire des policiers dans la petite pièce qui sent le géranium séché. Ils n'ont pu utiliser l'une des siennes, car le clavier helvétique diffère du clavier français.

Herr Mültzeler parle en allemand. L'on dirait qu'il écrase des graines dans un mortier.

« Et s'ils ne la rendent pas, après la rançon, Charles ? » Cette question angoissée de sa femme le taraude. Il voudrait parvenir à une tractation équitable qui lui permettrait de récupérer la gosse en même temps qu'il remettra l'argent. Il n'en existe pas, et c'est l'éternel problème du rapt. Le moment critique arrive où l'on doit *faire confiance* au ravisseur, faire confiance à l'individu le plus abject de la société, à son élément le plus décomposé, le plus vil, le plus dépourvu de sens moral. En appeler à la conscience de qui n'en a pas ! Effroyable pari. Charles se jette un défi. « Bon Dieu, je suis romancier, j'invente des histoires, je bâtis des scénarios ». Il est impossible que je ne trouve pas une combinaison satisfaisante pour les deux parties. Si j'allais seul dans la montagne... Et puis ? Va-t-il convier le kidnappeur à faire de l'alpinisme avec une enfant ? « Supposons que je loue une barque, sur l'un des lacs suisses ? Le ravisseur vient avec un canot... Idiot ! N'importe qui le suivrait à la jumelle et attendrait son accostage. Car, une fois Dora libérée, son ex-geôlier deviendra une cible. L'impasse ! Toujours l'impasse !

— Je t'aime, Mélancolia.

Elle détourne la tête. En ce moment, elle ne l'aime pas et refuse son amour. Mélancolia est exilée dans sa misère.

Charles se sent lui aussi en exil. Il songe qu'il supporterait mieux ce drame *chez lui,* en France, en compagnie de policiers qui ne connaîtraient pas d'autre langue que la sienne, sinon l'anglais de tout le monde. La force des paysans réside dans leur attachement au sol natal. Les itinérants sont fragilisés par leur errance. Ainsi, tous ces travailleurs émigrés dans des pays nantis vivent provisoirement leur vie puisqu'ils ont l'intention de « rentrer » un jour. En attendant ce jour, ils envoient leurs enfants en classe et s'installent du mieux possible, créant une hybridité irréversible. Ils finissent par être de nulle part.

Peu à peu, Charles devient un être de nulle part.

La sonnerie du téléphone se produit avec la soudaineté imprévue d'un éboulement.

Tout le monde sursaute. La machine à écrire se tait. Les deux policiers viennent rejoindre le couple en arrêt. Le chef de section Mültzeler branche l'enregistreur. Du menton, il fait signe à Charles de décrocher. Mélancolia joint les mains et reste debout, immobile ; sa robe a des plis raides comme celle d'une statue de vierge romane.

— Dejallieu, j'écoute ! dit Charles d'un ton presque tranchant.

— C'est ça, écoutez bien, car je ne répéterai pas, déclare la voix à l'accent italien. Vous allez prendre le fric et sauter dans votre voiture. Auparavant, vous briserez son feu arrière droit. Allez à la gare d'Aigle, cherchez la cabine téléphonique marquée d'une croix sur la vitre et attendez des instructions. Si vous êtes suivi, l'opération sera annulée et nous attendrons huit jours avant de vous recontacter.

On raccroche.

— Qu'a-t-il dit? demande Mélancolia dans un cri.

— Un instant, madame, répond Mültzeler.

Il rembobine la bande sonore, met l'appareil en marche.

— Je me prépare, décide Charles.

Il consulte la pendule du salon qui indique trois heures dix. Sa femme et les deux policiers écoutent le message.

Mélancolia en comprend mal les termes.

— Pourquoi doit-il casser le feu de l'auto? demande-t-elle.

— Pour que la voiture soit facilement repérable de nuit, cela fera un feu rouge et un feu blanc à l'arrière.

— Vous allez me suivre? demande Charles en enfilant sa veste.

— Non.

— Parole?

— Je vous donne ma parole.

Il va chercher un marteau dans le placard de la cuisine et sort pour casser le feu arrière droit de la Range Rover. Mültzeler s'empare de la valise métallique contenant la rançon.

— Laissez-moi vérifier! dit brusquement Mélancolia en la lui arrachant des doigts.

— Vérifier quoi?

— Que vous n'avez pas mis un appareil quelconque dedans avec les billets. Je veux qu'on me rende ma fille, vous comprenez?

— Il n'y a aucun appareil et votre fille vous sera rendue, assure le policier.

Il semble mécontent de la suspicion de Mme Dejallieu.

Charles prend la mallette. Le policier essuie celle-ci avec son mouchoir.

— Ne la touchez que par la poignée, je vous prie, monsieur.

— Entendu, dit Charles.

Il se demande s'il doit embrasser sa femme. Il craint qu'une scène d'adieu, même brève, fasse un peu théâtral.

— A bientôt! lance-t-il.

Il refuse de laisser percer son émotion. Surtout ne pas jouer les héros! Rester neutre, sobre. Cette nuit, il va faire un enfant à sa femme.

Un enfant qui se nomme Dora.

XIII

— Je te reçois cinq sur cinq, assure Aldo Moretti.

Il sourit en songeant que son complice doit apprécier ce langage technique qui permet au premier scout venu de se prendre pour un chef de guerre. C'est une espèce de hochet. Tout est hochet pour l'adulte : une auto, un repas, une décoration...

La voix de Franky grasseye exagérément. Il parle du nez car il vient de s'enrhumer dans la fraîcheur du sous-bois.

— J'entends une bagnole dans la côte, avertit Muzard ; ça doit être lui ; voilà vingt minutes qu'il n'est pas passé de voiture.

— Je reste à l'écoute, mon capitaine !

Des oiseaux de nuit se font la conversation sous les frondaisons. Franky s'approche de la route et s'agenouille derrière une touffe de fougères. Il regarde sur sa gauche et voit survenir la voiture de Charles Dejallieu. Le clair de lune est si intense qu'on dirait l'aube. Il distingue parfaitement la grosse voiture haute sur pattes. Il reconnaît même le romancier au volant quand celui-ci parvient à sa hauteur.

— Tu es là ?

— A ne plus en pouvoir, mon capitaine.

— C'est bien lui.

— Seul ?

— Apparemment, oui.

— Suivi ?

— Je ne vois pas d'autres bagnoles.

— On reste branchés. Si dans cinq minutes tu n'as rien aperçu de suspect, rentre chez toi, mais en passant par le col des Mosses.

*
* *

— Que venez-vous de dire ? demande Mélancolia. Je veux savoir ce que vous préparez !

Elle est pleine d'énergie nouvelle, d'autorité. Elle a le regard brillant de colère.

Mültzeler fronce le nez. Il se plante devant la jeune femme, les mains aux poches, l'œil cloaqueux de sommeil. Sa barbe grise a poussé pendant la nuit.

— Madame, il nous faut prendre des dispositions. J'ai demandé qu'on place les cabines téléphoniques de la gare d'Aigle sur écoute ; comme elles sont situées dans un autre canton, certaines autorisations sont nécessaires.

— Et après, que ferez-vous lorsque « ces gens » donneront des instructions à mon mari ?

Le policier soupire.

— Nous ne ferons rien avant la libération de Dora, mais je dois rassembler un maximum d'éléments pour après.

Mélancolia lui sait gré d'avoir employé le prénom de sa fille pour parler d'elle. C'est, d'une certaine manière, affirmer son existence.

* * *

Charles est presque bien au volant de sa voiture. Il oublie par instants le mobile de cette randonnée nocturne. Pourquoi ressent-il une ivresse comme seule la liberté recouvrée en communique ? Parce qu'il sort enfin après trois jours de claustration ? Il est sans crainte, comme soulagé par l'action. Les lacets de la route se déroulent au clair de lune. Les crêtes des montagnes enneigées paraissent très proches et créent une féerie blanche au ras du ciel. Dejallieu tente de procéder à un bilan de sa vie. Les deux millions posés à son côté représentent la majeure partie de ses économies, plus exactement le trop-plein de ses dépenses. Il n'a jamais thésaurisé par goût ; ces disponibilités proviennent d'immeubles qu'il avait acquis, en s'endettant parfois, et qu'il a revendus parce qu'il avait cessé de les aimer. Il calcule qu'un esprit économe disposant de ses revenus serait à la tête d'une réelle fortune. Mais il ne regrette rien. Et ce ne sont pas ces grosses liasses corsetées d'une bande de papier jaune qui modifieront son point de vue. Lequel de ses amis répétait que pour vivre à l'aise, il suffit d'avoir un franc de plus que ce dont on a besoin ? La rançon représente ce franc excédentaire. Il aime son dédain de l'argent et le juge respectable.

Le Petit Garçon, tout comme Charles, considérait le fric avec enjouement. « Il en fallait », parce que notre société est bâtie sur lui, et c'est ce qui la rend si fragile. Alors « il en gagnait », ou du moins « s'en procurait ».

Une anecdocte est exemplaire pour démontrer sa désinvolture. Elle se situe au début de son mariage de presque adolescent (il avait vingt et un ans). Le Petit Garçon s'occupait, entre autres choses, d'une mince revue touristique consacrée à la Savoie et qui parvenait mal à boucler. Quelques abonnements « d'estime », quelques publicités « de soutien » ne suffisaient pas à couvrir les frais d'impression. Le Petit Garçon s'obstinait à publier le bulletin célébrant les « initiatives » de quelques sociétés locales et la mélancolie de Lamartine perdu dans la contemplation du lac du Bourget.

Se payant d'audace, le jeune « directeur » prit rendez-vous avec un tabellion qui coiffait différentes associations savoyardes *Nos cœurs vont où coulent nos rivières*. Il s'enhardit à solliciter un prêt destiné à assurer la survie de sa publication. Le vénérable notaire (il était vieux, gros, couperosé et chantait *les Allobroges* à tout propos) se fit tirer l'oreille, mais finit par consentir un prêt à court terme à des conditions point trop usuraires. Le Petit Garçon signa la reconnaissance de dette, toucha l'argent, remercia chaleureusement, promit de développer la revue et de réserver une place de choix aux entreprises folkloriques de son créancier ; après quoi il prit congé de lui et se rendit chez un maroquinier où il fit l'emplette d'un superbe sac à main destiné à sa jeune femme. Le même jour, il la conduisit dans des magasins de mode afin de lui acheter des toilettes ; le soir, un festin délicat conclut ces prodigalités et épuisa la somme arrachée au vieux tabellion.

Le Petit Garçon aimait la griserie de l'irraisonnable. Tout en accordant la part de honte qui convenait à sa démarche (si ses parents avaient su cela !), il en était intimement fier comme d'un exploit. Son comportement représentait un défi. Il défiait la vie, les institutions sacrées, tous ceux qui, comme le notaire dans ses cuirs patinés et ses dossiers jaunis, s'efforcent de lui trouver une respectabilité qu'elle n'a pas, l'enrobent de contraintes et la chargent des pesants oripeaux de la vertu.

Dejallieu palpe ses poches à la recherche d'un papier et d'un stylo. Il faut noter l'idée au moment où elle jaillit, la résumer en quelques mots pour l'emprisonner et l'avoir à disposition. Il est en manque d'écriture. Lorsque Dora sera retrouvée, il s'empressera d'aller faire l'amour à sa machine à écrire.

Ce sera difficile après cette sale rupture. Un tel cauchemar vous brouille l'esprit et vous fait perdre votre savoir, comme un champion perd son influx après un accident. La disparition de sa jeune belle-fille constitue un accident professionnel pour Dejallieu. Tous les feuillets du livre en cours se sont dispersés dans la bourrasque, et il va devoir leur courir après, les rassembler, les vérifier, les reclasser. Mais le travail ne l'effraie pas. Écrire est sa justification.

Il vient de traverser un village nommé Le Sepey et continue sa descente sur Aigle. La route est déserte, à croire que cette partie de la Suisse est vide. Il n'a croisé qu'un seul véhicule, un petit camion, peu avant les Diablerets.

Un signal de travaux l'incite à ralentir. Il aperçoit, en

contrebas, un feu tricolore volant placé en amont d'une tranchée percée dans la route. Tiens : enfin une voiture. Le feu est au rouge et, bien que la voie semble totalement déserte, en sage automobiliste helvétique, le conducteur qui le précède attend qu'il passe au vert. Dejallieu se range derrière l'auto. Il admire la discipline suisse. Dans n'importe quel pays latin, aucun conducteur n'aurait ralenti.

La portière avant gauche de la voiture arrêtée devant lui s'ouvre, une femme en sort, une grande femme blonde, portant un tailleur et un étrange bibi de feutre à plume. Son nez est chaussé d'énormes lunettes fumées. Elle vient à Charles. Ce dernier baisse la vitre de sa Range Rover pour accueillir l'arrivante.

— Quelque chose ne va pas ? demande-t-il.

Pour toute réponse, la femme sort un revolver de sa poche et le braque sur Charles.

L'écrivain est stupéfait, non par le coup de théâtre, mais par sa crédulité. Il ne s'attendait à rien de pareil, alors qu'il aurait dû rester sur le qui-vive. Il a honte de s'être laissé aussi sottement piéger.

— Donnez ! fait la femme en tendant sa main libre.

Charles note qu'elle est gantée.

— Quoi donc ? bafouille-t-il.

— Vous vous en doutez bien, faites vite !

Il s'empare de la valise métallique et la passe par la portière.

— Non, ouvrez-la ! demande la femme.

Charles fait jouer tant bien que mal les deux fermoirs de quincaillerie. La femme jette un regard aux billets entassés.

— Refermez !

Il obtempère, et ces manœuvres sont mal commodes à travers cette espèce de guichet que constitue la portière.

Quand il a achevé, la femme prend la mallette.

— Descendez !

Dejallieu quitte son siège.

Elle jette un couteau de l'armée suisse à ses pieds.

— Maintenant crevez vos deux pneus gauches.

Charles obéit. Sa passivité l'écœure, mais il s'exhorte à la soumission. Tout cela appartient à la logique du rapt. Comme pour le reste, il faut « jouer le jeu ». Toujours jouer le jeu, tous les jeux, au gré des partenaires que l'existence vous impose.

Lui qui se désintéresse des factures se demande en plantant la lame dans ses pneus combien coûtent ces derniers.

— Refermez le couteau, jetez-le à mes pieds !

Tout se déroule dans un superbe ralenti. Charles note qu'aucun son autre que la voix de la femme ne lui parvient. Il ne perçoit pas le claquement du couteau refermé, non plus que sa chute sur la route.

La femme le ramasse en s'accroupissant.

— Naturellement, les billets sont numérotés, n'est-ce pas ? demande-t-elle.

Elle semble disposer de tout son temps et agit sans la moindre fébrilité. Charles ne répond rien. Il voudrait protester, jurer ses grands dieux que ces billets sont sains. Il y va peut-être de la vie de Dora. Au lieu de cela, il reste immobile, fixant les lunettes pour tenter de les transformer en regard, mais sans y parvenir.

— Aucune importance, déclare la femme. Maintenant, courez dans le champ en contrebas. Allez jusqu'à cette haie de peupliers, là-bas, puis revenez.

Charles continue d'obtempérer. Il foule l'herbe détrempée. « Je suis bon pour une angine », se dit-il.

Il ne court pas mais va à grandes enjambées jusqu'aux arbres droits qui paraissent dessinés sur l'horizon comme un décor de patronage. Il entend claquer deux portières, le bruit d'un démarrage en force. Et voilà, le tour est joué. Il s'est appauvri de deux millions. Pourtant, ce qui le contriste le plus, ce sont ses deux pneus crevés. Il décide de changer la roue avant et de descendre jusqu'à Aigle en sacrifiant la jante arrière. Le coup a été merveilleusement réalisé. Les agresseurs ont introduit la notion que tout allait *commencer* à Aigle, alors que tout devait être *terminé* avant qu'il n'y parvînt. Le parcours a été soigneusement étudié et ils ont choisi cet étranglement de route dû aux travaux sur la chaussée ; probablement ont-ils bloqué le feu tricolore au rouge des deux côtés.

Il a les jambes mouillées jusqu'aux genoux. Le paysage figé sous la clarté lunaire est impressionnant. Charles manque d'exercice et la remontée du champ l'essouffle. Il se comprime les côtes en débouchant sur la route. Il a beau examiner la vallée, il n'aperçoit pas les feux de l'autre voiture. D'ici quelques minutes elle atteindra la grand-route.

— Charles ! appelle une petite voix.

Dejallieu bondit. Dora est là, assise sur le pare-chocs de la Range Rover. Une âcre allégresse qui ressemble au bonheur absolu l'embrase. Dora est retrouvée ! Dora leur a été rendue. Les kidnappeurs ont réussi l'exploit de faire coup double et d'échanger leur otage contre la rançon. La gosse se trouvait dans la voiture d'où « la dame » l'a fait descendre pendant qu'il dévalait le pré. Ils ont solutionné avec maestria les deux points délicats de la phase finale. Leur noir culot a payé.

Il s'arrête pour considérer dans le clair de lune cette petite fille irréelle, née de la nuit ; cet elfe improbable qu'il vient d'acheter à des gredins, de payer de ses deniers.

Dejallieu lance un grand cri de délivrance :

— Dora !

Et il bondit sur elle, la prend dans ses bras, la serre contre sa poitrine haletante. Il pleure, il rit, il gronde. Il lui dit qu'il l'aime, qu'elle est à lui, à lui, rien qu'à lui, qu'il l'aimera jusqu'à la fin du monde. Qu'il est son père, son papa. Qu'ils ne se quitteront plus jamais. Jamais. Jamais. Jamais.

Jamais !

XIV

— Tu ne trouves pas que ça pue ? demande Samy Kovski, en guise de phrase d'accueil.

Charles secoue la tête poliment.

— Non, quelle idée ?

En réalité, le chalet-galerie empeste la friture. Des relents de piment accompagnent cette odeur populacière.

— Je suis plein de caprices, explique le marchand de tableaux. Ce matin, pour mon breakfast, j'ai eu envie de merguez ; j'en ai bouffé une dizaine au moins, et il va me falloir un sacré coup de vodka pour « enfoncer » tout ça.

Il est en robe de chambre à brandebourgs, dans les tons bordeaux. Dejallieu trouve qu'il ressemble ainsi au général Dourakine.

Samy désigne le paquet mal ficelé que Charles tient sous son bras.

— Tu m'apportes un cadeau, Victior Yougo ?

— Non, je te fais un rendu.

Kovski a une moue indéfinissable.

— Le Dali ?

— En effet, dit Charles. Avec la ponction qui vient d'être opérée sur mes finances, il y a des fantaisies que je ne peux plus me permettre. Crois bien que je suis navré de te faire faux bond.

Son interlocuteur se gratte les fesses avec une superbe impudeur, retroussant le pan de la robe de chambre pour découvrir un triste derrière blanc, strié de veines et parsemé de poils qui ressemblent à une moisissure.

— Tu me le paieras plus tard, quand tu te seras refait, décide-t-il.

Charles a une moue amère :

— Je gagne bien mon bœuf, Samy, mais de l'eau coulera sous le pont avant que je me refasse de deux millions de francs suisses.

Le propriétaire de la galerie Osiris est mal décidé à reprendre la toile. Il va ergoter jusqu'à la mort, faire donner tous les arguments. Charles est prêt pour une lutte qui ne lui est guère familière. Il déteste parler gros sous, mais à présent, sa sensibilité s'est émoussée et il ne voit plus les choses « comme avant ».

— Ecoute, dit posément Samy, ta rançon, ils vont te la retrouver un de ces jours, les billets sont numérotés, non ?

— On ne retrouvera rien du tout, grogne Dejallieu, c'est une bande organisée qui a fait le coup. Dora assure qu'ils étaient au moins trois : deux hommes et une femme. Les hommes sont des Italiens. La femme prétendait agir pour le compte d'un mouvement, elle a parlé d'un chef. Ils gardaient la gosse à plusieurs heures de voiture d'ici, en bordure d'une route à grande circulation, voire d'une autoroute ; plus on la questionne, plus on est convaincu qu'elle était séquestrée dans une caravane, sur un parking.

Kovski fait entendre un sifflement vipérin. Chez lui, ce son produit par l'écartement de ses incisives est la marque du mépris.

— Tu veux que je te dise, Victior Yougo ? Les flics et toi vous êtes une belle équipe de cornichons. Une bande organisée ne travaille pas au rabais. Tant qu'à faire, elle s'en serait pris à un client plus sérieux et aurait réclamé au moins cinq briques. Deux briques, c'est beaucoup pour des tocards, mais c'est peu pour des pros.

— Toujours est-il que les policiers n'ont absolument rien levé d'intéressant. Je suis resté trente-cinq minutes sur cette route du Pillon avant qu'une voiture allemande veuille bien passer et tenir compte de notre détresse. J'éprouve une curieuse impression, tu sais. Depuis cette affaire, tout a basculé pour moi ; si je te disais que je ne parviens plus à écrire, moi qui suis en manque dès que je reste quarante-huit heures sans noircir de papier. Le climat de la maison s'est complètement transformé. Nous devrions être heureux, et pourtant nous ne le sommes pas. Mélancolia ne lâche pratiquement plus la main de Dora.

Il parle d'un ton âpre, Samy perçoit une jalousie sous-jacente et s'en étonne dans son for intérieur.

— Normal, dit-il ; c'est encore tout frais. Je te fous mon billet que le temps va arranger vos bidons. Vous êtes traumatisés : choc opératoire, Victior Yougo ; mais tu passes de la crème de jour sur les plaies et elles se cicatrisent.

Il lâche un vent, l'accueille avec un petit rire mutin.

— Tu as une demi-heure ? Il faut que je défèque et prenne mon bain, Maud va te servir un café.

Il sort en faisant claquer ses mules sur le parquet. Charles souhaiterait repartir, seulement la question du Dali n'a pas été solutionnée. Il prend place dans un fauteuil blanc dont il s'étonne qu'il puisse rester immaculé. Les spots savamment braqués sur les toiles exposées créent une ambiance subtile à laquelle Dejallieu est sensible.

Maud arrive, plus fracassante que jamais. Elle a noué ses longs cheveux noirs avec un ruban vert et porte une liquette d'homme, à l'ancienne, non boutonnée. Les poignets mousquetaires arrivent au ras de ses ongles. Cela pourrait lui donner l'air grotesque, et pourtant c'est impressionnant. Cette fille est une pile de sensualité qui fascine. Charles la trouve plus belle que lors de sa précédente visite.

— Salut, lui dit-elle, je suis contente de vous revoir ; alors, vous avez eu des émotions ?

— Pas mal, convient Dejallieu.

— Pour un romancier, ce doit être enrichissant, non ?

— Je l'ignore encore, le temps me le dira.

— J'ai beaucoup pensé à vous, affirme-t-elle.

Il songe « parce que les journaux nous consacraient leur « une » et que ça excite bêtement le populo » ! Mais il a la politesse de garder sa réflexion désabusée pour lui.

Il ne perd pas des yeux la silhouette admirable de cette fille. Elle a un côté bête de race pour concours, on s'attend presque à la voir brandir un carton portant un numéro. Une vraie scène de cinéma style James Bond, lorsque le héros est « télescopé » par une vamp lascive ! Au gré de ses mouvements, on découvre tantôt ses seins plantureux et fermes, aux bouts mauves, tantôt la toison drue de son pubis ; et parfois les deux en même temps. Cette liquette trop ample est diabolique. Maud a surpris ses regards de mâle en transe et lui sourit.

— Le vieux m'a dit de vous servir un café, mais vous préférez peut-être autre chose ?

— Oui, murmure Charles : ton cul.

Maud ne semble pas offusquée. Au contraire, elle vient s'asseoir sur l'accoudoir du fauteuil, attend un instant puis pose ses lèvres sur celles de Charles. Dejallieu lui laisse l'initiative ; elle accentue son baiser, montrant une technique éprouvée.

— Paresseux ? demande-t-elle.

— Non : voluptueux.

— J'aime.

Elle se laisse glisser à ses pieds et lui prodigue d'autres caresses plus poussées. Charles s'abandonne comme il se livrerait aux manœuvres d'une masseuse thaïlandaise, sans ressentir autre chose qu'une jouissance uniquement épidermique. Maud, bien qu'il lui prouve l'efficacité de ses méthodes, s'interrompt pour demander :

— On dirait que vous pensez à autre chose ?

— Je pense toujours à autre chose, mais ne vous préoccupez pas de cela, c'est un détail sans importance.

Elle a dégagé le sexe de Charles et s'en caresse la joue.

— Dommage tout de même, dit-elle.

Elle place ses deux mains à plat de part et d'autre du sexe et leur imprime un très léger et très savant mouvement de va-et-vient.

— Admirable, soupire Charles.

Il est sans appétit véritable. Distant, en quelque sorte. Consentant, excité, mais vaguement étranger à ces « tribulations ».

La belle femelle le devine ; ne s'en formalise pas. Dans l'univers artistique où elle « manœuvre », elle « pratique » des types à part, aux réactions inattendues, des tourmentés, des angoissés essayant d'échapper à leur solitude sans jamais y parvenir. Ils usent de sa chair et de sa science amoureuse comme ils usent de l'alcool ou de la drogue, espérant combler pendant un instant un vide qui ne fait que devenir plus vertigineux.

— Je peux vous demander à quoi ou à qui vous pensez ? demande-t-elle.

— A beaucoup de choses et à beaucoup de gens. Ma tête est un carrousel en folie, je le calme un peu en me rabattant sur mes personnages ; l'obligation d'imaginer me mobilise l'esprit. En ce moment je suis aux prises avec un Petit Garçon dont j'écris, non pas l'histoire, mais des épisodes de la vie. J'essaie de le réinventer en composant un chapelet d'anecdotes sans ordre chronologique.

— Intéressant, fait poliment Maud.

— Voire... Un pot-pourri ne constitue pas une œuvre.

— Il a quel âge, votre Petit Garçon ?

Tout en l'interrogeant, elle continue de lui dispenser ses caresses.

— Il a tous les âges de l'existence, réplique Charles.

— Si bien qu'il est homme, à certains moments ?

— Non, car il ne l'est jamais devenu. Physiquement, oui, naturellement, mais il est resté toute sa vie un enfant apeuré.

Et il éclate de rire.

— La situation est pour le moins insolite, dit Dejallieu ; vous me comblez d'attentions délicates et je vous parle boutique. Les artistes sont des gens odieux, inhumains à trop vouloir forcer les secrets de l'humanité.

— Je vous trouve fascinant, déclare Maud.

— C'est une décision que vous prenez, mais je suis tout le contraire, ma pauvre chérie ; personne n'est fascinant, sinon, parfois, ceux qui veulent le paraître.

— Et que fait-il, pour l'instant, dans votre tête surchauffée, ce Petit Garçon ?

— Il encaisse une traite de publicité, assure Charles.

— C'est-à-dire ?

— Il travaille dans une revue de province où il exécute toutes les besognes subalternes. Quand il a été sage, on le laisse écrire un papier de trente lignes dans la page des échos et on lui accorde de le signer. Entre autres besognes, il va, en fin de mois, encaisser les factures des annonceurs ; ces pérégrinations le conduisent un peu partout chez des commerçants, des artisans. Travail fastidieux car il se déplace à pied ; et morose, les gens maugréant lorsqu'il s'agit de payer, surtout une dette aussi fumeuse. Il a parfois des compensations ; rares, mais il en a sous forme de pourboires. Pour mon Petit Garçon, le moment-clé c'est sa visite à une dame qui dirige un institut de beauté en étage. Elle est brune, elle est jeune, elle n'est vêtue que d'une blouse blanche. Il la convoite et elle le sait. Ce désir d'adolescent doit exciter la dame. Au lieu de le recevoir sur le palier, elle le fait entrer, s'attarde à aller chercher de la monnaie. Il a le feu aux joues, le regard qui bredouille. Le temps se ralentit. Chaque regard s'attache, chaque son a un écho. Le contact des deux mains, justifié par l'argent, plonge le Petit Garçon dans un état second. Il est ébloui chaque mois par cette merveilleuse visite. Il a la sagesse de ne pas la gâcher en se précipitant chez la dame dès la remise du bordereau. Il attend que sa « tournée » s'oriente sur le quartier, scrupuleusement, en facteur intègre.

« Un après-midi, elle l'accueille d'un air languissant. Il passe au salon, elle va chercher les quarante francs quarante centimes. Il est assis sur une banquette. Une banquette couleur champagne, en velours. L'endroit sent la connivence de mille parfums, y compris l'odeur un peu âcre de la pâte épilatoire. Le Petit Garçon a le vertige. La dame entre, il se lève. Elle lui dit de se rasseoir. Il prend l'argent. Elle lui sourit, se met à lui poser cent questions qu'il ne retiendra pas, à propos de son âge, de ses activités, probablement. Elle est belle. Ses yeux sombres ne lâchent pas le jeune encaisseur. Ils contiennent une sorte d'invite, mieux qu'un consentement : un appel.

« L'émoi physique de l'adolescent, comme l'on dit lorsqu'on veut éviter le verbe bander est à son comble. Seigneur, comme il a envie de cette femme, comme il voudrait plonger en elle ! Seulement, il est vierge ! Il ne sait pas, il ne sait rien, il tremble de frousse. La femme pose sa main sur sa cuisse. Ce contact ! Il sent sa vertu attaquée. On va le violer ! Lui qui tant se masturbait en rêvant d'elle, lui qui flageolait en gravissant les trente-quatre marches de ses deux étages ; lui qui espère le divin sacrifice depuis des années, voilà qu'il le refuse. Il doute de sa propreté corporelle, de celle de ses nippes, de sa hardiesse suprême. Il ne saura jamais, quand bien même elle le guiderait. Il ne pourra pas ! Il rêve d'être ailleurs, de s'arracher de ce mauvais pas. Alors il se lève comme un sacré sale petit con, et il dit « Au revoir, madame », comme chez la boulangère. Et il s'affole sur le loquet de la porte. Il sort, il part, il dévale, il court, il débande, il réprime des cris, des pleurs, des imprécations. Il est fou de désespérance amère. O ma bite préservée ! Immonde timidité ! Mutilation affreuse d'un accouplement tant et tant souhaité et qu'il a refusé !

« Il ne retournera jamais chez la dame en blouse blanche, si bellement brune, dont les yeux savaient tout, promettaient tout, accordaient tout. Petit Garçon indigne de sa vie. Ça se tue, ces petites gens-là, Maud. Ça devrait être noyé à la naissance, comme des chiots en surnombre. C'est trop bâtard pour vivre, trop incomplet pour fonctionner. Vous permettez, Maud, que je remette ma queue dans mon pantalon ? Contrairement à ce que je croyais, je n'ai pas le cœur à ça. »

Charles se rajuste ; il a un sourire désabusé. Il pense à Dora que Mélancolia lui refuse. C'est tout juste si elle ne s'enferme pas dans sa chambre avec la petite, depuis qu'elle la récupérée. Elles prennent leurs repas ensemble, toutes les deux. Sous prétexte qu'elles n'ont pas faim, elles s'alimentent en cachette dans la cuisine, et refusent de passer à table.

Charles est saisi de vertige devant l'attitude de son épouse. On dirait qu'elle s'est mise à le haïr. Elle lui en veut d'avoir tergiversé avant de fournir la rançon, et elle lui en veut de l'avoir tout de même donnée. Elle lui en veut d'avoir ramené Dora tout seul. On dirait que Mélancolia tient à établir qu'il s'agit de SA fille. De sa fille à elle toute seule. Charles n'a aucun droit sur elle et sa poussée de tendresse est odieuse à Mélancolia.

Maud est allée prendre place dans un fauteuil proche. Elle continue de contempler le romancier. Il l'intrigue.

— On boit au moins quelque chose, non ? demande-t-elle.

Le « au moins » amuse Dejallieu.

— *As you want,* ma poule !

— Café ?

— Je préférerais un truc avec de l'eau.

— Qu'est-ce que c'est que le café, sinon de l'eau ? objecte Maud. Donc, whisky ?

— D'accord.

Elle se lève et sort. Le téléphone sonne. Elle crie à Charles de répondre. Il décroche et se trouve en ligne avec Jerry Woolf, l'oisif britannique possesseur de la huitième merveille du monde, c'est-à-dire de la Ferrari spéciale. Jerry s'exclame en reconnaissant la voix de l'écrivain.

— Inouï ! dit-il. J'appelais le père Kov à ton sujet. Je pensais qu'on devrait organiser un petit raout pour fêter la libération de votre môme.

— Plus tard, si vous voulez bien, soupire Charles, l'ambiance n'est pas propice.

— Quoi, pas propice, c'est le *happy end,* non ? La gosse vous a été rendue saine et sauve !

— Notre moral n'est pas sain et sauf, répond Charles. Après un choc pareil on ne sait plus très bien par quel bout attraper l'existence.

— Justement, il faut commencer par le commencement, c'est-à-dire par une cuite mémorable.

— Pas maintenant, Jerry, pas maintenant. D'ailleurs Mélancolia ne veut plus sortir. Nous sommes en convalescence, comprenez-vous ? En tout cas vous êtes gentil d'avoir pensé à nous. Et votre bolide, il a appris le chemin de l'*Olden* à chez vous, pour vous rentrer le soir ?

Jerry éclate d'un rire brumeux.

— Je vous avais dit qu'il n'existait que deux bagnoles au monde comme cette Ferrari, vous vous souvenez ? Eh bien, figurez-vous qu'il n'en reste plus qu'une, Charly : j'ai planté la mienne dans un virage en revenant de Rougemont, l'autre nuit.

Charles raccroche, agacé. Ces hurluberlus ne l'amusent plus. Il décide d'aller vivre ailleurs, dans un coin peinard, où il ne sera pas connu. Mais Mélancolia acceptera-t-elle ? Il sent que tout est à reprendre dans leur couple.

Kovski revient, parfumé et talqué, avec des roseurs porcines aux joues.

— J'ai réfléchi, annonce-t-il. O.K. pour la reprise du Dali, Victior Yougo. Tu es certain qu'il ne va pas te manquer ?

— Au contraire, dit Charles. Pour ne rien te cacher, il me faisait chier ; comment veux-tu croire à ce que tu écris quand tu as un chef-d'œuvre sous le nez ? Je suis déjà bourré de complexes...

Le vieux marchand arrange le jabot de son invraisemblable chemise garnie de dentelles qui lui donne confusément l'aspect d'un Louis XIV en fin de règne, sans sa perruque.

— Sais-tu ce que certaines personnes racontent, Victior Yougo ?

Charles est soudain en alerte devant le regard faisandé du vieil homme ; Kovski n'a pas digéré le « rendu » du tableau ; ne pouvant guère refuser de le reprendre, il entend faire payer à Dejallieu cette déception commerciale que le romancier lui inflige.

— Je ne me suis jamais beaucoup intéressé à ce que les gens « racontaient », répond-il prudemment.

Mais Samy ne va pas abdiquer sur une réplique un peu sèche.

Il prend son temps, s'efforçant de se composer un visage serein. Sa feinte innocence dénonce ses mauvaises intentions.

— Certains esprits mesquins chuchotent que c'est toi qui aurais goupillé cette affaire de kidnapping, Victior Yougo.

Charles reçoit un coup de boutoir dans l'estomac. Il ne s'attendait pas à pareille déclaration. Elle le prend au dépourvu et le laisse désarmé. Il doit attendre que vienne en lui la fureur porteuse d'arguments.

— J'aurais fait cela pour paumer deux millions de francs suisses ? questionne-t-il sourdement.

Samy hausse les épaules.

— Si tu avais organisé cela, tu n'aurais rien perdu, voyons !

— Les billets sont numérotés, donc pratiquement inutilisables. Alors, où serait mon intérêt ?

— La pube, mon très cher ami.

— La pube ! s'écrie Dejallieu. Tu trouves que mon blason est redoré par cette lamentable histoire où je fais figure de victime, donc de connard ? La pube ! alors que tous les jours je refuse des émissions ! La pube ! pour avoir la police sur le dos et jouer ma carrière sur une fausse manœuvre ? Il me suffit d'écrire un livre pour en avoir, de la pube, et de l'avoir gratuitement, et de la pube de bon aloi !

Ça y est, sa colère se chauffe. Son sang est porté à ébullition. Il se retient pour ne pas massacrer cette grosse larve.

— J'aurais traumatisé une fillette et mon épouse pour de la pube, bougre de vieux bande-mou ! Faut-il que tu aies l'esprit déliquescent pour croire à une telle infamie !

— Je ne te dis pas que je crois à ces bruits, se rebiffe Kovski, je t'annonce seulement qu'ils circulent.

Charles s'approche du marchand et le saisit au jabot. Sa rage est si intense qu'elle lui procure presque du bien-être. Il est fort de cette immense colère née d'une totale rébellion de son individu. Qu'on puisse le supposer capable de cette vilenie lui fait prendre en haine l'humanité tout entière. Il désespère des hommes, Charles Dejallieu. Ne les jugeait pas si bas, si veules, si purulents. Du coup, toute son œuvre est à reconsidérer. Il l'a bâtie sur une certaine conception du monde et il s'aperçoit qu'il nourrissait des idées fausses, que l'Univers ne correspond pas à l'idée qu'il s'en faisait. Il a construit sur le sable des illusions. Les mauvais sentiments qu'il dénonçait sont véniels par rapport à ce qui est. On patauge dans l'ignominie, car estimer les autres capables de bassesse, c'est être bas soi-même, c'est se déshonorer par suppositions malsaines ; c'est opter pour le mal qu'on prétend dénoncer. Des sanglots brisent sa gorge. Il étouffe.

Samy a peur et recule. Il secoue la tête pour exprimer que non, non, ce n'est pas grave, des mots en l'air, ne te fâche pas Victior Yougo, garde ton calme !

Mais Victior Yougo éructe. Chiche qu'il va dégueuler sur ce type ?

Maud revient avec un plateau chargé de verres et de bouteilles. Elle s'immobilise, effarée par la scène.

Charles se livre à quelques profondes aspirations d'athlète qui va tenter l'exploit.

— Samy, fait-il, Samy, tu ne peux pas mourir sans comprendre que tu es une sous-merde ! On ne dit pas ce que tu viens de dire à un homme dont on se prétend l'ami. Tu pues, Samy ! Ce ne sont pas tes merguez qui empestent, c'est toi ! Et tes parfums ne feront qu'accentuer ton infection. Ton haleine sent la charogne, comme celle d'un chacal. Tu n'es qu'un vieux voyeur faisandé. Un sac à couilles sans couilles ! Un non-bandant ! Un scatophage qui rote !

— Mais je t'ai dit que ce sont les gens qui...

— Les gens ! Tu veux que je te dise, Samy ? Ils te ressemblent. Tu es leur porte-parole ! Leur porte-sanie ! Leur porte-glaires ! Pire : les gens, c'est toi ! Il y a quelque chose de maudit en vous !

D'une bourrade il fait basculer Kovski sur le canapé. Il va ensuite prendre la toile de Dali toujours emballée et qu'il a placée verticalement au pied d'un mur de la galerie. A gestes brusques, il arrache le méchant papier qui l'enveloppe. Il saisit le cadre à deux mains et revient à Samy. D'un mouvement brutal, il assène le tableau sur la tête du marchand. La toile éclate et le cadre reste fiché comme une gangue autour du cou de Kovski.

— Tu vois, Samy, tout compte fait, je l'achète, lui dit-il. Je t'enverrai un chèque cet après-midi.

*
* *

Le téléphone sonne. Mélancolia va décrocher en soupirant. Les appels se calment un peu, mais l'appareil n'a pas cessé de carillonner pendant les jours qui ont suivi la nouvelle du rapt. Des communications à la chaîne. Pas seulement les amis, mais des inconnus, de Suisse, de France, de Belgique, du Maroc et même des Etats-Unis.

Eux qui gardaient leur numéro secret se sont demandé s'il ne figurait pas dans tous les répertoires.

C'est Peggy qui téléphone de Rome, pour dire qu'elle est bien arrivée et demander des nouvelles de la petite. Mélancolia lui répond brièvement qu'elle va le mieux du monde et que, non, il n'y a rien de nouveau au sujet de l'enquête. Peggy raconte qu'elle a rencontré un type inouï dans l'avion, imagine-toi, chérie, un homme d'affaires suédois qui s'occupe de machines-outils.

Mélancolia songe que sa mère a dû le branler dans l'avion et le violer en arrivant à Rome. Elle réprime un frisson d'horreur. Cette femme est funeste. Elle souhaite ne plus la revoir jamais.

Charles rentre, la mine décomposée avant la fin de cette communication. Il se rend droit au chariot à apéritifs et chope une bouteille au hasard. Il s'agit de Martini blanc. *Bianco, on the rocks !* La pube ! Cette bordel de pube, toujours, envahisseuse, dévastatrice, aliénatrice, contamineuse. Dejallieu remplit un verre à bière et le vide à grandes lampées gloutonnes. Mélancolia fronce les sourcils. Au fil, la mère Peggy n'en finit pas.

— Mais oui, maman, je fais très attention à Dora. Non, rassure-toi, je...

Charles lui arrache le combiné des mains.

— Allô ! La vieille ? aboie-t-il. Je vous avertis une bonne

fois : terminé ! Il n'est plus question que nous entendions parler
de vous, et encore moins que nous *vous* entendions parler.
Occupez-vous de votre cul fané et foutez-nous la paix. *The
peace, you know ? Bye-bye !*

Il raccroche et se tourne vers sa femme.

— Maintenant, on cause, ma belle. L'opération ras-le-bol est
en route. Je veux bien tout ce qu'on veut, mais un moment
seulement.

*
* *

Franky développait du noir et blanc dans un cagibi éclairé par
une maigre ampoule rouge, et aménagé à cet usage. Il sifflotait
entre ses dents, mais d'une manière rageuse qui exprimait des
rancœurs.

Aldo Moretti se curait un ongle au moyen d'un billet de dix
francs plié en flèche. Cette monnaie suisse était ferme comme
son taux de change, faite d'un papier résistant conçu pour les
poches les plus frustes, mais aussi pour les portefeuilles les plus
sophistiqués. La rogne de son complice s'échappait de lui en
ondes facilement perceptibles. Moretti s'en amusait car quelque
chose dans la sottise bouillonnante de Muzard le mettait en état
de jubilation. Le photographe appartenait à cette catégorie de
cons sans cesse en rébellion, mais faciles à calmer car ils sont
extrêmement influençables. Il lui suffisait d'opposer à Franky
son flegme un peu hautain et de lui prodiguer quelques paroles
fermes pour que le bigleux rentre dans sa coquille.

Comme l'autre accentuait l'aigreur de son sifflet, Aldo se
décida :

— Ça va pas, bonhomme, tu as tes règles ?

Muzard n'attendait qu'une ouverture pour y plonger.

— J'ai que je déteste me faire fourrer, *hargnit-il.*

— De quoi te plains-tu, mon drôlet, n'avons-nous pas conduit
cette affaire comme des chefs, de bout en bout ? Tout s'est passé
dans la vaseline et en ce moment les flics tourniquent dans tous
les sens comme des chiens qui se demandent contre quoi pisser !

Muzard fixa ses clichés humides à un fil, au moyen de pinces à
linge ordinaires. Il sortit de son « laboratoire » dont il rabattit le
rideau d'un geste sec.

Aldo reprit :

— La gamine a raconté exactement ce que je voulais l'entendre dire : séquestration à longue distance, au bord d'une route à
grande circulation, par une bande organisée. Un beurre, mon
pote ! Notre combinaison est exemplaire.

— Et elle nous rapporte quoi ? fulmina Muzard. Deux briques
en talbins inutilisables puisqu'ils sont numérotés. Si je vais
acheter un paquet de Gitanes avec l'un des billets, je me
retrouve au trou !

— Parce que tu t'imagines que chaque fois qu'un buraliste encaisse un bifton de cent pions, il s'empresse de le confronter avec la liste des billets maudits ? Ils ne l'ont même pas, cette liste, les commerçants. Vingt mille numéros, tu parles d'un rouleau de papier peint, mon neveu ; même dans les banques ils ne peuvent vérifier, ce serait les frapper de paralysie, voyons !

Le visage de fouine du bigleux s'éclaira.

— Alors tu crois qu'on peut y aller ?

— Hé ! mollo, laisse-moi usiner.

La méfiance du photographe revint au triple galop.

— Qu'entends-tu par usiner ?

— Le pognon est planqué ici, exact ?

— Et alors ?

— Dès le mois prochain, je vais jouer les Frégoli et me mettre à les convertir en monnaie saine. Pas à Gstaad, mais dans une grande ville de Suisse, voire dans plusieurs. Tu m'imagines en vieille dame gantée, face-à-main, ruban de velours au cou, canne à pommeau d'ivoire ? En deux jours j'écumerai Zurich ; la semaine d'après, je ferai Bâle, celle d'après Genève. On finira par retapisser quelques-unes des coupures, et après ? Ça débouchera sur quoi ? Mon seul problème sera de me composer un alibi en cas d'accroc, pas qu'on puisse prouver ma présence dans les villes en question au moment où les billets y resurgiront. Je compte sur toi et sur la *queen* Mary ; sur ma gamberge aussi. Tu ne trouves pas que j'ai plus d'imagination que ce connard de Dejallieu ? Et cependant, lui, il en a fait son métier !

**
* **

Mélancolia écoute Charles. Elle est frappée par son exaltation. Dejallieu vient de lui relater l'incident Kovski et la jeune femme est prise d'une certaine compassion pour ce mari, victime expiatoire, qu'on dépouille de son argent et maintenant de son honneur. Elle a souri et frémi en apprenant l'épisode du Dali saccagé. Elle aime l'homme capable d'une telle réaction.

— Je viens de décider des choses, déclare Charles. Si tu les acceptes, bravo ! Si tu les rejettes, on se sépare ! Nous n'avons plus qu'une possibilité d'exister ensemble, toi, Dora et moi : c'est précisément d'être ensemble, soudés, aimants. Nous partirons d'ici pour une contrée moins facile où nous bâtirons une autre vie. Certes, ce sera fatalement notre vie à chacun qui continuera, mais elle se poursuivra différemment. Nous essaierons d'exister pour ce petit clan, pour ce triangle sacré que nous formerons. Je suis appauvri ? Eh bien, nous rebâtirons une fortune. Nous conchierons tout ce qui ne sera pas nous trois, Mélancolia, tu m'entends ? Tu me comprends ?

Il n'attend pas qu'elle approuve. Son feu intérieur s'attise au souffle de son verbe pressé. C'est l'instant sacré où il se sent capable de reconstruire le monde. Il est porté par une étrange foi fiévreuse et ardente.

— O Mélancolia, devenez ma force, je vous en conjure. Je ne veux plus connaître ici-bas que vous et mon travail. Ne sois pas avare de ta fille, qu'elle devienne aussi mon enfant. Je te l'achète, Mélancolia. Ne sursaute pas, c'est un marché honnête. Les deux millions de la rançon ne sont qu'un acompte, je passerai le reste de mes jours à te la payer. Mais il faut qu'on m'aime, Mélancolia. Il faut que vous m'aimiez.

Mélancolia se mit à sangloter sur la poitrine de Charles.

Et ensuite ils appelèrent Dora pour lui dire qu'ils s'aimaient.

DEUXIÈME PARTIE

UNE FENÊTRE ÉCLAIRÉE

> *La nuit n'est jamais complète*
> *Il y a toujours*
> *Puisque je le dis*
> *Puisque je l'affirme*
> *Au bout du chemin*
> *Une fenêtre ouverte*
> *Une fenêtre éclairée.*
>
> Paul Eluard

I

Le temps est mauve, l'air sent la lavande et l'on entend bourdonner furieusement quelques abeilles dans le jardinet où poussent les iris chers à Van Gogh. Aldo s'accoude à la barre d'appui de la fenêtre du premier étage. Il confie sa gueule de bois au soleil provençal, si capiteux en ce début de septembre.

De brèves lancées vrillent sa nuque et une nausée incertaine déséquilibre quelque chose en lui. La perspective d'un café fort l'écœure ; il tient plutôt pour un Perrier glacé bu à même la bouteille, façon coureur cycliste.

Fin d'étape ! La nuit a été agitée dans ce cabaret d'Arles où quelques gitans ont joué de la guitare jusqu'à l'aube. Il y a éclusé force vodkas en compagnie d'un couple « d'amis » dont la femme lui fait un rentre-dedans monstre qui laisse son mari indifférent. Des partouzards ? A moins que l'époux ait sa « propre vie ailleurs » et ne soit pas fâché de caser sa compagne. Affaire à suivre. Ou plutôt à conclure par un coup de queue. Moretti a l'habitude. Quand on est ce qu'il est et qu'on ne fait rien, on ne fait que ça : baiser des dames qui « cherchent ». Le monde en est plein.

Il bâille, réprime un haut-le-cœur. Doit-il se recoucher ? Le temps est l'unique remède efficace contre la gueule de bois. Pourtant, Aldo est tenté par l'air si doux et ses parfums si subtils.

Dans un angle du jardin s'attarde un vieil olivier branchu de partout, chenu, gris et tordu, au feuillage noir et à l'ombre verte.

Il aperçoit sa mère, dans un fauteuil d'osier. Mme Servellin, sa « garde », se tient à son côté, écossant des petits pois. Mme Servellin est une grosse veuve, un peu hommasse, qui fut longtemps infirmière à l'hôpital de Tarascon. A présent, elle est à la retraite et cette place de garde-malade à demeure lui convient parfaitement. La « pôvre » Mme Moretti est très douce, très facile bien qu'elle ait perdu la tête. Elle se laisse guider où l'on veut, s'assied ou se couche quand on le lui dit et mange sans rechigner ce qu'on porte à sa bouche. C'est un peu moins qu'un animal et un peu plus qu'une plante, car une plante ne marche pas, n'éternue pas et ne regarde rien. Mme Moretti, elle, marche, éternue ou tousse, et son regard perdu se déplace sur les gens et les choses. Parfois, même, quand son fils lui parle, il paraît vouloir accrocher une lueur au fond de sa prunelle.

Aldo quitte la fenêtre pour retourner s'allonger sur son lit de fer. Il ne s'est pas mis en frais pour meubler cette petite maison de trois chambres et un living. A quoi bon ? Sa mère n'en jouirait pas, quant à lui, il s'en fout ; il puise une certaine satisfaction à fonctionner dans une pièce quasi monacale. Il est une sorte de moine repu. Las du monde, il est entré en religion maternelle, non pour y préparer son salut, mais pour offrir ce qui lui reste, c'est-à-dire son temps, à cette mère qui s'est tellement battue pour lui. Le fait qu'elle ait perdu la notion du réel renforce presque la volupté qu'éprouve Aldo à la choyer. Quand il a connu le succès, il l'a pratiquement abandonnée ; alors Mme Moretti est devenue ce corps sans âme, cette sinistre absence qui regarde sans voir. Avec l'argent de la rançon, Aldo a payé cette maison de Saint-Rémy une bouchée de pain. Ils vivent sans gros frais. Il a calculé qu'à ce rythme-là il aurait de quoi assurer leur subsistance pendant une bonne dizaine d'années. Il refuse de « voir plus loin ».

Cela fait trois ans qu'il a perpétré et réussi le kidnapping de la « fille » Dejallieu. La chose reste dans son souvenir comme un fait de guerre dans la mémoire d'un ancien combattant. Il a risqué gros, déployé la pire audace et triomphé. De temps à autre, il lit un article sur le romancier, ou bien l'aperçoit dans une émission télévisée. Ce qu'il éprouve alors est indéfinissable. Cela tient de la sympathie, de la nostalgie, avec des relents de remords. Aldo repense souvent à la soirée épique au cours de laquelle il a fait danser Mélancolia. Cette femme était troublante ; c'est exactement le genre de compagne qui peut « vous emmener plus loin ». Il ne donne pas d'explications à cette formulation.

En trois ans, il a pas mal changé physiquement. Sa vie sédentaire l'a empâté. Il est soufflé, terne, trop pâle malgré le soleil provençal. Il glandouille toute la journée ; le seul exercice qu'il prend, c'est quand il fait les courses, et encore use-t-il de sa 2 CV ravagée qu'il a baptisée « la poubelle ». Il mange et boit trop. Si sa mère avait encore sa raison, elle lui dirait que « ça n'est pas une vie pour un homme ». Et pourtant cette existence lui convient. Il s'abandonne à la paresse comme on se laisse aller dans un bain tiède et mousseux. Il consomme une folle quantité de polars, regarde la télé jusqu'à la fin des programmes, parfois il écrit, échafaudant des synopsis de films, sans espoir, uniquement pour se divertir. N'a-t-il pas conçu et interprété un scénario de choix qui lui a rapporté plus de deux cents millions d'anciens francs ?

Il lui arrive de sortir, certains soirs, sans fréquence régulière, mais plusieurs fois par mois. Il appelle cela « la mer des Sargasses », car c'est le point du globe où les anguilles vont frayer ; du moins son prof de géographie le prétendait-il. Sa « mer des Sargasses » se compose de quelques boîtes de nuit où il va se saouler et lever quelque bonne femme facile. Il ne joue ni les durs, ni les mystérieux. Lorsqu'on lui demande ce que sont ses activités, il répond « scénariste ». Quand on se risque à l'interroger sur les films qu'il a écrits, il cite sans vergogne trois ou quatre titres récemment sortis, sachant parfaitement que le gros public se désintéresse des génériques et que personne ne lui infligera de démenti.

Il n'a pas de nouvelles de Franky et n'en veut pas. Lorsque Moretti a eu « reconverti » la rançon malsaine en billets de bon aloi, ils ont partagé le butin à la loyale. Après quoi, Aldo a mis ses mains sur les épaules de son complice.

« — Voilà, Franky, maintenant c'est fini. Quand on commet une dégueulasserie, on n'a pour se refaire une conscience qu'un seul moyen : qu'elle soit réussie et serve à quelque chose de positif. Nous avons réussi. Maintenant ne joue pas au con avec ce fric. Manie-le prudemment, comme si tu étais constamment observé. Flanque-le dans un coffre de banque et retire-le au compte-gouttes. Surtout, pas de dépenses tapageuses. Si tu te lances dans des achats importants, demande des crédits. Je pense que, le temps passant, nous aurons de moins en moins envie de nous revoir ; alors disons-nous adieu. »

Il lui a donné l'accolade, puis il est parti rejoindre Mary Stockfield. Quelques jours plus tard, à sa demande, elle l'a emmené à Venise où il a pris congé d'elle après trois jours d'intense activité sexuelle.

Une somnolence nauséeuse le gagne. Il se pelotonne dans son lit, en chien de fusil. Malgré son mal de cœur il est en érection. Les nuits de beuverie affûtent ses sens ; ses plus belles prouesses, il les a toujours accomplies les lendemains de cuite. Il évoque le couple en compagnie duquel il a « paillardé » cette nuit. Il ne se rappelle même plus son nom bien qu'il ait bu en compagnie de ces gens à deux ou trois reprises déjà. Lui est d'origine scandinave. Il a des affaires de textiles à Paris et ne vient en Provence que pour les week-ends, à bord de son avion personnel. Sa dame, une Française à l'accent chantant, pulpeuse et brune, habite leur grande maison moderne, un peu sosotte avec son marbre, son fer forgé, sa piscine en forme de haricot. Elle s'ennuie, n'ayant pas d'enfants, et consacre le plus clair de son temps à un couple de chiens chinois au pelage dégueulasse, primés dans des expositions canines, et qu'elle affuble de petits manteaux ridicules pour sortir quand le « temps est frais ».

C'est décidé, il va aller la verger d'importance, un de ces

jours. Peut-être même aujourd'hui. Voyons, le mari a-t-il parlé de son départ pour Paris? Aldo survole la soirée. Il a beau rassembler ses souvenirs, il lui est impossible de se remémorer la chose.

Bon, il « passera dire un petit bonjour », à tout hasard. Il doit y avoir du personnel dans cette baraque, mais Adeline (c'est le nom de la piquante brune) acceptera probablement d'aller « faire un tour ». Il l'emmènera dans le Val-d'Enfer si riche en grottes. Moretti conçoit un plan galant, compose un « menu » compatible avec l'inconfort. Sa bandaison en devient violente, quasi douloureuse. Il va passer un jean, un tee-shirt, s'asperger d'eau de toilette et foncer chez sa future conquête sans être rasé. Tant pis si le Suédois se trouve là, Aldo s'arrangera bien pour fixer rendez-vous à l'épouse friponne. Rien n'arrête un homme en rut.

Il s'affaire dans la salle de bains (il n'y en a qu'une seule pour les trois chambres) quand il entend sonner le téléphone. L'appel le surprend car, chez les Moretti, l'appareil ne fonctionne qu'à sens unique. C'est toujours lui qui demande l'extérieur : des fournisseurs ou le médecin, principalement.

Il va décrocher au rez-de-chaussée, car, de même qu'il n'existe qu'une salle de bains, la maison ne comporte qu'un poste téléphonique mural dans l'entrée.

— Voilà, Moretti, annonce-t-il.

Sa voix doit être brumeuse car son interlocuteur s'excuse avant de se nommer.

— J'espère que je ne vous réveille pas?

Aldo tourne son poignet pour lire l'heure à sa montre qu'il ne quitte jamais. Elle indique dix heures cinq.

— Pas du tout.

— Ici Charles Dejallieu, enchaîne la voix.

En une seconde, Aldo surmonte son intense stupeur et la peur mordante qui le saisit.

Son ton est enjoué quand il s'écrie :

— Grands dieux, quelle surprise! Comment diantre avez-vous déniché mon numéro, monsieur Dejallieu?

— Les renseignements, mon cher.

— Vous aviez donc mon adresse?

— Par le plus grand des hasards, je vous raconterai ça si, comme je l'espère, vous me faites l'amitié de venir dîner avec nous à Baumanière, ce soir. Figurez-vous que j'aurais peut-être une affaire de télé à vous proposer.

— Merci de penser à moi, mais vous n'ignorez pas que je ne suis plus qu'un ex, très « ex »-comédien?

— On n'est jamais un « ancien » artiste, monsieur Moretti. Un *come-back* ne vous tente pas?

— Le rêve passe, répond Aldo. Imaginez-vous que je me

consacre à ma mère, laquelle est tombée précocement en enfance.

— C'est très louable, assure Charles Dejallieu.

Moretti ne surprend aucune inflexion ironique dans la voix du romancier, lequel poursuit :

— On dit vingt heures trente ?

Aldo ne marque pas la moindre hésitation :

— D'accord. D'ores et déjà permettez-moi de vous remercier, monsieur Dejallieu, j'ai si peu l'habitude qu'on s'intéresse à moi que votre invitation a un côté poisson d'avril.

Aldo raccroche ; sa gueule de bois va mieux et il n'est plus en érection. Il se sent chargé d'intenses vibrations, comme une antenne de P.C. militaire. Tous ses clignotants mentaux sont au rouge et mille alarmes carillonnent dans sa viande. Danger ! Danger ! Danger !

Il ne croit pas aux hasards de cette nature. Si Dejallieu vient de le débusquer dans sa retraite, c'est après l'avoir longuement cherché. Et s'il l'a cherché, c'est parce qu'il a des doutes.

Aldo caresse ses joues râpeuses.

Un seul point rassurant : Dejallieu opère lui-même. Le crime a été perpétré en Suisse, ils sont en France. Il n'existe aucune preuve de sa culpabilité ; à moins que Franky Muzard...

Le garçon sort nu-pieds dans le jardin, utilisant les opus incertum pour rejoindre sa mère et Mme Servellin sous l'olivier au tronc argenté.

Les deux femmes sont assises côte à côte. La grosse infirmière a achevé d'écosser ses petits pois et lit *Le Provençal,* le nez chaussé de lunettes à l'ancienne, de forme ovale, dont les verres ont des reflets bleutés.

— Vous avez mangé votre paillasse, ce matin ! lui lance la garde, pleine d'une constante bonne humeur.

— Je me suis couché à l'aube, explique Aldo.

— Ça ne porte tort à personne, déclare Mme Servellin ; voilà l'avantage de rester jeune homme.

Aldo embrasse sa mère et lui saisit les mains. Chaque jour, à cet instant, il espère qu'un « déclic » se produira, que la vieille femme aura un sourire ou une expression tendre ; mais elle demeure inerte avec des yeux en vitre dépolie.

— Qu'est-ce que vous voulez manger pour à midi ? demande l'infirmière.

— Une camomille, dit Aldo.

— Hé bé ! vous avez dû nous ramasser une brave cuite, plaisante Mme Servellin. Mon mari buvait un rince-cochon, « les lendemains », ça ne lui réussissait pas mal. Je me suis laissé dire aussi que le jus de choucroute est souverain.

— Je compte expier stoïquement, assure Moretti. Toute faute implique un châtiment.

Il va s'allonger sur la vieille balancelle rouillée laissée là par l'ancien propriétaire. Mais le léger mouvement de la nacelle accroît son mal de cœur. Plus il ferme les yeux, plus la pénible sensation de tournis s'accentue. N'y tenant plus, il se relève pour regagner son lit. Il pense à la soirée qui l'attend.

— Ça va être intéressant, décide Aldo.

La peur n'a été qu'un réflexe, une impulsion aussitôt dominée. Cet étrange criminel se sent à l'abri du profond désespoir qui l'habite.

*
* *

Mélancolia garde la tête renversée. Le dossier du siège meurtrit sa nuque, mais cette légère douleur n'est pas désagréable, elle la détend. L'été lui a donné une couleur d'ambre. Ce teint convient à sa félicité. Elle songe que jamais, de sa vie, elle n'a été aussi sereine.

Une fois dominée la blessure du rapt, l'existence a pris une vitesse de croisière nouvelle. Ils sont rentrés en France, Charles a acheté un vieux mas dans l'arrière-pays, à quinze kilomètres de Cannes, et ils y mènent une vie farouche, tous les trois, ne fréquentant personne pour mieux savourer cette joie brûlante qui est en eux.

Chaque matin, Charles conduit Dora à l'institution où elle poursuit ses études, ce qui le contraint à se lever tôt. Il aime cette petite randonnée matinale ; il a l'impression d'être en vacances et redoute les stigmates de l'habitude qui privent de leur mystère premier les sites les plus beaux, les gens les plus captivants, les moments les plus délicats. Mais cette notion de vacances s'éternise et le miracle se renouvelle chaque matin, hiver comme été.

En rentrant, ils font une collation, sa femme et lui, et ensuite l'amour. Puis Charles se met au travail, jusqu'au début de l'après-midi, dans un pigeonnier aménagé pour lui. Il y a installé une immense table de quatre mètres divisée en zones de travail, comme un plan de cuisine. Il y a la place pour la machine, la place pour le courrier, celle de la documentation, celle encore où il ne fait que rêvasser. Tout le reste de la pièce est occupé par des rayonnages où il accumule des livres, et encore des livres, sachant qu'il ne les lira jamais, mais dont la présence le stimule. Son fauteuil est pourvu de roulettes caoutchoutées grâce auxquelles il se déplace le long de sa table sans avoir à se lever ; il a parfois l'impression d'occuper un fauteuil d'infirme et il comprend alors que la situation d'un hémiplégique n'est pas forcément dramatique. Mais cela, il n'ose pas le formuler et le chasse de sa pensée en demandant obscurément pardon.

Ils se sont mis au tennis pour profiter du court aménagé au fond du grand jardin sauvage. Il était en friche à leur arrivée, le revêtement étant fendillé et le grillage rouillé ; Dejallieu l'a fait remettre en état, rien n'exprimant davantage la désolation qu'un tennis à l'abandon. Au début, ils se forçaient à jouer, par hygiène, histoire de cultiver « la forme », et puis ils ont fini par y prendre goût et se livrent à présent des matches acharnés.

Quand l'heure vient d'aller récupérer Dora à son école, ils s'habillent et partent dans une grosse américaine décapotable qu'ils ont le plus grand mal à garer. C'est un instant qu'ils aiment. Ils font des emplettes avant la fin des cours, achetant à tort et à travers des denrées alimentaires, des livres, mille babioles superflues.

Lorsque Mélancolia se rend chez le coiffeur, Charles l'attend dans un bar du voisinage en lisant la presse.

Le retour à la maison avec Dora représente l'instant de fête. Elle raconte sa vie scolaire, parle de ses notes, de ses succès, de ses échecs. Dans ces derniers cas, Mélancolia gronde, mais Charles lui coupe la parole pour clamer que ça n'a aucune importance, et que dans dix ans personne n'y pensera plus. Alors Mélancolia boude, affirmant qu'on ne peut pas élever correctement une enfant en débitant des arguments aussi stupides. Elle est devenue l'élément sérieux du trio. Charles se réserve le rôle de papa terrible. Il taquine son épouse en parlant futilité chaque fois qu'elle aborde un sujet grave. Si elle élève le ton, il se met à chanter. Dora en fait autant. Ils ont partie liée contre elle ; Mélancolia aime ça, car là est le secret de leur félicité.

— Je t'offre un cocktail de jus de fruits ? propose Dejallieu.

Mélancolia redresse la tête. Elle a le cou ankylosé et se le masse du bout des doigts.

— Tu es comme les Japonais qui se servent de brique en guise d'oreiller, plaisante son époux ; alors, jus de fruits ?

— D'accord.

— Avec un peu de quelque chose dedans pour le muscler ?

— Quoi donc ?

— Je ne sais pas : une connerie du genre rhum blanc ?

— Si tu veux.

L'écrivain dépose *Le Monde* sur la table de jardin et cherche un garçon du regard. Ils adorent ces escapades à Baumanière. C'est pour eux, l'un des hauts lieux de l'hostellerie, un coin privilégié où le cadre, l'air, la cuisine et l'accueil s'allient pour composer un havre de qualité. Plusieurs fois l'an, ils viennent y passer un « week-end prolongé » ; Dejallieu déclare qu'en repartant il se sent plus intelligent. C'est une cure enchantée, une période de grâce nonchalante.

Ayant aperçu un serveur, il l'alerte discrètement et lui passe commande.

Des senteurs de miel tiède embaument la terrasse, Charles se dresse pour chercher Dora du regard. Il l'aperçoit, au bord de la piscine, en train de deviser avec deux fillettes plus jeunes qu'elle. Rassuré, il se laisse retomber sur son siège.

— J'adore, soupire-t-il.

Sa femme opine distraitement. Elle suit le cheminement furtif et louvoyant d'un lézard vert.

— Charles, dit-elle, pourquoi as-tu abandonné ton livre ?

— Quel livre ?

— Le roman du Petit Garçon ?

Dejallieu médite un peu avant de répondre. La question le déconcerte comme un appel jailli d'ailleurs.

— Je ne l'ai pas abandonné, mais seulement différé, ma chérie. Tu sais combien l'affaire de Dora m'a bouleversé. Elle est intervenue alors que j'étais en plein dans ce bouquin, tout à coup je me suis mis à en vouloir à mon manuscrit comme s'il était porteur de maléfices.

— Tu ne crois pas que c'est un peu idiot de penser ça ?

— Il est toujours idiot de se montrer superstitieux.

— Tu le reprendras, ce livre ?

— Naturellement, car il est dans mes tripes, je suis enceinte de lui ; simplement, l'accouchement est reporté à une date ultérieure.

— J'aimerais que tu le termines vite.

— A cause ?

— Je l'attends, c'est tout. Tu me l'as annoncé un matin, à Gstaad, t'en souviens-tu ?

— Parfaitement.

— Alors quelque chose en moi s'impatiente, je ne saurais t'en dire plus ; mais tu comprends ?

— Tu sais bien que je comprends tout, Mélancolia.

— Vantard, soupire-t-elle avec un sourire.

Elle ajoute :

— Si tu comprends tout, sais-tu de quoi je meurs d'envie à cet instant ?

— Oui, ma petite salope, je le sais, chuchote le romancier.

Ses yeux se posent sur les cuisses de son épouse qu'un short très *short* découvre généreusement.

— En ce cas, quels sont tes projets ?

— Nous sommes logés au manoir, objecte Charles avec quelque embarras, c'est à quinze cents mètres au moins.

— Je ne te propose pas d'y aller à pied, tu as la voiture, non, bougre de fainéant ?

— Mais... et Dora ? fait Dejallieu contrit.

— Quoi, Dora ? Elle est à la piscine en compagnie d'autres enfants, que craint-elle ?

Il hésite, puis dit avec un soupir :

— Je ne peux pas me résoudre à la laisser seule, même pour une heure, même dans un endroit aussi sécurisant que celui-ci.

Il est sincère, et même un peu honteux de cet aveu de crainte.

Mélancolia en conçoit à la fois de l'irritation et du contentement. Elle apprécie la tendresse de son mari pour sa fille, mais lui trouve une certaine démesure qui la gêne.

— Tu l'aimes donc tant que cela ! murmure-t-elle.

— Davantage, avoue Charles.

— Comment expliques-tu cette passion tardive ? demande la jeune femme. Ce n'est tout de même pas parce que tu t'es ruiné pour elle que tu t'es mis à l'aimer ?

— Je me pose souvent la question, déclare Dejallieu.

— Tu lui as trouvé une réponse ?

— Une réponse, sans doute pas, car ce n'est jamais facile de trancher quand il s'agit de nos sentiments. Mais plusieurs, ça oui. Vois-tu, Mélancolia, je crois que j'aime cette petite depuis que je t'aime, mais je me refusais cet amour par jalousie probablement ; en bon mâle pavaneur que je suis je ne parvenais pas à accepter qu'un autre eût fécondé ce ventre que je considère comme mon bien. Et puis il y a eu cette terrible secousse dans notre foyer, elle a été le révélateur ; tout s'est mis en place, à cause d'elle. Chaque valeur a pris sa place exacte dans ma vie. Les faux-semblants, les délirades, les rancunes secrètes ont volé en éclats pour laisser place à *la* vérité. Nos rapports sont devenus différents, pas seulement entre Dora et moi, mais entre toi et moi ; nous avons frisé la catastrophe et depuis *je sais.* Je sais qui aimer et comment aimer.

Elle lui prend la main, touchée par son ton de passion contenue. Elle regrette que quelque chose d'obscur se soit brisé en elle et que, contrairement à son mari, sous le bonheur tranquille se dissimule une lézarde. Elle aime leur vie, elle aime Charles, et pourtant un trouble persistant l'empêche de savourer pleinement leur sage existence. Celle qu'ils mènent implique un amour profond, un amour total, car on ne peut confier tout son temps à un être s'il existe la moindre réserve, secrète ou non.

Elle apprécie sa force, cette gentillesse héroïque qui chasse de son cœur tout égoïsme. Il vit pour elles deux et ne prend plus le même plaisir à son travail. Au reste, elle trouve de moindre qualité ses écrits depuis leur sale aventure.

— Tu as l'air triste ? remarque Charles.

Mélancolia s'efforce de réagir.

— Il y a peut-être de quoi, non ? Tu me promets un livre et tu le laisses en plan. Je te réclame de l'amour et tu préfères surveiller notre fille.

Elle lui dédie un long sourire tendre et courageux.

Charles ne sait que répondre. Fort heureusement, le serveur leur apporte les consommations. Mélancolia se met à téter le chalumeau. Le breuvage est délicat, joyeux d'aspect. Dora survient en courant, éclaboussant quelques vieilles personnes qui croupissent sous des parasols. Sa mère lui en fait la remarque. Dora hausse les épaules. Depuis leur nouvelle vie, elle a quelque tendance à l'impertinence vis-à-vis de Mélancolia parce qu'elle se sent soutenue sans condition par Charles. Elle saisit le verre de ce dernier et boit à longs traits.

— Hé, mollo ! s'écrie Dejallieu ; il y a de l'alcool là-dedans.

— Je ne *la* sens pas, assure Dora, très désinvolte.

— Tu sais qu'alcool est masculin, objecte Charles.

— Ça *le* regarde, pouffe l'adolescente.

Elle a grandi, pris des formes. Sa tête demeure un peu trop lourde, mais les traits s'affinent et surtout elle se paie un regard merveilleux, ardent et velouté. Elle se penche pour embrasser son « papa » sur la bouche. L'eau dont elle ruisselle dégouline sur la chemise de lin du romancier et le baiser lui met aux lèvres un avant-goût de fruit. Il est aux anges. Dora repart déjà en courant, franchit en une cabriole les marches conduisant au terre-plein de la piscine et plonge dans l'onde bleue.

— Les jeunes filles et la province, murmure Charles ; Giraudoux avait raison, il n'y a que cela de beau.

Raymond Thuilier, le maître de Baumanière, s'approche de leur table, dans sa tenue immaculée. Il ressemble davantage à un grand patron d'hôpital qu'à un chef de cuisine. Charles apprécie sa cordialité vieille France et son sourire tranquille de vainqueur. Ils sont presque du même pays ; Dejallieu aime à croire que cela crée des liens.

— Je viens de confectionner une nouvelle mousse de homard que je vous ferai goûter au dîner, annonce Thuilier. En attendant, je vais jouer au golf.

— Nous serons quatre, ce soir, annonce l'écrivain, j'ai un invité.

Le prince de Baumanière acquiesce et s'éloigne de son pas tranquille.

— Si je dois devenir vieillard, je souhaite ressembler à cet homme, assure Charles.

Mélancolia a l'esprit ailleurs.

— Pourquoi as-tu invité ce garçon ? questionne-t-elle. Tu as vraiment l'intention de lui faire jouer le héros de ton *Carnaval de Tolède* ?

— Ça te choque ?

— C'est un comédien archifini.

— Je serais heureux de lui redonner vie.

— Et tu crois que la Télé acceptera de lui confier le rôle principal ?

— Il faudra bien.

Il a l'air impatienté. Cette conversation lui déplaît.

Mélancolia n'insiste pas. Elle tente d'évoquer les traits d'Aldo Moretti, mais ces trois années qui viennent de s'écouler les ont passablement brouillés. Elle perçoit seulement un homme triste et distant dont elle a probablement dû avoir envie l'espace d'une danse.

Le visage de Charles cherche le soleil entre les feuillages. Les bruits de la piscine sont des bruits d'été, des bruits de bonheur, des bruits de jeunesse. Il faudrait les enregistrer et se les « passer », par les pluvieuses journées d'automne, lorsque le monde se détériore et devient sombre et visqueux. « Je préfère les bruits à la musique », pense Dejallieu ; ils sont la véritable musique ; le silence aussi est une musique.

Lorsque le Petit Garçon encaissait les traites du journal, sa « tournée » le conduisait chez un couple « d'horlogers en chambre », comme on disait alors. Ces gens lui paraissaient vieux ; ils se montraient affables, contrairement aux autres annonceurs, toujours froids ou bougons. L'un et l'autre portaient une blouse blanche par-dessus un habillement suranné. Leur métier minutieux leur avait appris l'économie du geste.

Ils savaient parler sans remuer et réglaient la note en comptant l'argent avec une précision menue qui surprenait le jeune homme. Quand il sonnait à leur porte, du temps s'écoulait avant qu'ils ouvrissent. Ils ne se quittaient pas et se montraient toujours côte à côte, l'un complétant la phrase de l'autre sans que ce tic fût drôle cependant.

Ils introduisaient le Petit Garçon dans un minuscule salon vieillot aux odeurs fanées de vieux velours et de bouquets dont on ne change pas l'eau. Ensemble, ils se retiraient pour aller chercher la somme due et ensemble revenaient l'apporter. Ce « duettisme » touchant exprimait la fabuleuse, la profonde connivence du couple. L'horloger et l'horlogère étaient unis indissolublement comme des époux siamois.

Lors d'un de ses brefs séjours dans le salon, le Petit Garçon avisa sur un meuble un stylographe d'une matière jaspée aux tons verts et ocre, dont la large plume d'or constituait en soi une espèce de bijou. Un réflexe le poussa à empocher le stylo. Ce n'était pas un voleur et il avait chapardé très peu de choses, en tout cas pas plus que ne s'en approprie tout adolescent curieux de sensations condamnées.

Les horlogers revinrent avec leur argent, le lui remirent selon le rituel établi et il prit congé. Le mois suivant, lorsque le Petit Garçon se présenta, ils déverrouillèrent ensemble leur porte, mais, fait surprenant, la femme se retira et le vieillard conduisit seul le jeune encaisseur au salon.

Il entra à sa suite, referma la porte derrière lui et s'y adossa. Le bonhomme avait la mine pâle et sévère. Aussitôt, le garçon sut qu'il allait être question du stylo. Il ressentit une frousse grisante et se composa une figure d'innocence.

— Jeune homme, lui dit le vieillard en blouse blanche, lors de votre dernière visite, un stylo se trouvait sur cette petite table. Après votre passage il n'y était plus. Donc, c'est vous qui l'avez pris.

Le Petit Garçon s'indigna et fut ravi de sentir que son

indignation n'était pas feinte. Il se sentait sincèrement blessé par l'accusation. Sa réaction inattendue le surprenait, tout en lui paraissant providentielle. Ainsi, il pouvait donc être le voleur tout en conservant la vertu de l'innocent ! Ses protestations véhémentes n'ébranlèrent pas la conviction du bonhomme ; il l'écoutait en secouant la tête, un sourire incrédule sous sa moustache grise.

— Mais si, vous l'avez pris ; vous le savez bien, jeune homme, vous le savez bien ! Je ne veux pas vous faire de misères, mais je tiens à ce stylo, c'est un cadeau de notre fils et il a été tué à la guerre ; nous y tenons infiniment. Vous me comprenez, n'est-ce pas ? Vous m'avez l'air d'un bon garçon. Il faut nous le rendre !

Les mots n'atteignaient pas le Petit Garçon. Enfermé dans son effroi plein de colère, il montait le ton pour crier qu'on l'accusait sans preuve. Qu'une confusion avait dû se faire dans l'esprit de l'horloger, et que le stylo n'était sûrement plus dans le salon quand lui y était entré, ou bien que d'autres gens y étaient venus avant qu'on ne constate sa disparition. Son interlocuteur continuait de sourire et de branler le chef en lâchant des « Mais non, mais non, mais non » saccadés, comme pète un cheval.

La situation étant bloquée, le Petit Garçon lança avec force :

— Ecoutez, monsieur, allez prévenir la police, si vous êtes certain que c'est moi !

Alors le vieil homme se tut, le regarda bizarrement, prit un immense mouchoir à carreaux violets dans la poche de sa blouse et se moucha en coup de trompette. Il tendit ensuite la main pour saisir la traite que l'adolescent tenait entre le pouce et l'index et sortit du salon. Les deux époux revinrent l'un et l'autre.

Quand ils eurent versé l'argent, la femme dit, sur le pas de la porte :

— Ce n'est pas bien, vous savez, un gentil jeune homme comme vous...

Il partit sans un mot ; sans doute avait-il le dos rond ?

Le même soir, il voulut aller jeter le stylo dans une bouche d'égout, mais, sensible à la qualité de l'objet, il se retint.

Le mois d'après, quand il retourna chez le couple, il l'agrafa à sa poche intérieure. Pendant le bref cérémonial du règlement, il resta buté, hostile, avec un regard mauvais. Il croyait qu'un moment important de sa vie s'accomplissait. Il défiait ces bonnes gens en ayant leur cher stylo en poche. Ce fut l'instant de cynisme, et peut-être de cruauté, de son existence.

Quand il repartit, sans avoir proféré une parole, il lança le stylo dans la Saône toute proche, le plus loin qu'il put, et sentit aussitôt une misère grise descendre en lui comme un brouillard. Il se retint d'aller chez le couple pour tout lui avouer. Il ne fallait pas céder à la faiblesse.

Les vieux horlogers avaient, sans le savoir, payé un tribut en faveur du Petit Garçon. Ils s'inscrivaient dans la cohorte des créanciers muets que chacun traîne dans les plis de son passé et qui l'aident à ne jamais devenir tout à fait un adulte.

— Viens, dit Charles, brusquement, allons faire l'amour.

II

— Elle vous ressemble beaucoup, assura Moretti en contemplant Dora qu'il jugeait agréable dans sa robe bleue légère.

— Elle n'est pourtant pas ma fille de sang, fit le romancier.

— Alors c'est que le mimétisme supplée la génétique, répondit Aldo.

Sa gueule de bois s'était dissipée au fil de la journée, une légère collation dûment épicée, accompagnée d'une demi-bouteille de vin rouge avait achevé de le requinquer. Ce soir, à la terrasse de Baumanière savamment éclairée, il se sentait parfaitement à l'aise. Détendu et sûr de soi, il souriait à ses hôtes et parlait d'abondance.

Sans broncher, il avait accepté l'explication de Charles Dejallieu concernant la manière dont il l'avait retrouvé : le plus grand des hasards l'avait fait passer devant la maison de Moretti, en compagnie d'un ami notaire. Il avait aperçu Aldo au moment où celui-ci entrait dans la maisonnette, bardé de provisions ; beaucoup plus tard, songeant à lui pour interpréter le principal rôle d'une adaptation réalisée d'après l'un de ses livres, Dejallieu avait demandé aux renseignements s'ils pouvaient lui fournir le numéro téléphonique d'Aldo Moretti domicilié à Saint-Rémy-de-Provence.

Charles parlait posément, d'un ton tranquille, sans placer d'intention dans ses propos. « De quoi s'y laisser prendre », pensait Moretti ; mais il se tenait sur ses gardes. Ce jeu l'amusait. Il ne craignait rien.

— J'ai beaucoup pensé à vous au moment de cette pénible affaire, fit-il. C'est elle qui a motivé votre retour en France ?

— Probablement, répondit Charles.

Chacun se tenait embusqué derrière la carte somptueuse de *l'Oustaù,* comme derrière un petit paravent portatif, à la recherche distraite de son menu.

L'écrivain demanda :

— C'est une maison de famille que vous habitez ?

Moretti s'attardait sur le graphisme du « gigot d'agnelet en croûte » ; il flaira le piège.

— Oh ! non, malgré notre patronyme, nous sommes originaires de l'Anjou ; c'est une maison que j'ai acquise avec quelques biens dont disposait ma mère ; ici le climat est doux.

— Cette existence provinciale doit vous peser ?

— Pas plus que son monastère ne pèse à un chartreux. Tout est question de philosophie, vous le savez mieux que quiconque. Le cinéma m'ayant laissé, après une longue période incertaine, j'ai décidé de le laisser également, ce qui est plus difficile. Une fois qu'on a goûté au renoncement, on ne s'arrête plus.

— Il est indiscret de vous demander quels sont vos moyens d'existence ?

— Charles, voyons ! s'indigna Mélancolia, en abaissant son menu.

— Veuillez me pardonner, fit Dejallieu, les écrivains sont curieux professionnellement et perdent le sens des convenances.

Moretti éclata de rire.

— Ne vous formalisez pas, madame Dejallieu, je n'appartiens pas à cette catégorie de Français qui considèrent comme tabou ce qui concerne leurs revenus.

Il se tourna vers Charles.

— Imaginez-vous que je vous fais petitement concurrence, cher maître : je collabore à des adaptations cinématographiques. Vous savez le vertige qui s'empare des producteurs avant de tourner. Ils ont brusquement la certitude que leur script est un tas de merde et le font replâtrer par n'importe qui. Je suis ce *n'importe qui*. Ce que je leur arrache pour tripoter le travail des pros joint aux modestes revenus de maman, qui a consacré vingt-cinq ans de sa vie à une banque, suffit à faire bouillir une modeste marmite.

Son regard ne perdait pas celui de Charles, bien qu'ils fussent placés côte à côte et le romancier baissa les yeux le premier.

— Votre coéquipier a eu une triste fin, soupira-t-il.

Aldo tressaillit.

— De qui voulez-vous parler ?

— Du photographe en compagnie duquel vous réalisiez des reportages à Gstaad, ce garçon brun, frisé, bigleux.

— Vous dites qu'il a eu une triste fin ? balbutia Aldo.

— Vous n'êtes donc pas au courant ?

— Nous nous sommes perdus de vue.

— Depuis longtemps ?

— Quelques années...

— Trois ans environ ?

— Je n'ai pas compté ; ce genre d'association ne dure jamais très longtemps. Que lui est-il arrivé ?

— Il s'est tué en voiture sur l'autoroute du Soleil.

— Comment l'avez-vous su ?

— Je l'ai lu dans le journal : Frank Muzard, c'était bien lui, non ?

— En effet.

— Il est mort au volant d'une Porsche toute neuve qu'il venait d'acheter la veille ; ses affaires devaient bien marcher, vous ne croyez pas ?

— Si ces dames n'étaient pas là, je vous répondrais que quelque chose marchait sûrement mieux que ses affaires.

— C'est-à-dire ?

Aldo baisse le ton et s'isole des deux ravissantes compagnes de table qui lui font face à l'aide de son menu.

— Son emprise sur les riches douairières, assure-t-il.

Il est heureux d'apprendre la mort de Franky. Le souvenir du photographe était un boulet à sa cheville. Bien sûr, c'est l'annonce de cette mort qui a mis la puce à l'oreille de Dejallieu. La Porsche neuve l'a fait réfléchir et, de fil en aiguille... Mais Aldo va rectifier le tir, donner tout apaisement ; ensuite il sera délivré de ses arrière-pensées.

Le maître d'hôtel se présente, avec son carnet à souches et sa pointe Bic.

Chacun passe sa commande. Dora, un peu intimidée par la présence du comédien, laisse sa mère choisir pour elle. Moretti contemple Mme Dejallieu. A cause de son bronzage, il la trouve plus belle qu'à Gstaad. Mélancolia est un violon. Il n'oserait pas lui faire la cour. Avec elle, tout doit se passer « autrement ». Il la juge imprévisible.

— Un melon et un gigot, commande-t-il quand c'est son tour.

Charles potasse la carte des vins. Il propose différents crus qui laissent les autres convives indifférents et se décide pour un Hermitage rouge.

Lorsque le petit cérémonial est terminé, une période de flottement succède.

— Où en étions-nous ? demande Charles.

— A la mort de ce pauvre Franky, rappelle Moretti avec une parfaite sérénité. J'ignorais qu'il eût le culte des voitures sportives ; pendant notre brève association, il ne m'en a jamais parlé.

— Ce culte vient avec la fortune, déclare Dejallieu.

— Franky ne disposait que de celle des autres, répond Aldo sans s'émouvoir. C'était un obscur, un sans-grade qui, selon lui, se défendait mieux à l'horizontale qu'à la verticale. Cela dit, paix à son âme. Voyez comme l'humain est mesquin : je viens à l'instant d'apprendre sa mort, et déjà je daube sur sa mémoire !

Il hoche la tête. Mélancolia est frappée par l'ombre qui s'étend sur les traits de leur invité. Ce dernier est un homme en souffrance, un mal profond le mine. Leurs yeux se rencontrent ; elle se sent rougir, mais ce n'est qu'une impression, probablement. Aldo donnerait le restant de ses jours pour la prendre dans ses bras et la tenir serrée contre lui, longuement, sans parler ni chercher ses lèvres ; sans la regarder non plus. Il songe à l'atroce souffrance qu'il lui a infligée trois ans auparavant. A cause de lui, cette femme a été broyée par le malheur ; elle a pleuré, hurlé, prié. Elle s'est tordu les doigts. Et c'était lui, le bien tranquille, l'énigmatique enrobé de tristesse, lui qui la plongeait dans les transes.

Ses yeux vont chercher Dora. Il ne reste rien de la fillette affolée qu'il tentait de calmer, déguisé en femme. Elle devient une jeune fille. Elle sera belle. Sur ses traits, pudeur et hardiesse s'affrontent.

Charles l'arrache à ses réflexions.

— Vous ne lisez pas mes livres, je suppose ?

— A combien tirent-ils ? répond Moretti.

— Cinq cent mille, rétorque Charles avec une pointe de vanité d'auteur.

— Ce qui représente cinq millions de lecteurs, soit le dixième de la France ; pourquoi supposez-vous que je ne fais pas partie de ce dixième, mon cher maître ?

Pris de court, mais flatté, Charles a un mouvement de tête reconnaissant.

— Vous connaissez mon *Carnaval de Tolède ?*

— C'est l'histoire de ce peintre français qui vit en Espagne où il rencontre une amnésique ?

— En effet. Vous en ressentez-vous pour ce rôle ?

— Un poisson pêché s'en ressent toujours pour être remis à l'eau, plaisante Moretti. Mais suis-je bien le personnage ?

— Pour moi, vous êtes l'interprète idéal.

— Si l'auteur le dit ! murmure Aldo. Vous savez que j'ai pris trois ou quatre kilos depuis notre dernière rencontre.

— Vous les aurez perdus d'ici le tournage.

— J'ai pris de même trois ou quatre ans, et sans doute plus ; vous avez vu mes cheveux gris ?

— Je les cherche.

— J'ai perdu l'habitude de séduire, monsieur Dejallieu. Je vis comme un vieil asexué avec sa maman gâteuse. L'enlisement, vous connaissez ? Vous avez très bien décrit cela dans *les Barrières du Ciel*. Une succession de dernières fois... Je meurs avec ma vieille, au jour le jour. Rien ne m'intéresse vraiment, sinon le soleil sur les Alpilles, le mouvement d'une ruche, un bon livre, une bonne bouffe (il accentue un bourrelet de sa taille entre le pouce et l'index). Vous êtes ma première sortie mondaine depuis des mois. Je flotte à la surface de moi-même comme un chien crevé sur l'eau du Rhône. Dernier stade avant nécrose. De plus, je suis relativement pauvre et n'ai pas les moyens de me reconstituer une garde-robe. Ce bleu croisé que je porte brille aux fesses et s'il était droit vous vous apercevriez que je ne peux plus le boutonner.

Il sent qu'il vient d'avoir le trait de génie. C'est gagné. Un détail a balayé les doutes de Charles.

— Attendez, fait celui-ci, je commence à me poser une grave question : avez-vous envie de tourner encore ?

Aldo rompt l'extrémité d'un petit pain, va pour le porter à sa bouche, mais y renonce pour ne pas répondre la bouche pleine.

— Naturellement que j'en ai envie, mais cela me fait peur. J'essaie d'imaginer cette reprise inattendue. Je suis sur un plateau, fardé, inondé de lumière. Un clapman annonce : « *Carnaval de Tolède*, première ! » Un metteur en scène probablement vêtu d'un blouson râpé, crie, quelque part derrière la caméra : « Partez ! ». Alors je m'arrache à ma trouille. J'ai le cœur dans mes chaussettes et mes testicules dans la gorge.

« Je fais des gestes qui me furent indiqués, je prononce des paroles écrites sur le script. J'essaie de m'oublier, de n'être plus que votre héros. Je ne pense même plus que « je dois être bon ». Non : le personnage, uniquement le personnage ! Il y a, en face de moi, d'autres comédiens qui se trouvent dans le même état. Des ombres mortes d'effroi jouent votre belle histoire, monsieur Dejallieu. Ils donnent un visage et une voix à un texte... »

Aldo se tait. Ses hôtes sont immobiles, impressionnés par la voix angoissée du comédien. Moretti est tragique. Mélancolia qui lui fait face croit deviner des larmes derrière ses paupières. C'est un moment bizarre, inattendu ; qu'on ne sait pas comment dissiper. Et cependant, dis, il faut bien passer outre ?

Un serveur dépose des canapés sur la table. Charles en cueille un et le croque. Dora détourne les yeux.

Aldo essaie de l'imaginer, trois ans plus tôt, dans son fourreau de toile, au fond de l'auto, réclamant sa mère d'un ton qui n'était pas plaintif, mais plutôt péremptoire.

— Si vous avez lu certains de mes bouquins, moi j'ai vu certains de vos films, déclare Dejallieu. Vous possédez une présence, un regard... Et du talent. Je suis convaincu que cette période de purgatoire vous aura bonifié. La maturité, dans l'art, c'est irremplaçable. Qu'aurait donné Radiguet s'il avait vécu !

— Merci pour vos encouragements, répond Aldo ; malgré tout, je vais refuser votre généreuse proposition. Je suis cliniquement mort pour la profession. J'imagine les gueules des techniciens et des autres comédiens en me voyant débarquer sur le tournage. Le *come-back* d'un ringard ! Je deviendrais votre caprice, monsieur Dejallieu ; le fait du prince. On me guetterait comme on surveille le funambule avec le triste espoir de le voir tomber.

Mélancolia murmure :

— Et si vous ne tombiez pas ?

Moretti sourit.

— Et si je fais un triomphe ? Hein ? Toute la France parle de moi. J'ai la couverture de *Paris-Match*, de *Télé 7 jours* ! On me redemande au ciné, au théâtre. « Moretti, le Magnifique ! Le retour de Moretti ! Moretti *for ever !* » Voulez-vous déjà un autographe, madame Dejallieu ? On ne sait jamais...

— On ne sait jamais ! reprend avec force Mélancolia.

Aldo regarde les serveurs bardés de plats qui s'approchent d'eux pour servir leur messe.

— Je sens que je risque de gâcher ce merveilleux repas, dit-il. Alors ne laissons pas cette affaire en suspens : je ne jouerai pas votre téléfilm, maître. Mais pour que vous ne regrettiez pas trop de m'avoir convié, ce soir, je vous raconterai quelques histoires drôles qui me valaient un franc succès au temps de ma splendeur. Celle du jeune abbé qui se fait photographier... Non : trop peu convenable pour ces dames... Alors disons des histoires belges.

— Ma femme est d'origine belge, déclare Dejallieu.

Ils éclatent de rire.

La soirée manqua d'entrain, mais se passa bien. Ils ne reparlèrent plus métier. Ce fut un repas de bon ton, au cours duquel chacun fournit son effort pour assurer la relève d'une conversation entre gens qui n'ont rien à se dire. Chaque fois que le regard d'Aldo se posait sur Mélancolia, elle lui dérobait aussitôt le sien ; et il en allait de même avec Dora. Leur invité les intéressait, elles subissaient son étrange charme, mais évitaient de lui livrer leur sentiment car quelque chose, en lui, les effrayait confusément.

Mélancolia passa tout le dîner à se demander d'où lui venait ce malaise quasi suave où se mêlaient peur et griserie. Aldo semblait venir d'ailleurs. Elle ne savait d'où. D'un autre monde qu'elle n'avait jamais pressenti. Elle était sensible à ce qu'elle devinait de pitoyable dans cet artiste rejeté, et effrayée par tout ce qu'il avait d'impitoyable. Par instants, une violente crispation semblait réduire son visage, le ramasser en un faisceau de rides emplies d'ombres ; aussitôt, il se détendait et retrouvait des traits de chérubin fatigué.

Après le repas, ils l'accompagnèrent jusqu'au parking. Il paraissait gêné et leur avoua qu'il avait laissé en contrebas sa 2 chevaux cabossée qui aurait détonné au milieu des confortables voitures emplissant le terre-plein de Baumanière. Ils l'escortèrent malgré sa honte ; quand il s'installa au volant de l'humble véhicule, après d'ultimes remerciements, il ressemblait à un jeune curé de campagne regagnant son presbytère.

— Comme il semble malheureux, fit Dora en regardant disparaître la 2 chevaux.

Mélancolia avait la gorge nouée. Elle ne se rappelait pas d'avoir été à ce point troublée par un autre homme. Elle passait, malgré elle (car elle détestait aller pêcher dans ses souvenirs les vilains poissons du regret) une rapide revue des « hommes de sa vie ». Outre les jeunes et gauches bêtas de ses débuts, il y avait eu le père de Dora, et ensuite Charles. Oui : eux deux uniquement avaient su la faire vibrer, mobiliser ses sens et ses pensées, la plier. Surtout cela : la plier. Mais ni l'un ni l'autre ne lui procuraient ce besoin d'abandon. La détresse et la perversité latentes de Moretti creusaient un grand désir en elle, dont elle se demandait s'il était purement physique.

— C'est un couard, jeta Charles d'un ton méprisant.

— Pourquoi ? demanda l'adolescente.

— Parce qu'il préfère l'abdication pure et simple au risque d'échec. Parce qu'il ne se sent pas le courage d'affronter une poignée d'hommes dont il n'est pas du tout certain qu'ils le regarderaient comme un *has been.* Quand bien même son retour dans un studio lui aurait valu quelques tracasseries, l'enjeu ne valait-il pas un jour ou deux d'humiliation ?

Comme ils avaient déjà fait un bout de chemin en direction du manoir où Thuilier les couchait, ils décidèrent de laisser la voiture à l'hostellerie et de s'y rendre à pied. La nuit de septembre était d'une douceur capiteuse, chargée d'odeurs suaves qu'on ne trouvait qu'ici. Quelque part, au loin, un chien aboyait triste. Dejallieu saisit « ses femmes » par la taille pour les entraîner. Ils allèrent d'un bon pas, en essayant de mettre leurs rythmes de marche à l'unisson.

Ils riaient de leurs ombres qui s'amenuisaient, puis se proje-taient loin devant eux, au gré des lampadaires sous lesquels ils passaient.

Une pièce d'eau chuchotait dans l'obscurité, devant le manoir carré. Ils regagnèrent leurs chambres respectives. Mélancolia s'enferma dans la salle de bains et Charles alla toquer à la porte de Dora :

— Je peux entrer ?

Elle venait de poser sa robe et déambulait dans la chambre, en slip et soutien-gorge. Sa poitrine poussait dru. Charles songea qu'elle était déjà plus considérable que celle de Mélancolia. Il était surpris de n'éprouver devant ce jeune corps ni convoitise ni gêne. Dora était comme sa fille et il ne ressentait aucun trouble incestueux. Il s'en réjouissait car l'amour qu'il lui portait devait rester pur. Il voyait dans ce profond détachement physique la preuve de son attachement moral.

Elle rangeait sa robe sur un cintre.

— Tu voulais me dire quelque chose, Grand-Génie-du-Siècle ?

Dora inventait une foule de surnoms moqueurs qu'il encaissait sans broncher.

— C'est à propos de ce type de tout à l'heure.

— Aldo Moretti ?

— Oui. Il... il ne te rappelle rien ?

— Non, pourquoi ?

— Qu'éprouves-tu en sa présence ?

Elle rougit, hocha la tête.

— Non, non, c'est sérieux, réponds, Dora. Il est là, il parle, tu le regardes, tu l'écoutes, et il se passe quoi dans ta tête ?

— Mais... rien de particulier, je t'assure. Il m'intéresse. Je me dis « Il n'est pas heureux ». Et puis il m'intimide aussi.

— Il t'intimide ou il t'effraie ?

Elle parut choquée par la question ; la trouva exagérée, mais avec Charles il fallait s'attendre à tout. Ces romanciers ont des idées biscornues qu'ils aiment tester dans l'intimité.

— Que vas-tu chercher ! s'exclama la jeune fille. Pourquoi m'effraierait-il ?

— En sa présence, tu te sens *cool* ou pas ?

Et puis il n'attendit pas la réponse car il eut soudain honte de cet interrogatoire. Mélancolia et lui avaient décidé « d'oublier l'affaire » en présence de Dora. Elle avait été choquée pendant des mois, s'éveillant en pleurs au milieu de la nuit et accourant dans leur chambre. Charles lui laissait sa place auprès de Mélancolia et allait dormir dans la chambre d'ami. Des années avaient passé mais la fissure était toujours là. Souvent, le soir, il voyait passer l'angoisse des ténèbres dans les yeux de sa belle-fille. Un fulgurant égarement. Comme une perte d'équilibre intérieur. A croire qu'elle allait pousser un grand cri sauvage et s'enfuir n'importe où. Guérirait-elle jamais de cette mons-trueuse aventure ? Ne traînerait-elle pas des séquelles tout au long de son existence ? Charles redoutait qu'elle eût, sa vie durant, des moments de « porte à faux ». En l'enlevant, des canailles avaient planté dans son esprit une peur irréversible. Toujours, elle se sentirait un peu différente, à cause de ces heures atroces arrachées à son destin. Cette « école buissonnière en enfer » (l'expression style *Ici-Paris* satisfaisait Dejallieu) l'avait mutilée comme elle avait mutilé Mélancolia et aussi Charles, en différé.

Il embrassa Dora, voulut la quitter sur une note optimiste.

— T'es vachement belle, déclara-t-il ; ça va bientôt se bouscu-ler au portillon !

— Pourquoi « bientôt » ? objecta l'adolescente. Si tu ne t'aperçois pas des regards que les hommes posent sur moi, c'est que tu as besoin d'une canne blanche !

III

Mina était assise devant le bidet, les pieds dans celui-ci. Mme Servellin les lui lavait avec une dextérité de professionnelle, tout en jacassant. Certes, la mère d'Aldo ne pouvait la comprendre, mais cela ne décourageait pas la grosse femme qui parlait à perte de vue de ses propres problèmes de santé et des misères de sa fille mariée à un Espagnol grincheux.

— Ces gens-là sont vaniteux comme des coqs, affirmait l'infirmière. On ne peut rien leur dire : ils prennent tout en mauvaise part...

Aldo écoutait, depuis le vestibule. Il se tenait adossé à la cloison, guettant désespérément un mot de sa mère. Il espérait farouchement qu'un jour elle prononcerait quelques syllabes, fussent-elles sans signification, afin de pouvoir entendre une fois encore le son de sa voix. Mais Mina se taisait, murée dans un silence affolant. Elle mourrait sans avoir reparlé. Moretti allait s'asseoir au bord de son lit, le soir, prenait la main de la vieille femme et lui chuchotait des phrases tendres. Il lui disait qu'il était là, lui, son fils unique, son petit garçon. Qu'il l'aimait, qu'il ne la quitterait jamais plus. Il lui posait des questions. « Es-tu bien ? M'aimes-tu ? Tu m'entends, n'est-ce pas ? » Aucune réponse ne tombait de ces lèvres molles et blanches, aucun regard un peu lucide ne mettait vie dans les prunelles semblables à des trous.

Il entendit carillonner la clochette de l'entrée : une petite cloche toute sotte activée par une chaînette rouillée et un ressort à bout d'énergie. Il pensa que ce devait être le facteur et sortit, mais, depuis le perron, il reconnut Mélancolia Dejallieu à travers la grille.

Il marcha à sa rencontre, intrigué par cette visite inopinée. Mélancolia portait un tailleur léger, en lin vert et tenait sous le bras une forte brochure à couverture rose.

Ils se regardèrent un bref instant avant que Moretti n'ouvrît la porte. Les barres de la grille la rayaient de deux ombres verticales dont l'une assombrissait son œil droit. Elle avait préparé un sourire, mais avait du mal à le conserver.

— C'est une bonne surprise, balbutia Aldo.

— J'aurais dû m'annoncer par téléphone. Ça ne se fait pas de débarquer à l'improviste.

Le garçon haussa les épaules pour affirmer le peu de cas qu'il faisait des « convenances ».

— En réalité, ma visite correspond à une foucade, reprit Mélancolia. Cela m'a prise brusquement ; si je vous avais téléphoné, ma décision aurait tourné court avant que j'aie fini de composer votre numéro.

— Alors vous avez eu bien raison de suivre votre impulsion.

Il la guida jusqu'à l'olivier vénérable dont l'ombre abritait du soleil quelques méchants sièges de jardin.

— Je suis venue…, commença Mélancolia.

— Je sais, interrompit Aldo ; m'apporter le script.

Il désignait la grosse brochure que Mélancolia conservait coincée sous son bras.

Elle sourit, puis déposa le manuscrit sur une table rouillée.

— En effet.

Aldo prit le script et le feuilleta rapidement. Il était ému par ce contact du papier, par ces caractères pâlis par la photocopie.

— Vous pensez que ce tas de feuillets va m'aguicher et me faire revenir sur ma décision ?

— Je l'espère.

Il reposa le manuscrit et s'accouda à la table comme un paysan qui mange sa soupe.

— Madame Dejallieu : pourquoi ce caprice ? Pourquoi venez-vous repêcher, votre illustre époux et vous, un ringard du métier ? Nous ne nous sommes vus que trois fois, en comptant la soirée d'hier.

— Les deux premières, c'était au chalet de Gstaad et au *Palace,* coupa Mélancolia.

— Exact. Je vous ai fait danser et, très franchement, je ne l'oublierai jamais.

Elle rougit intensément. Il en fut confondu : elle restait donc une petite fille ?

— Plus de trois années ont passé depuis cette danse, madame Dejallieu. Qu'est-ce qui, brusquement, m'a rappelé à votre bon souvenir ? Pourquoi suis-je devenu dans votre esprit l'interprète idéal de cette histoire ?

Elle hocha la tête.

— A vrai dire, c'est une idée de Charles. Il vous a aperçu. On venait de lui adresser l'adaptation de son bouquin. Il m'a dit qu'il vous trouvait la gueule de son héros. De là à décider que vous le soyez, il n'y a qu'un pas. Au lieu de vous déprécier systématiquement, dites-vous que mon mari a peut-être une idée derrière la tête. Il pense que s'il vous « relançait » son œuvre bénéficierait de l'élan publicitaire ainsi créé.

— Il sait que vous êtes ici ?

— Non : il joue au tennis avec Dora, je suis censée aller à la pharmacie.

— En ce cas, pourquoi tenez-vous, vous, à ce que je joue ce rôle ?

Prise au dépourvu, Mélancolia baissa la tête.

— Je ne sais pas, avoua-t-elle ; il me semble que ce serait une bonne chose.

— Pour qui ?

— Pour vous, bien sûr.

— Je vous intéresse ? demanda Moretti à brûle-pourpoint.

Mélancolia eut une expression de colère et se leva.

— Vous semblez effectivement irrécupérable, murmura-t-elle.

Elle prit le script et le replaça sous son bras d'un geste tranquille. Comme Aldo ne quittait pas son siège, elle lui adressa un signe de tête avant de se diriger vers la portelle. Le comédien réagit et s'élança pour la rattraper.

— Puisque vous êtes ici, il faut que vous voyiez quelque chose, alors peut-être me comprendrez-vous.

Il prit sa main libre et l'entraîna vers la maison.

Mélancolia la jugea délabrée et morte. Il y flottait des relents de maladie, mais peut-être se suggestionnait-elle, sachant qu'une femme privée de sa raison l'occupait ? Les murs peints d'une laide couleur beige s'écaillaient. Ils manquaient de tableaux. Les plinthes étaient moisies et s'effritaient au ras du carrelage. Les portes séparant le vestibule de la cuisine et de la salle à manger étaient vitrées et d'anciens occupants les avaient aveuglées au moyen d'un papier adhésif imitant un cannage de chaise.

Aldo les ouvrit pour laisser sa visiteuse contempler les pièces désespérantes de nudité, chichement pourvues de meubles rares et disparates. Ensuite il la conduisit à la chambre de sa mère où Mme Servellin achevait d'essuyer les pieds de sa malade en lui parlant des prix excessifs du raisin.

Mélancolia regardait la scène affligeante depuis le seuil ; la grosse infirmière ne les avait pas entendus arriver et continuait de discourir de sa voix claironnante d'Arlésienne. Elle geignait en fourbissant les jambes blêmes aux veines bleues saillantes.

— Dans un pays comme le nôtre, ma pôvre, payer le raisin ce qu'on le paie à Paris, vous ne trouvez pas ça honteux ?

Mina restait impavide, absente, les deux bras ballants de chaque côté de sa chaise.

Mélancolia s'écarta, effrayée par le sinistre spectacle des deux femmes. Aldo la conduisit à sa chambre. C'était l'unique pièce « en vie » de la maison, probablement à cause des livres qui l'encombraient, à cause aussi du lit défait et des vêtements jetés à la diable sur des dossiers de chaise.

— Seigneur ! Comment pouvez-vous vivre ainsi ? ne put s'empêcher de soupirer Mélancolia d'une voix blanche.

Il prit des nippes sur une chaise, les jeta à terre et présenta le siège à sa visiteuse.

— J'expie ! fit-il sombrement.

— Quoi ? demanda Mélancolia.

Il eut un rire fêlé.

— Ah ! ça, vous permettez : top secret !

Elle était l'une de ses victimes et l'ignorait probablement. Aldo ne pouvait se défendre d'apprécier le saugrenu de leur situation.

— Savez-vous comment on appelle, dans les hôpitaux, les êtres totalement absents d'eux-mêmes ? Des géraniums. Image choc, n'est-ce pas ? On s'attache aux plantes comme on s'attache aux gens et aux bêtes. J'appelle mon géranium « Maman », ce qui est un drôle de nom pour un géranium. Impossible de le quitter. Ça tourne à l'hypnose. Alors vous comprenez que... « Moteur ! *Carnaval de Tolède,* première !... » maintenant c'est fini. Je m'en fous. J'ai franchi le point de non-retour.

Il vit des larmes aux cils de Mélancolia et s'écria en tapant du pied :

— Ah ! non ! Je vous interdis de pleurer sur moi ! Ce serait un comble !

Il regretta aussitôt cet éclat qui lui avait échappé et redevint froid et attentif, avec plein de ruses torves à disposition.

— Buvons plutôt un coup. Je vais tenter de trouver un verre propre pour vous.

Il fourgonna sur sa table encombrée de paperasses et de bouteilles.

— Scotch, ça vous va ?

Elle lui fit signe que cela « lui allait » parfaitement. Il emplit deux verres à vin et en tendit un à Mélancolia.

— Sans façon, hein ? La tournée du facteur... Un facteur d'Edimbourg !

Il porta un toast et but. Mélancolia l'imita. A la manière dont elle avalait le breuvage, il comprit qu'elle aimait l'alcool et cette constatation jeta un éclairage nouveau sur le personnage.

Il restait debout devant elle, comme hébété. Dans la pièce voisine, Mme Servellin continuait de parler à Mina. Elle lui expliquait les magouilles d'un député de l'endroit qu'elle avait connu tout jeune, alors qu'il servait la messe...

Moretti versa une nouvelle rasade à sa visiteuse. Il ne parlait pas. L'envie le prenait d'embrasser cette bouche emperlée de whisky ; mais Mélancolia l'aurait repoussé. Il commençait à mieux la deviner. S'il devait se passer « quelque chose » entre eux deux, l'initiative viendrait d'elle.

— On est salement seuls, hein ? remarqua-t-il. Moi avec mon géranium, vous avec votre grande fille et votre glorieux. On devrait remonter le courant, chercher à partir de quand s'est produite la disjonction. Il est impossible qu'on soit nés comme ça ; il y a eu une couille au moment de la mise à feu, comme parfois sur les bases de lancement.

Mme Servellin apparut et fut stupéfaite en découvrant Mélancolia.

— Oh ! mais je me disais aussi que j'entendais causer ! dit-elle. Bonjour, madame.

Elle attendit les présentations.

Moretti les fit à sa façon :

— Madame Servellin, la princesse de Clèves !

La grosse infirmière ouvrit de grands yeux.

— Une princesse ! Hé bé ! si je m'attendais.

Elle hocha plusieurs fois la tête et finit par se retirer à reculons, indécise, se demandant si Moretti plaisantait ou non.

Mélancolia sourit.

— Je crois qu'il est temps que je rejoigne mon carrosse. Bien entendu, je dirai à Charles que je suis venue vous déposer le manuscrit.

— Vous aimez le confort, remarqua Aldo, un mensonge par omission suffirait à gâter votre quiétude.

— Oui, c'est probablement ça, fit Mélancolia sans s'émouvoir du sarcasme.

Elle jeta le script sur le lit défait.

— Gardez au moins mon alibi, vous pourrez toujours vous en servir pour allumer le fourneau que j'ai aperçu dans la cuisine.

Il s'abstint de la raccompagner parce qu'il sentait qu'elle préférait interrompre immédiatement leur entrevue. Il écouta décroître son pas, puis carillonner la clochette du jardin. Une haine de déconvenue empoisonnait sa quiétude. Il se mit à penser, sans déplaisir, à tout le mal qu'il avait fait à Mélancolia, trois ans plus tôt.

*
* *

Charles cabriole sur le court. Dora le « promène » impitoyablement en lui servant des balles vicieuses qu'il a la farouche volonté de rattraper. Par bravade, orgueil de bouc. Et pour prouver quoi, grand Dieu ? Qu'il est « encore » jeune et possède de bonnes détentes ? Naïfs gamins que sont les hommes !

En cueillant in extremis la boule pelucheuse, il pense. Un type comme lui « pense » sans trêve, qu'il joue au tennis ou fasse l'amour. Ça ne s'interrompt jamais dans sa tête. Sans cesse affluent de nouvelles images qui en engendrent d'autres, sans ordre, sans fin. Au point qu'il songe à la mort comme à une plage de repos cérébral. Mais tu vas voir qu'il y aura « autre

chose » derrière, qui te forcera à gamberger davantage. Il pense
au Petit Garçon. Il est revenu, à la requête de Mélancolia ; il sort
à nouveau des limbes et se présente avec assurance, *mains aux
hanches,* le salaud ! Il a suffi de ce rappel à l'ordre de Mélancolia
pour le ressusciter. Il a sa gueule timide de victime honteuse de
son courage. Charles voit le Petit Garçon devenu homme, ayant
un petit garçon à son tour. Un gamin qui le déconcerte et l'agace
par ses cris.

L'enfant hurle dans son berceau. Le Petit Garçon de père est
seul avec lui au logis pendant que sa mère fait la classe dans une
école du quartier. Les hurlements du bébé affolent le Petit
Garçon qui berce, berce en essayant de fredonner une comptine
idiote.

Les cris redoublent. Un biberon d'eau sucrée est repoussé par
les petits poings furieux du marmot. Dieu que c'est fort, un
bébé ! Bien plus fort qu'un homme ! Les hommes sont flasques,
les bébés sont des piles d'énergie. L'enfant « fait une colère »
comme disent les grands-mères ; il trépigne, il est violet, il ferme
les yeux pour davantage se concentrer sur ses cris.

Le Petit Garçon perd tout contrôle et le gifle. Oui, il gifle un
bébé. Ce dernier, aussitôt, se tait. Net. Le Petit Garçon lui coule
un regard désespéré d'infanticide !

Dejallieu imagine cette scène affligeante. Un adulte gifleur de
nouveau-né. Le Petit Garçon conserve dans ses doigts la
cuisance du soufflet. Il la gardera toute sa vie. Et malgré tout, il
« corrigera » brutalement son fils à chacune de ses incartades.
Le frappera de sa main cuisante, de sa main déshonorée de père
gifleur de bébé, de sa seule main valide. Il cognera aux mauvais
bulletins scolaires, aux « indisciplines notoires », aux espiègle-
ries douteuses. Il cognera même lorsque son fils sera marié,
parce qu'il aura eu un mouvement d'humeur outrageant sur un
court de tennis.

Dejallieu s'arrache la poitrine pour aller chercher une balle
désespérée. Il parvient à la frapper, mais l'envoie dans les
étoiles. Dora exulte. Petite peste ! Charles reprend haleine. Il
voit l'enfant giflé, « éprouve » ce lent remords indélébile de son
Petit Garçon. Il croit ressentir la légère brûlure du coup sur la
peau de ses doigts à lui, mais c'est le feu de la raquette. Le
frottement sur le cuir patiné. Une raquette tressée avec des
boyaux de chat ! Il y a un animal dans le cadre ovale. Un réseau
de tripes qui participèrent à la digestion de souris et de mou de
veau.

Et le Petit Garçon vécut avec cette douleur impardonnable. Il
avait beau caresser la joue de son fils, toujours la gifle rongeait
ses phalanges comme s'il se fût agi d'une véritable brûlure. Il en
arrivait à envier l'innocence forcée de sa main gauche.

La grosse voiture américaine blanche stoppe à l'orée des courts. Mélancolia reste au volant. Pourquoi ne descend-elle pas ? Dejallieu lui adresse un signe de tendresse et assure son service. Il se venge de Dora par la force. Ses engagements sont en boulet de canon et il est rare qu'elle puisse les contrôler.

Un coup de klaxon qui se veut discret. Dejallieu tourne la tête en direction de l'auto. Mélancolia lui fait signe de la rejoindre. Il dit « pouce » à Dora et sort du court, en faisant miauler le chat mort dans la raquette contre ses genoux.

Au fur et à mesure qu'il s'approche de la voiture, il constate que sa femme est d'une pâleur cireuse. Affolé, il s'élance.

— Ça ne va pas, ma chérie ?

Elle balbutie :

— Un malaise... Ça m'a prise en venant...

Il est impressionné par ses lèvres blanches, par les cernes bistres, en creux sous ses yeux, par les yeux eux-mêmes qui ont des reflets d'abandon extrême.

Il ne sait que faire. Dieu que les hommes sont gauches dans ces cas-là !

— Tu peux te pousser un peu ? Je vais te conduire chez un médecin.

Il s'efforce de rester calme pour la rassurer. Mélancolia tente de se glisser à la place passager, mais l'effort est trop grand ; elle pantelle. Charles appelle Dora de toutes ses forces. Il dégrafe le vêtement de sa femme et se met à lui masser la poitrine.

Il se sent calme, froid, méthodique. Presque indifférent, comme il était indifférent, quelques années auparavant lorsqu'il découvrit le rapt de Dora. Hors de la réalité, plutôt qu'indifférent. Spectateur *out*. Il voit, comprend, mesure. Mais il ne se sent pas « impliqué ». Est-ce une déformation de romancier ? Pourquoi ne vit-il les grands événements qu'après ? Ce mécanisme de ruminant le déconcerte. Dans un premier temps, il les emmagasine, ensuite il les « digère » en les dramatisant, en leur arrachant des implications qu'ils n'avaient pas. Il a besoin qu'un peu d'espace-temps donne poésie et solennité à son vécu. Il ne le vit bien que repensé par lui, réorganisé en somme.

Le cœur de Mélancolia est tout pauvret sous sa main, faible et dolent, en complète arythmie.

Il caresse la poitrine avec application, en rond. Ces diables de seins ne se prêtent pas à sa manœuvre. Une poitrine d'homme est aisée à masser, une poitrine de femme n'est apte qu'aux voluptés. Il s'acharne pourtant.

— Ça te fait du bien ? demande-t-il.

Il juge sa question équivoque et la précise :

— Tu ressens un mieux ?

Elle balbutie un « oui » ténu.

Dora survient et s'affole.

— Qu'est-il arrivé à maman ?

— Elle a pris un malaise. Cours à Baumanière demander un médecin...

Elle s'élance dans le froufrou de sa jupette blanche. Charles pense qu'il y a une bouteille d'eau de Cologne dans la boîte à gants. Il la prend, s'en asperge le creux de la main et plaque sa paume sous le nez de Mélancolia ; puis il se remet à la masser avec l'alcool légèrement parfumé.

Tout en s'activant, il lui parle à mi-voix :

— N'aie pas peur, mon amour, ce n'est rien. Ce n'est rien... Tu reprends déjà des couleurs... Je t'aime...

Et c'est vrai qu'elle récupère, Mélancolia. Elle respire profondément pour se débarrasser du poids qui écrase encore ses poumons. Les bruits de l'existence qui lui étaient devenus lointains, improbables, retrouvent leur joyeuse présence. Elle perçoit le claquement sec des balles de tennis sur les courts proches, des exclamations, des chants d'oiseaux, le bourdonnement d'un engin mécanique au loin... Elle sourit.

— Cela va mieux, dit-elle.

Son mari lui bassine les tempes.

Elle a un léger geste pour l'en empêcher.

— Fais attention à mes cheveux !

Du coup, le voilà pleinement rassuré. Si la coquetterie reprend ses droits, c'est que tout danger est écarté.

— Reste allongée ; tu veux que je capote ?

— Non, laisse... Le soleil, c'est bon.

Elle a une toute petite voix de toute petite fille convalescente. Charles dépose un baiser sur les paupières baissées de sa femme.

— Imbécile, tu nous joues de ces blagues... Ça t'a prise comment ?

— Je revenais de Saint-Rémy, j'avais pris par le Val-d'Enfer. Ce doit être ces virages... A jeun...

— Sûrement. Pourquoi diantre Saint-Rémy ? Il n'y a donc pas de pharmacien plus près ? A Paradou ou à Maussane ?

— Je ne suis pas allée à la pharmacie, mais chez Moretti.

Dejallieu sourcille.

— Chez Moretti ! Et pourquoi ?

— Pour lui porter le script du *Carnaval de Tolède.*

— Mais puisque ce con veut rester ringard, puisque c'est sa vocation profonde ! Merde, on ne va pas lui cirer les bottes ! Le supplier ! Car il a raison lorsqu'il prévoit qu'un *come-back* serait difficile.

Mélancolia supplie :

— Ne crie pas, Charles, j'ai cru bien faire. Il me semblait que tu tenais à lui pour ce rôle.

Dejallieu se calme.

— C'était une idée saugrenue, une fantaisie d'auteur. Un défi... J'aurais voulu prouver qu'un bon texte et une bonne histoire sont les vrais moteurs d'un spectacle, et que le comédien

n'a qu'à entrer dans un personnage préparé comme un marion-
nettiste enfonce ses doigts dans les trous de la marionnette pour
lui donner vie.

Machinalement, il questionne :

— Et qu'a-t-il dit ?

— Toujours pareil : il refuse. J'ai vu sa mère, sa maison :
c'est lugubre. Vivre ainsi, à son âge, c'est suicidaire. Ce type doit
être un peu dérangé.

Dora survient, escortant un vieux monsieur aux cheveux
blancs, très chenu. Il porte un costume de ville en tissu
« d'hiver », dans les teintes sombres, une chemise blanche, une
cravate noire. Des décorations égaient sa boutonnière.

— Ce monsieur est médecin, c'est un client de l'*Oustau.*

Le vieillard ne dit pas un mot, ne salue personne. Il ouvre la
portière, côté conducteur, avec quelques difficultés, et palpe la
poitrine de Mélancolia. Il se met à la questionner d'un ton
professionnel. Il lui parle de ses règles, et d'un tas d'autres
choses.

Charles et Dora s'écartent. Dejallieu considère la scène et la
projette sur un écran. La grosse bagnole blanche croulant sous
ses chromes ; sa femme alanguie à son volant, ce petit bonhomme qui l'ausculte en plein soleil, appuyant sa vieille oreille
de probablement sourdingue sur la poitrine de Mélancolia.

Les joueurs du court voisin se sont aperçus qu'il « se passait
quelque chose » et lorgnent en direction de l'auto. Ils jouent
mou. Des guêpes (ou des abeilles) fourragent en bourdonnant
dans un buisson proche.

— Tu crois que c'est grave ? interroge Dora.

Charles hausse les épaules.

— Penses-tu : un coup de chaleur, les virages, et puis
l'énervement. Elle est allée porter mon script au connard d'hier
soir ; il a refusé de nouveau. Ta mère a dû mal prendre la chose.
Je la connais : c'est nerveux.

Le docteur a fini de s'affairer sur Mélancolia. Charles et sa
belle-fille se rapprochent.

Le vieillard est affligé d'un strabisme divergent qui gêne ses
interlocuteurs.

— Où habitez-vous ? demande-t-il de sa petite voix méticuleuse.

— A Cannes.

— Je ne crois pas que ce soit bien méchant, mais vous devriez
consulter un cardiologue. Je n'exerce plus, il m'est donc
impossible de vous faire une ordonnance. Vous pouvez toujours
prendre quelques comprimés de Sympathyl en attendant, c'est
en vente libre mais cela donne de bons résultats. Aujourd'hui,
repos, alimentation légère et surtout pas d'alcool.

Pourquoi Charles eut-il l'impression que le vieil homme

mettait une intention toute particulière dans cette dernière recommandation ?

Il le remercia chaleureusement, mais le médecin coupa court, assurant que c'était là la moindre des choses. Il s'excusa car son épouse l'attendait pour le déjeuner et repartit d'un petit pas vif, le dos voûté, ses cheveux blancs étincelant au soleil. Charles se pencha sur sa femme et l'embrassa. Sa bouche sentait le whisky. Il comprit alors pourquoi le docteur avait interdit l'alcool. Il ne dit rien, mais une bouffée de jalousie faucha son élan de tendresse. Elle avait bu chez Moretti. Elle qui, depuis la triste scène du Teacher's Royal de Gstaad avait renoncé à son cher scotch !

Il s'en fut chercher sa mallette et sa raquette sur le court ; il luttait contre un désenchantement qui allait le persécuter pendant toute la journée.

IV

Il la reconnaissait tout de suite au milieu de ses compagnes de classe bien qu'elle fût d'une taille plutôt moyenne. Chaque fois, une sorte de cabriole s'opérait en lui et il avait envie de sautiller, ce qui est un signe de bonheur. Elle le comblait instantanément et lorsqu'elle s'avançait vers lui, souriante mais mesurée, il avait du mal à réprimer sa fougue et à lui donner un baiser faussement distrait.

Elle portait une jupe en jean, un tee-shirt blanc sur lequel était inscrit en caractères de graffiti « Follow me ». Elle trimbalait son matériel de classe dans un sac Vuitton. Ses cheveux qu'elle laissait pousser étaient maintenus par une grosse barrette bleue.

— Maman n'est pas avec toi ? s'étonna-t-elle.

Charles hocha la tête.

— Non, elle se sent mal fichue : des angoisses, dit-elle ; je vais prendre rendez-vous avec un cardiologue.

— Tu aurais déjà dû le faire, reprocha Dora.

Dejallieu acquiesça humblement.

— Je sais bien, mais tu connais ta mère ? Tu lui parles médecin, elle te répond : Aspirine.

Malgré l'inquiétude que lui causait Mélancolia, il savourait de se trouver seul avec sa « fille ». Cela ressemblait à un bout d'escapade.

— Si je t'offrais quelque chose ? proposa-t-il.

— Quoi donc ?

— Ce que tu voudras.

— En quel honneur ?

— En l'honneur de toi, ma fille. Laisse-moi jouer au papa gâteau puisque notre petite Gestapo n'est pas là pour nous prêcher le raisonnable.

Dora lui sourit.

— Dans le fond, déclara-t-elle, tu es mieux qu'un père.

Il eut un léger passage « à triste ».

— Qu'en sais-tu, Dora ?

Elle lui prit le bras en louchant sur ses compagnes de classe qui se dispersaient. La plupart d'entre elles lisaient les livres de Charles et l'admiraient. Dora souhaitait de toutes ses forces qu'elles fussent jalouses d'elle.

— Tu crois que c'est grave, maman ?

— A son âge, rien n'est grave. Mais il faut la soigner.

— Tu connais un bon cardio ?

— J'ai des copains toubibs sur la Côte, je vais leur demander conseil. Alors, que décides-tu ?

— A quel propos ?

— A propos du cadeau ?

Elle haussa les épaules :

— Que veux-tu que je te réponde, Charles : j'ai tout ce qu'il me faut.

— D'accord, mais c'est le superflu le plus agréable.

— On pourrait aller faire un tour chez Benetton, mais je te préviens que ta femme va crier au gaspillage.

Il lui acheta un ensemble vert Nil qui seyait bien à sa couleur de cheveux. Pendant qu'elle se regardait dans la glace, visiblement satisfaite de ses formes, il songea qu'un jour un type quelconque, venu d'on ne sait où, la capturerait et la garderait pour lui seul. Dejallieu pensait fréquemment à ce destin inéluctable. Cette perspective l'affolait. Il ne concevait plus la vie sans Dora. L'idée de vivre en tête à tête avec Mélancolia l'effrayait un peu. Charles se demandait s'ils auraient encore des choses intéressantes à se dire, elle et lui. Ils avaient tellement pris l'habitude d'exister à trois, de penser, de décider, d'agir à trois... Probablement compenserait-il ce cruel « manque » par le travail. Il deviendrait un vieil ours ensuqué, ivre de phrases trop malléables auxquelles on n'arrive jamais à donner une forme définitive. Il s'imaginait, en robe de chambre, non rasé, bouffi, avec une gueule de boxeur qui a pris trop de coups. Et il chialerait dans les coins sur l'absence de Dora. Peut-être se mettrait-il à picoler, tout doucettement ? Du vin. Il n'aimait que le vin. Des crus somptueux, millésimés. Cuite de race, biture de seigneur ! Ils allaient devenir vieux rapidement, Mélancolia et lui.

En attendant, il fallait déguster le présent à la petite cuiller, n'en rien laisser perdre.

— Prends également le rose ! dit-il à Dora.

*
* *

Mélancolia respire profondément sur la terrasse de pierres blondes. Leur mas ferait la couverture de *Maisons et Jardins* tant il est conforme à ce que d'honnêtes bourgeois peuvent attendre d'un logis sur la Côte d'Azur. Portes-fenêtres aux volets blancs, tuiles couleur de pain cuit, chiens-assis, carreaux cirés, grosse cheminée... Un rêve solidifié! Le prototype du rêve... Ne manquent ni le lierre « envahissant », ni les rosiers tressés en arceaux. Mélancolia se dit qu'à la longue cette demeure finit par lui peser. Elle fait trop « M. Tout-le-monde-de-luxe ».

Le soleil l'enveloppe. Son oppression se dissipe peu à peu. Elle se délecte de senteurs suaves. Quand elle vivait à Boston, chez ce gros dégueulasse de docteur Sullivan, ce qui l'accablait le plus c'était l'odeur de la maison. Une odeur qui ne permettait pas qu'on s'y sentît à l'aise. Relents pharmaceutiques, et puis remugles d'urine, de vieux bois, de plâtres poreux, de...

De quoi, encore?

Odeur de non-bonheur. Odeur de branlette à deux. Elle chasse l'image fatidique du bonhomme face à sa servante noire. Mais les idées qui naissent spontanément, pour les dissiper, tu peux toujours courir! Alors tout s'organise, cette louche manœuvre du couple se précise et insiste. Sullivan, les pans de sa blouse blanche écartés. Et miss Molly... Tiens, miss Molly aussi avait une blouse blanche, qu'elle retroussait par-dessus son ventre. Ils étaient en blanc, les deux faux amants. Clinique et cuisine. Leurs sexes avaient des teintes rosâtres... Mélancolia devrait avoir la nausée à une telle évocation, mais au contraire, le trouble de la chair lui vient. L'inonde. Au tableau qui l'accompagne depuis l'aube de son adolescence se superpose un visage. Comme sur les affiches de films. Tu vois le paysage, la diligence lancée à toute allure, les chevaux crinières au vent. Et puis, la gueule de John Wayne dominant tout ça. Avec ses favoris, son air de vieux cow-boy branleur branlant, sûr de soi, son sourire pour réclame de pâte dentifrice.

Mélancolia a une immense affiche dans la tête. On y voit le docteur Sullivan astiquant son gros moignon de paf, et miss Molly secouant un fourbi rose entre ses grosses cuisses luisantes. Par-dessus le couple, la figure inquiétante d'Aldo Moretti. Figure d'ange impur et de salaud qui n'irait pas jusqu'au bout de sa saloperie. Mais le regard est fascinant, la bouche désirable, terriblement désirable.

Mélancolia serre étroitement ses jambes.

Le téléphone vient l'importuner. Ce doit être Charles qui l'appelle pour lui demander si elle serait d'accord pour manger un homard qu'il a vu dans la vitrine de leur traiteur habituel, ou tout simplement pour prendre de ses nouvelles.

Elle se lève sans joie et va décrocher dans le grand salon aux meubles anciens. Près de l'appareil, sur la table basse, il y a un fabuleux bouquet, énorme, triomphal, que Charles a acheté hier et qui tenait tout l'arrière de l'auto, ce qui faisait rouspéter Dora.

— J'écoute?

— Aldo Moretti ; je dérange ?

La voix un peu sourde prend aussitôt possession de Mélancolia. Elle ne peut s'empêcher de murmurer :

— C'est étrange, je pensais justement à vous.

— Moi je pense à vous sans trêve, répond le comédien. Vous tambourinez à mes tempes, comme mon sang. Mais ce n'est pas pour vous faire une déclaration d'amour que je vous appelle.

— Comment avez-vous eu notre téléphone ?

Il a son petit rire narquois, un peu vache, à la lisière de l'insolence.

— C'est la question que j'ai posée à votre époux le jour où il m'a appelé ; mais mon explication à moi est plus simple que la sienne : vos coordonnées figurent sur le script que vous m'avez confié. Imprimées sur une petite étiquette autocollante : « Le Mont des Oliviers, Mandelieu. » C'est vous qui avez trouvé ce nom ? Faut oser !

Mélancolia se rebiffe.

— Il existait déjà et nous avons osé le conserver.

Elle ne comprend pas la hargne du garçon. Ils lui veulent du bien, tentent de lui présenter une perche pour l'arracher à sa médiocrité, et il paraît leur tenir rancune de leur sollicitude. N'est-ce pas un système de défense ? Parce qu'il ressent une inclination pour Mélancolia et qu'il se refuse d'aller plus loin avec elle ?

Elle se tait, lui aussi. Chacun perçoit la respiration de l'autre.

— J'ai lu, finit-il par dire.

— Ça vous plaît ?

— Oui, sauf la fin que je trouve un peu pleurnicharde et mélo.

— C'est celle du livre.

— D'accord, mais on peut faire passer dans un bouquin des sentiments qui deviennent ridicules à l'écran. La prose permet de tout dire, le cinéma et le théâtre grossissent impitoyablement.

— Je ferai part de vos critiques à mon époux.

— Il n'est pas là ?

— Pas pour l'instant.

Il y a une nouvelle plage de silence. Une fois de plus, c'est lui qui prend l'initiative :

— Ainsi, vous pensiez à moi au moment où j'ai sonné ?

— Oui.

— C'est indiscret de vous demander à quoi ressemblaient ces pensées, madame Dejallieu ?

— A rien, dit-elle sincèrement. Votre image me venait en mémoire, voilà tout ; peut-être s'agit-il d'un phénomène de télépathie ?

— Ce serait trop beau, soupira Aldo. Le merveilleux est un mastic qui nous sert à boucher les petites fissures de l'existence.

Non, croyez-moi, vous pensiez à moi pour la même raison qui fait que je pense à vous.

Elle s'abstient de lui demander ce qu'est cette raison. Mélancolia se sent rougir et son oppression revient, plus pénible que précédemment. Peut-être s'agit-il d'un point de pneumonie ? Elle doit absolument consulter un médecin.

Moretti murmure :

— Si votre grand homme est toujours dans les mêmes dispositions, j'accepte de jouer le rôle.

Mélancolia ne bronche pas. Satisfaction et peur s'enchevêtrent en elle.

— Je le lui dirai et il prendra contact avec vous.

— Merci.

— Au revoir, monsieur Moretti.

— Oh ! non ! s'écrie-t-il.

— Pardon ?

— Ne raccrochez pas tout de suite, j'ai tellement de choses à vous dire.

— Concernant *le Carnaval de Tolède ?*

— Non, concernant la vie ardente d'Aldo Moretti. Ça c'est du héros ! Un assez beau gosse enfermé dans une bicoque avec un géranium. Un type clair de peau, mais à l'âme pleine d'ombres inquiétantes. Vous savez, madame Dejallieu, j'ai une sacrée histoire à vous raconter. Mais il me faudrait du temps, un climat, du courage et je ne dispose de rien de tout cela. Une histoire... Avez-vous un dictionnaire sous la main ?

— Chez un écrivain, ce serait malheureux !

— Puis-je vous demander de m'y chercher la définition du mot « aberrant » ? Et puis non, on s'en fout, c'est pas pour publier. N'importe si le mot n'est pas juste. Mon histoire est *aberrante,* hyper-aberrante.

— Eh bien, essayez de l'écrire, conseille Mélancolia.

— Comme vous y allez ! Je ne suis pas un homme de lettres, moi, pour faire argent de mes secrets et de mes états d'âme. Les écrivains tiennent boutique dans leurs livres. Ils y vendent des tranches de leur petite vie, comme un pâtissier vend des parts de tarte. Et ça marche, ça marche. Les clients achètent, lisent, se reconnaissent. Parbleu : tout le monde se ressemble ! Ils sont contents. « C'est moi ! C'est bien moi ! » Mais mon histoire, à moi, ne ressemble à aucune autre. Personne ne s'y reconnaîtrait ! Personne, jamais ! Quelle horreur ! D'ailleurs, je n'ai pas envie qu'elle soit connue, sauf de vous. J'aimerais réussir un tour de force inouï, madame Dejallieu. Devenir au moins votre ami, et puis vous raconter toute ma dégueulasserie. Et vous la conserveriez pour vous toute seule. Ça, ce serait comme une œuvre, voyez-vous. Une œuvre étonnante.

Elle songea qu'il devait avoir passablement bu pour tenir ce langage voisin de l'incohérence. C'était un discours d'ivrogne accoudé au bar, et qui raconte n'importe quoi à n'importe qui pour retarder le moment de rentrer chez lui.

— Excusez-moi, dit-elle, on sonne à la porte. Au revoir.

Elle raccrocha. L'affiche devenait de plus en plus grande. La gueule d'Aldo Moretti se projetait sur d'immenses murs où elle proliférait. Le couple Sullivan-miss Molly devenait, lui, de plus en plus flou.

*
* *

— A quoi penses-tu lorsque tu es au volant ? demanda Dora. On dirait que tu es sur un tapis volant et je me demande si ça n'est pas la voiture qui te conduit.

— Mes conneries, répondit laconiquement Charles.

Par modestie, il traitait ainsi ses écrits. Il parlait rarement de ses « livres », le mot ayant pour lui un sens quasi sacramentel qui lui paraissait hors d'atteinte.

— A l'instant, c'est quoi, tes conneries ?

— L'histoire d'un type que j'appelle « le Petit Garçon » même quand il est d'âge mûr. Pas sa biographie, personne ne peut en écrire une. Même pas la sienne propre ; le temps gomme, transforme, ajoute. Les souvenirs sont des mensonges. Ce que je révèle de mon Petit Garçon, ce sont des bouffées de vie ; des faits à peu près précis. Presque des anecdotes. Tiens, quand il était vraiment petit garçon mon « Petit Garçon », il avait un jour acheté une petite musique en fer, pour sa sœur, dans une fête foraine. Cela ressemblait à une clarinette de fer-blanc. La petite fille devait avoir deux ou trois ans. Elle parcourait l'appartement en s'époumonant dans l'instrument, elle a trébuché et quand elle est tombée, l'embout de celui-ci s'est planté dans son palais. Un flot de sang a jailli. Elle hurlait avec cet épieu dans la bouche...

Charles double un camion, sa manœuvre l'incite à se taire. Il accélère. Les flancs bleus du monstre défilent du côté de Dora. La fumée huileuse les fait tousser. Dejallieu dépasse le lourd véhicule et se rabat.

— Et alors ? demande Dora, impressionnée.

— Alors le Petit Garçon a cru qu'il devenait fou. Il s'est sauvé en hurlant dans l'escalier, puis dans la rue. Il criait : « J'ai tué ma petite sœur ! J'ai tué ma petite sœur. » Les gens s'arrêtaient, le regardaient foncer. Il est allé d'une traite chez leur médecin de famille, il a sonné, il continuait de crier. La femme du docteur lui a ouvert, il a hurlé qu'il avait tué sa petite sœur, en précisant que le praticien devait aller tout de suite, tout de suite, *tout de suite* chez eux, Grand-Rue. Ensuite il est reparti ; il courait et criait toujours. Une dame a fini par stopper sa course. Elle l'a fait parler. Il a tout expliqué en hoquetant. Elle l'a reconduit à son domicile où, par miracle, tout était redevenu calme. Le docteur

avait examiné l'enfant. Le voile du palais n'avait pas été percé.
Quelques rinçages de bouche et il n'y paraîtrait plus. Le Petit
Garçon a décidé qu'il y avait eu miracle. Un miracle, en somme,
c'est un drame instantanément conjuré ; le temps qui est
retourné à la case départ. Cet incident alluma en lui une petite
flamme de tabernacle qui ne devait plus s'éteindre. Dans les
pires circonstances de sa vie, au plus profond des plus noirs
désespoirs, elle continuait de briller. C'était l'espérance, la
fenêtre éclairée au bout du chemin. De plus, l'incident met en
relief les caractères dominants du personnage : il a un instinct
puissant de dramatisation ; il se culpabilise à tout propos : avoir
acheté la trompette équivalait pour lui à avoir tué sa sœur. Mais
au plus fort du drame il reste lucide puisqu'il court alterter le
médecin.

Il vire dans un chemin riant, bordé de haies bien taillées qui
conduit au « Mont des Oliviers ». Coups de klaxon légers pour
annoncer leur arrivée à Mélancolia. Ils la trouvent assise au
salon où il fait frais. Sa pâleur alarme Charles et Dora.

— Ça ne va pas mieux ?

— J'étais complètement remise, et puis...

— Je téléphone à un médecin...

Il se jette sur l'annuaire de Cannes, épluche une colonne de
noms ; lequel choisir ? Il se dit que la cardiologie, c'est avant tout
des instruments permettant de poser un diagnostic ; pour le
traitement, ils seront toujours à même de le faire contrôler par la
suite.

Il choisit un nom de consonance israélite, jugeant qu'en
matière médicale cela fait « plus sérieux ».

Une préposée indifférente déclame sur un disque que le
docteur Scheünberg est parti et qu'en cas d'urgence, il faut
appeler le Centre de cardiologie dont le numéro est...

Charles sent qu'il est embrigadé dans le circuit. Il compose
docilement le téléphone du Centre. La personne qui lui répond
écoute patiemment ses explications. Elle est sensible à son nom
quand il le donne et demande avec vivacité si c'est Dejallieu
comme l'écrivain. Dejallieu répond *que c'est l'écrivain*. Alors
tout s'arrange et ils peuvent descendre.

Dora va se mettre à ses devoirs pendant qu'ils se rendront au
Centre. Dejallieu se sent talonné par la vie. Il perd le contrôle de
leur destin. A partir de maintenant, il ne dispose plus de leur
temps. Il rentre dans le rang.

Mélancolia gagne l'auto, à petits pas, appuyée au bras de son
mari.

— Tu souffres ?

— Je suis bloquée. La poitrine... Dans le fond, j'ai dû
prendre froid et je fais un début de je ne sais quoi : pneumonie
ou pleurésie.

— On va voir ça.

Il l'installe.

— Je vais remonter la capote, il commence à faire frais.

Elle ne répond rien. Charles branche le contact et enclenche le bouton de manœuvre de la capote. Elle se soulève dans un léger bruit de frelon. Il y a un angle sous lequel elle rend l'attelage grotesque en ressemblant à une casquette rejetée derrière la tête, visière à la verticale. Il actionne les deux crochets de fixation et démarre.

Charles comprend qu'il doit parler à sa femme, la rassurer, créer un ronron familier. Surtout, ne pas s'engouffrer dans ses délirades mentales. Il lui dit qu'il est bien content de cette initiative brusquée. Depuis le temps qu'elle traîne des malaises plus ou moins aigus, ça commençait à bien faire. On n'a pas intérêt à jouer les autruches. Le cœur net... C'est le cas de le dire. *En avoir le cœur net,* l'expression tournée en boutade le fait rire. Mélancolia reste calme, coincée en elle-même. Respirant menu, comme aux aguets.

Elle annonce avec effort l'appel téléphonique de Moretti. Il a réfléchi et accepte de jouer le rôle. Charles bougonne qu'il déteste les gens capricieux. Il n'est pas à la dévotion de ce paumé ! Mélancolia ne répond rien. Elle regarde « l'affiche Aldo Moretti » développée sur le paysage, surdimensionnée au point de lui cacher le panorama de Cannes.

— C'est la lecture du script qui l'a fait revenir sur sa décision, ajoute-t-elle.

Dejallieu enregistre une satisfaction d'auteur. Mélancolia hésite à lui rapporter la critique du comédien concernant la fin de l'adaptation ; elle s'abstient. Son mari est ombrageux parfois, et l'objection d'Aldo risquerait de tout faire capoter. Pourquoi tient-elle à ce que Moretti fasse l'affaire ? Des pensées impures la traversent, malgré sa souffrance. La chambre de miss Molly, et puis Aldo à la place du docteur Sullivan, et puis encore elle à la place de miss Molly. La chair nous tenaille. La chair nous conduit. Nous lui appartenons. Ceux qui peuvent lutter contre elle sont ceux qu'elle tourmente le moins. Nous résistons, nous avons la volonté de résister, mais il y a cette tentation logée dans notre viande et dans notre esprit, soudain en parfaite connivence. Cette tentation qui nous emporte comme un gigantesque éboulement.

Mélancolia ferme les yeux.

— Ecoute-moi, Charles.

— Mon âme ?

— Il faut que Moretti fasse ce rôle, mais je ne veux plus le revoir ; arrange-toi.

— Pourquoi me dis-tu cela ? questionne Dejallieu, frappé par la voix ardente de sa femme.

— Parce qu'il y a en lui quelque chose qui me trouble,

Charles. Il est malheureux, et on est touché. Et puis on pressent qu'il est capable de tout. Tu t'en rends compte ?

— Bien sûr.

Elle voudrait lui parler de ce secret auquel Aldo faisait allusion et qu'il aspirait à lui confier, mais ce serait trop. Dejallieu est jaloux. Il demanderait des explications à Moretti. En tout cas, ne donnerait pas suite pour le téléfilm.

Ils parviennent à l'hôpital, au Centre de cardiologie. Charles parlemente avec sa correspondante de naguère qui doit être sa lectrice, mais à cause des circonstances elle n'ose lui parler de ses bouquins. C'est une dame corpulente et peu coquette, qui ne surveille pas la racine de ses cheveux et ne s'épile pas. Elle porte un chemisier à pois sous sa blouse. Charles déteste les tissus à pois qu'il trouve communs.

Il remplit des paperasses. La dame hèle une femme de service noire et lui demande d'accompagner « ces messieurs-dames » chez le docteur Mandel.

Alors ils cheminent dans des couloirs dont le revêtement de sol est fourbi à ne plus en pouvoir, prennent place dans un ascenseur conçu pour le transport des lits où subsistent des odeurs de maladie.

Nouveau cheminement dans les étages. Des portes vitrées de verre dépoli. « Défense d'entrer ». On entre. Ils prennent place dans une petite pièce qui n'est pas un salon d'attente, ni une salle d'auscultation, mais un local sans destination précise comportant un classeur, un chariot sans matelas, des cartons empilés.

Charles invite sa femme à s'asseoir sur le lit-chariot, à même le sommier. Il reste debout contre elle, la tenant par l'épaule. Leur attente est brève. Un homme en blanc surgit, les pieds nus dans des savates de feutre. Il est jeune. Il porte un bouc noir qui le fait ressembler à un révolutionnaire soviétique. Il est un peu gras et il a l'air mécontent. Lui se fout que Dejallieu soit Dejallieu. Il n'a probablement jamais pratiqué sa littérature.

Il n'a même pas un salut pour le couple, simplement il dit à Mélancolia de le suivre. Charles voudrait accompagner sa femme, mais le médecin lui fait signe de rester sur place. Dejallieu est furieux. Il regrette de n'avoir pas cherché un autre cardiologue sur l'annuaire. Un privé. Merde ! la médecine c'est avant tout la charité. Il n'est pas charitable de refouler un mari inquiet ; pas charitable de trimbaler cette gueule sinistre d'homme écœuré. Charles a grande envie d'aller récupérer Mélancolia et de l'emmener. S'il se résigne, c'est à cause d'elle qui souffre et dont il faut détecter le mal.

Il s'assoit sur le chariot.

Le Petit Garçon qui musardait s'approche de lui. Salut, grand con d'écrivailleur !

Dejallieu tente de lui faire gueule de bois, gueule de raie. Mais le petit vampire vient se camper selon son habitude. Il est de plus en plus hardi. C'est un pique-assiette de la pensée.

Il lui parle de femmes. Une sarabande de femmes qu'il a connues, simplement frôlées parfois, et parfois baisées. Il parle à Charles de cette approche étincelante. Il lui fallait vaincre sa timidité, *prendre le bras mort à son compte*. Oser. Alors il parlait et tout s'arrangeait parce qu'il trouvait des mots pour chacune (c'était fréquemment les mêmes qui resservaient). Il faisait dans la mélancolie : la vie dans laquelle il s'empêtrait. Des tristesses infinies, mal exprimables, tu vois ? Tout semble bien, mais rien n'est satisfaisant. Une âme qui n'en finit pas de vaguer. Des foutaises ; le ton suffisait ; le regard aussi.

Le prenaient-elles en obscure pitié, ces dames ? Peut-être que oui, bien que ce ne soit pas tellement leur genre, la pitié. Elles sont davantage préoccupées par leurs miches et les guenilles qu'elles foutent dessus. Le Petit Garçon en revoit une, dans un tramway bondé de Lyon. Petite, brunette, coiffée d'une espèce de chéchia qui devait être ridicule mais qui pourtant le séduisit. Elle portait un tailleur à rayures, elle avait l'air espiègle, le regard déluré. Il lui sourit, elle lui parla. Et puis ils se virent assidûment. Mais il ne lui fit l'amour que bien plus tard, plus d'un an après cette première rencontre.

Leurs relations stagnèrent longtemps dans le frotti-frotta, les attouchements. Elle était fiancée à un militaire, un grand type maigre et blême à l'air sinistre, que le Petit Garçon aperçut une fois ou deux, le malheur au cœur, après s'être embusqué près de chez sa belle. Elle lui avait avoué avoir des rapports sexuels avec le fiancé et cette révélation le bloquait. Il admettait qu'elle appartînt *à l'autre*. Lui n'était qu'un braconnier de l'amour, le soupirant sans exigences ni espoir.

Le temps passant, ils se virent de moins en moins car l'amour platonique est un plat tiède, vite rebutant. Et puis un jour, le Petit Garçon fut lauréat d'un concours. La presse régionale parla de lui. La mignonne bonne femme resurgit, attirée par cet éclat de gloire. Elle se précipita sur lui, moite d'un étrange orgueil qui lui provoquait une excitation physique dont il fut conscient.

Quelques minutes plus tard, il l'emmenait dans un minable hôtel de passes où on leur délivra une chambrette exiguë, sans fenêtre ni le moindre confort, et il la prit séance tenante, comme un garçon de ferme culbute une bergère dans la paille. Le sommier ravagé criait misère, il avait les pieds meurtris par les barreaux du lit trop court. Il la besogna sans joie. N'éprouvait qu'un vilain plaisir de vengeance imprécise. La brusque facilité de cette fille longtemps convoitée le décevait. Elle avait enfreint les règles du jeu sacré. Il lui fit l'amour gauchement, avec hargne et mépris.

Par la suite, il la revit au gré des hasards, lui refit l'amour, toujours dans des lieux sordides et en bâclant. Il organisa même une *sortie* avec elle et un de ses copains auquel il l'offrit après l'avoir prise une dernière fois. S'il conservait ces fades souvenirs, c'était parce qu'il l'avait aimée un temps, et que l'amour resterait toujours à ses yeux, sacramentel.

La porte s'ouvre, le médecin réapparaît. Il a des lunettes posées sur les cheveux, en visière, et il gratte son bouc noir d'un air de plus en plus mécontent.

Charles est paniqué de ne pas voir Mélancolia.

— Où est-elle ? balbutie-t-il.

— Nous allons la garder ici cette nuit, déclare le docteur. Son électrocardiogramme n'est pas très fameux.

— Mais quoi donc ? bredouille Dejallieu.

Il est presque incrédule. Comme la plupart des gens, il est venu ici pour qu'on le rassure, non pour qu'on accroisse ses alarmes.

Son interlocuteur continue de faire crisser sa foutue barbiche à la Trotski.

Il parle en usant d'un maximum de termes techniques auxquels Dejallieu ne comprend rien, sinon que l'état cardiaque de Mélancolia est préoccupant.

— Demain, nous ferons des investigations plus poussées ; il y a longtemps qu'elle souffre ?

Charles rassemble ses souvenirs, tente de dresser un bilan de santé de sa femme. Il la revoit, portant la main à sa poitrine avec une légère grimace.

« — Tu as mal ? » demandait-il.

Elle s'empressait de secouer la tête.

« — Une petite crispation, c'est nerveux. »

— Très longtemps, admet-il, penaud.

— Elle n'a jamais consulté ?

— Ce n'est pas une femme qui s'écoute !

— Dommage, grommelle le médecin.

— Vous pensez que ?...

— Nous en reparlerons demain.

— Je veux la voir !

— Attendez : une infirmière la prépare ; ne restez qu'un instant, je vais lui administrer des calmants, il faut qu'elle se détende.

Il disparaît.

Charles reste seul dans la petite pièce indécise. Un coin d'enfer, brusquement. Il pense à *Huis clos,* de Sartre : « l'enfer, c'est les autres ! » Mon œil ! L'enfer, c'est soi-même. On devrait se sentir à l'abri de sa solitude, comme dans un blockhaus ; en réalité, c'est un labyrinthe où l'on se perd sans jamais se retrouver. Il songe qu'il va devoir rentrer à la maison, expliquer ce qui arrive à Dora, dormir seul ! Egoïstement, il s'attendrit sur son propre sort. Dormir seul ! Seigneur ! Sans rencontrer une jambe tiède ou une boucle de cheveux ! Sans entendre le bruit d'une respiration...

Il décide qu'il écrira. Il n'a pas l'habitude de travailler de nuit, sauf rares exceptions. En voici une ! Oui, il travaillera et boira de la crème de cassis. Déjà il s'installe dans la maladie de Mélancolia. Déjà il *s'organise.*

Une infirmière vient le prévenir « qu'il peut ». Elle est jeune, nue sous sa blouse, désirable. La petite conne doit s'attifer pour rejoindre son amoureux. Elle ne sait pas qu'elle ne peut être plus bandante qu'en ce moment, dans sa blouse.

Charles va voir sa femme terrassée en lorgnant le cul d'une jeune fille.

Mélancolia a été installée dans une chambre provisoire. Elle est déjà en chemise de toile dont les manches s'arrêtent au coude. Deux tuyaux la relient à un appareil et à une bouteille de sérum physiologique. Elle a été happée par l'hôpital comme par un gros requin des mers chaudes. Il y a quelques instants, c'était une jeune femme élégante, maintenant c'est *une malade.* On l'a dépouillée de son identité, de sa féminité, de son énergie. Elle gît sur un lit équipé d'une potence et de tout un système électrique permettant d'en modifier la hauteur et l'inclinaison.

Elle accueille Charles avec un sourire désenchanté.

— C'est bête, hein ? lui fait-elle.

Il doit réagir, se montrer mâle, surmonter son émotion.

— Tu vois qu'on a bien fait de...

Elle opine doucement.

— J'ai demandé au docteur s'il s'agissait d'un infarctus, reprend Mélancolia, mais il est resté évasif.

— Il est prudent et il a raison. Il est grand temps qu'on te soigne énergiquement, mon amour.

Qu'ajouter de plus ?

— Tu n'as pas peur, au moins, Mélancolia ?

Elle a une expression de surprise.

— Non, pourquoi ?

L'appareil sur lequel elle est branchée produit un sifflement irritant qui doit vite devenir insoutenable. Un tracé électronique, vert, s'inscrit en dents de scie, rapide, inégal. Dejallieu le contemple, fasciné.

— Mon cœur, résume Mélancolia ; on dirait la chaîne des Alpes, tu ne trouves pas ? Le petit bruit lancinant est celui de mes battements.

Comme c'est incommodant, un cœur « extériorisé », qui lance des traits et fait un bruit aigu.

— Ça va t'empêcher de dormir, dit Charles d'un ton qui se veut enjoué ; c'est comme un ronfleur qui entendrait ses ronflements !

— On s'habitue à tout. Tâche de ne pas inquiéter Dora.

— Sois tranquille ; d'ailleurs il n'y a rien d'inquiétant. On va te faire une série d'analyses et, probablement, te flanquer aux anticoagulants pour un temps. Je compterai moi-même tes gouttes de digitaline, tu es tellement braque que tu t'en verserais des rasades.

Il rit faux. Elle lui décoche un regard paisible.

— Tu te sens déjà mieux, je parie ? demande-t-il.

— C'est vrai. Je m'abandonne. Tu m'apporteras mon *beauty-case* demain, et des magazines, pour le cas où je m'attarderais un peu ici. J'aimerais aussi ma robe de chambre blanche que tu m'as achetée à Venise, ainsi que mes mules, et puis...

— A partir de maintenant, il faut que je note, annonce Dejallieu, ma mémoire a une autonomie limitée quand il s'agit de « commissions », tu le sais.

— Je voulais simplement que tu dises à Dora...

— Quoi donc ?

— Qu'elle n'oublie rien avant de partir au lycée. Elle a ses règles et elle est tellement linotte que si je ne m'occupe pas de tout moi-même...

Charles se sent rougir. Il a horreur qu'on parle devant lui de ces contraintes féminines. Mélancolia qui le sait ajoute :

— Pardonne-moi, mais...

— Ne t'inquiète de rien.

Il s'est assis sur le bord du lit et caresse très légèrement sa main dans laquelle est enfoncée la rude aiguille du goutte-à-goutte. Le toubib barbu entrouvre la porte.

— Soyez raisonnable ! lance-t-il.

— Je te quitte, sinon je vais me faire engueuler, dit Charles ; c'est pas un marrant.

— Il a l'air, comme ça, en fait il est très doux avec les patients, assure Melancolia.

Charles se penche et l'embrasse sur la bouche. Tiens, c'est vrai ; ils s'embrassent de moins en moins de cette façon malgré que leurs performances amoureuses soient sans défaillance. Signe d'une usure ? Il préfère ne pas y songer. La bouche de Mélancolia a toujours ce goût de framboise qui le rendait fou.

— A demain, je viendrai tôt.

— Charles, puisque tu n'as rien à faire de particulier, ce soir, tu devrais téléphoner à Moretti pour lui dire que tu es toujours d'accord.

Charles bougonne.

— Eh ben, dis donc, il te tient à cœur, ce gars-là !

— Il faut aller au bout de ses promesses, Charles !

Il la rassure d'un battement de cils et se retire à reculons.

V

Contrairement à ce qu'il avait projeté, Charles se coucha relativement tôt. De retour à la maison, il minimisa pour Dora l'état de santé de sa mère en affirmant qu'elle était restée à l'hôpital afin de subir des tests à jeun, le lendemain. Il lui proposa d'aller au restaurant, ce qu'elle accepta avec plaisir. Ils s'en furent dîner à l'*Oriental,* un établissement au décor pour Mille et Une Nuits où l'on dégustait une excellente cuisine maghrébine. En mangeant sa tajine de mouton, Dejallieu ressentait une confuse honte à l'idée de Mélancolia seule dans sa chambrette anonyme, martyrisée par ces aiguilles fichées dans ses veines. Il s'efforça de suivre la conversation de l'adolescente, mais ils rentrèrent chez eux de bonne heure et firent un « scrabble ». Comme Charles se montrait imbattable à ce jeu, il prenait un handicap en accordant l'emploi d'un dictionnaire à son adversaire. Malgré le concours du Larousse, Dora révéla une faiblesse orthographique qui épouvanta le romancier. Il lui en fit la remarque et Dora se mit à bouder. Ils allèrent au lit sans avoir terminé la partie. Charles avala un cachet qui lui permit d'affronter sans trop d'angoisse le vaste lit conjugal.

Il s'endormit en compagnie du Petit Garçon, lequel passait ses amours en revue ; mais Charles n'avait pas le courage de donner quelque cohérence à ce flot d'images lascives.

Avant de sombrer complètement, il songea qu'il n'avait pas souscrit à la recommandation de Mélancolia en appelant Aldo Moretti à propos du *Carnaval de Tolède.*

La stridence du téléphone l'éveilla. A chaque appel, il se promettait de faire changer cette sonnerie acide contre un ronfleur plus grave, moins impérieux, mais il n'y pensait plus après sa communication.

Il se réveillait toujours très rapidement, presque instantanément, sans passer par ce douloureux purgatoire de brume que connaissent tant de gens. Surpris par l'obscurité extérieure, il regarda l'heure et lut quatre heures dix sur le visage ovale de sa pendulette Cartier. Cette communication quasi nocturne l'effraya. Il décrocha d'un geste fou.

— J'écoute ?

Voix de femme :

— Monsieur Dejallieu ?

— Oui.

Charles se dit que, dans un bouquin, il aurait signalé le silence qui suivit par « une réplique en points de suspension ».

— Qui est à l'appareil ?

C'était sa voix, cette sorte d'aboiement enroué ?

— Ici le Centre de cardiologie, c'est à propos de votre femme. Il faudrait que vous veniez tout de suite ; elle fait une crise et nous sommes très inquiets.

Charles demanda :

— Une crise de quoi ?

— Ben... cardiaque ! répondit son interlocutrice.

Charles eut l'impression de courir sur une lande immense, sans arbres, où soufflait un vent de fin de monde qui l'étouffait.

Mélancolia, quatre heures dix, crise cardiaque...

— J'arrive !

Il raccrocha. Il avait les avant-bras glacés, et cependant de la sueur mouillait sa veste de pyjama.

Il demeura assis en tailleur sur *leur* lit, son sexe lové sur le matelas. Il pensa : « Comme un tronçon de gros reptile », jugea l'image grotesque. Toujours ses bonnes vieilles outrances. Il finissait par caricaturer sa pensée. Elle s'exprimait à gros traits...

Mélancolia, crise cardiaque...

Ça signifiait quoi, au juste ? Qu'elle était dans un état désespéré ? Qu'elle luttait contre la mort ?

Il se leva pour atteindre son veston sur un dossier de fauteuil, chercha le double de la paperasserie qu'il avait dû signer la veille au moment de la « prise en charge ». Il agissait sans véritable hâte, ses gestes étaient presque lents, étudiés. Il trouva le papier, lut le numéro de téléphone de l'hôpital, se le répéta, le temps de regagner l'appareil. Il composa le numéro, mais le standard était coupé pendant la nuit et il n'obtint qu'une irritante sonnerie.

Il raccrocha et entreprit de remettre ses vêtements de la veille, ramassant sa chemise jetée en boule au pied du lit. Fallait-il prévenir Dora ? Il décida de la laisser dormir. Il écrivit un mot pour la rassurer. Un mot vague qui ne voulait rien dire :

Je suis sorti, attends-moi, je n'en aurai pas pour longtemps.

Il déposa le billet devant la porte de la jeune fille.

La nuit s'éclaircissait, vers l'est. Des traînées argentées signalaient la mer, là-bas, dans l'immense gouffre. Dejallieu conduisait vite. L'air frais embaumait.

Il s'efforça de réfléchir calmement, mais cela lui était devenu impossible. Il ne pouvait que se répéter mentalement « Mélancolia... Crise cardiaque ».

Des feux orange clignotaient aux carrefours. Il les traversait en force après un bref appel de phares. Quelques personnes matinales faisaient remuer l'ombre le long des façades et sous les arbres des avenues.

L'hôpital était désert. Des lumières bleues en éclairaient mal l'abord. Charles laissa sa grosse américaine sur un parking « formellement réservé aux ambulances ». Il s'engouffra dans l'usine à maladies, écœuré par toutes les odeurs qui l'agressaient. Ces odeurs fourmillaient comme des insectes ; du moins les visualisait-il ainsi. Cela ressemblait à une effroyable fibrillation. Il crut qu'il allait vomir.

Quelqu'un l'interpella au moment où il pénétrait dans l'ascenseur ; il feignit de ne pas avoir entendu et laissa la lourde porte se refermer.

On l'attendait à l'étage de Mélancolia. Deux femmes chuchotaient dans le couloir, à la hauteur de sa porte. Une grosse Espagnole aux jambes variqueuses et une fille blondasse, sans âge, qui portait un badge sur sa poche, avec son nom écrit dessus. Ce fut cette dernière qui s'avança vers Charles. Il nota les taches de rousseur autour du nez, le regard feutré vaguement hypocrite, les mèches en désordre, la bouche peu faite pour le baiser.

Elle se tenait devant lui, intimidée parce qu'il était un grand con de romancier connu, célèbre même, après tout, auquel on consacrait par périodes, des émissions et des articles et aussi des thèses qu'il ne lisait pas.

Elle devait estimer qu'il fallait un langage particulier pour s'adresser à un homme de lettres.

Dejallieu la contourna et continua d'avancer vers la porte.

— Monsieur ! Monsieur ! réagit la garde de nuit.

Il se retourna.

— N'entrez pas tout de suite, l'interne de nuit est en train de... essaie de...

Charles ne tint pas compte de l'avertissement et poussa la porte.

Il ne vit pas sa femme tout de suite car un couple se tenait de part et d'autre de son lit : un jeune homme blond, frêle et affolé ; une solide femme soucieuse, aux bras noueux. Le garçon était essoufflé, son front ruisselant de sueur disait qu'il venait de fournir un gros effort. La femme tenait un masque à oxygène plaqué sur le visage de Mélancolia. De Mélancolia que Charles ne voyait toujours pas, mais le gros tuyau et le bruit chuintant le renseignaient assez sur ce qui se passait.

Il n'osait avancer. Ne disait rien. C'était un instant inouï de sa vie, tout simplement inouï. Un instant pire que tous les autres instants. Un instant que Beethoven, seul, aurait peut-être su exprimer. Un instant de fracassant silence. Enorme, infini. Un instant à vivre pour toujours. Oui, à vivre pour toujours.

Il n'avait qu'un pas ou deux à faire. Il n'osait pas. Il regardait le dos de la forte femme. On voyait son vigoureux slip de gaillarde à travers la blouse, et la bride de son soutien-gorge. Elle ne s'était pas rendu compte de la présence de Charles et questionna d'un ton naturel, presque tranquille :

— Je crois que ça suffit comme ça, non ?

Le jeune homme frêle regardait Charles. Il ne répondit pas. La femme stoppa l'émission de l'oxygène et se retourna. En apercevant Dejallieu, elle eut l'air gêné. Pourtant elle parvint à sourire, et quelle idée grand Dieu de se forcer à sourire en un pareil moment ? Elle alla fixer le masque de caoutchouc au support qui lui était destiné, cessant ainsi de cacher Mélancolia. Charles la vit donc, projetée au plus loin de la mort, avec un visage autrement, cireux, pincé, étrange. Une expression d'indicible souffrance s'effaçait lentement de ses traits.

Charles continuait de rester à quelque distance, comme si le cadavre de Mélancolia lui inspirait de la défiance, comme s'il redoutait quelque chose de lui.

Le jeune interne tripotait son stéthoscope accroché à son cou.

— Nous avons tout tenté, dit-il.

Il se mit à énumérer les mesures employées, un peu comme s'il se trouvait devant un examinateur. Mais Dejallieu ne l'écoutait pas. L'impensable venait de se produire. Mélancolia, très vite et sans bruit, avait traversé le miroir. Il ne subsistait d'elle que cet univers de sentiments ardents qu'elle avait créé et dont il passerait le restant de ses jours à faire l'inventaire.

Plus une forme indécise sur un lit.

L'interne retira les grosses aiguilles. Tiens, ça saigne encore un peu, un mort ? Il étanchait ce sang avec des tampons de gaze.

Dejallieu s'assit au pied du lit et s'empara de la main gauche de Mélancolia. Il adoptait fréquemment cette position, le soir avant de contourner leur lit pour aller s'allonger auprès d'elle. « Je viens te rendre une petite visite », lui déclarait-il. Elle lui accordait alors ses plus beaux regards de tendresse. « Tu m'aimes ? » demandait Charles. Elle répondait « Et toi ? » Ce n'était pas une réponse, plutôt une manière d'éluder la question. Pourtant elle avait de l'amour dans les yeux, du moins une lueur qui y ressemblait. Il avançait sa main libre sur le corps de Mélancolia pour une nouvelle « expédition de reconnaissance ».

Dejallieu balbutia :

— Tu m'aimes ?

Le regard était clos, la bouche crispée naguère, se relâchait sur un sourire ; le fameux sourire des morts.

Il eut un intense sentiment de frustration. C'était lui que la mort visait en frappant Mélancolia. Ainsi, chaque fois qu'elle avait fait la grimace en portant la main à sa poitrine, sa fin se préparait, presque innocemment, dans la touffeur du quotidien ! Des souvenirs se bousculaient en silence. Il la voyait, prostrée près du téléphone, pour l'enlèvement de sa fille. Et le jour où elle fracassait les bouteilles de scotch contre le marbre de la commode. Et puis des flashes, des flashes... Elle, montant en voiture. Il lui tenait la portière, sa jupe se relevait, il découvrait sa jambe jusqu'à la cuisse... Mélancolia sortant de la salle de bains, fraîche comme une savonnette de luxe.

Elle était encore là, très peu, très mal. Elle faisait encore semblant d'être là, mais elle s'était engloutie. Toutes leurs années de vie commune, tous ces instants de paix ou d'exaltation, ramassés brusquement en un seul, en celui-là si majestueusement horrible qu'il vidait Charles de ses véritables pensées. Mélancolia et sa musique, dans la pénombre du chalet *Trafalgar :* Sinatra, Gershwin, Presley... Une certaine Amérique sonore qu'elle écoutait tout en se faisant bronzer. Mélancolia essayant des toilettes à Paris. Lui, assis, nabab d'époux regardant s'attifer son esclave avec la nonchalance un peu blasée de l'homme qui paie.

Avait-il été digne d'elle ? De son mystère ? Il savait si peu de chose de Mélancolia bien qu'il l'eût fréquemment interrogée sur son passé. Elle racontait l'essentiel, c'est-à-dire ce qui n'éclairait rien, gardant farouchement pour elle les vrais souvenirs. Oui, oui : mystérieuse. Et sa période whisky authentifiait ce mystère, le garantissait. Elle avait vécu à son côté, belle et digne, altière Dame à la licorne, écoutant ses délirades, recevant ses projets, l'aidant à résoudre les embarras de l'existence. Et il remettait sans cesse la grande entreprise qui consisterait à la connaître enfin, à tout savoir d'elle : ce qu'elle pensait de lui et des autres, d'elle-même surtout. Elle n'était donc que de passage dans sa vie, compagne d'une poignée d'années, attentive et muette ? Si belle Mélancolia, avec une formidable pureté qui lui tenait lieu d'énergie.

O Mélancolia ! Ma Mélancolia vite morte, à l'improviste ; sur la pointe des pieds. Morte déjà embaumée dans ses secrets. Et tu es là, froidissante, ô Mélancolia ! O Mélancolia dont les désirs restaient chastes ! Toi, qui faisais si peu de bruit, ma glissante... Si peu de cas de toi, éternelle petite fille vivant dans des univers déjà en place, que tu t'interdisais de forcer ; auprès de gens emplis à ras bord d'eux-mêmes. Mélancolia, à l'accent étrange, si subtil, si troublant. Rouvre les yeux, Mélancolia. Interromps ta mort un instant pour me les accorder une dernière fois et tout me dire en un regard. Je t'aime, Mélancolia. Il n'y aura plus de mimosas, ni de pêchers en fleur puisque tu ne seras plus là pour les contempler. Les oiseaux se tairont. Ta nuit sera ma nuit. Laisse-moi caresser ta main avant qu'elle ne soit de marbre. Tu mourais, et tu ne disais rien, Mélancolia ! Tu vaquais à ton trépas, comme à tes occupa-

tions familiales. Tu nous quittais sans rien nous dire. Tes formes s'attardent encore un peu pour nous chuchoter un dernier adieu. Demain il ne restera de toi que nos pensées.

Le petit docteur blond vient à lui et, gauchement, lui pose la main sur l'épaule.

Dejallieu réagit. Il était en train de « jouer du chagrin » comme on joue de la harpe.

Il se lève. Une tâche écrasante l'attend : prévenir Dora. Comment dit-on à une presque petite fille que sa maman est morte ? On commence par quoi ? Par des regards, par des mots flous ? Ou bien se montre-t-on ferme ? Homme ! Son père lui répétait sans cesse « Sois un homme ! Ne pleure pas : tu es un homme ! » Charles avait toujours la tentation de lui objecter que c'est justement parce qu'on est un homme qu'on pleure.

Il s'éloigna du lit et s'obligea à quitter la chambre sans se retourner. L'infirmière au gros slip lui courut après pour lui demander d'amener une toilette pour qu'on en vêtît la morte. Charles répondit qu'il trouvait cette pratique dégueulasse et qu'il exigeait que son épouse soit inhumée dans sa chemise d'hôpital : il la paierait !

Le jour s'était levé et, malgré le décès de Mélancolia, les arbres étaient peuplés d'oiseaux en folie de vie.

Il regarda l'heure. Dora dormait toujours. Il passa dans la cuisine pour préparer le petit déjeuner. Une sensation de froid le faisait frissonner ; il se sentait entouré de vide, naufragé cosmique en dérive dans l'immensité sidérale. Charles préparait assez fréquemment le petit déjeuner, aussi possédait-il les gestes routiniers.

Tandis que la cafetière italienne remplissait sa mission, il passa dans son bureau pour y prendre leur carnet d'adresses, mais revint téléphoner à la cuisine. Il composa le numéro à petits gestes rapides, tapant d'un doigt les touches du clavier, comme un néophyte de la dactylographie.

Le téléphone de son correspondant sonna longtemps.

Enfin, une voix brumeuse lança un « Allô ! » en forme d'invective.

— Je présume que je vous réveille, monsieur Moretti, fit Charles, je sais que l'heure est pour le moins indue ; mais il n'est jamais trop tôt pour écouter une bonne nouvelle : c'est O.K. pour le rôle.

Aldo luttait contre le sommeil. Il réprima un bâillement et réussit à articuler un « Fantastique ! » qui manquait de conviction.

— La télé se mettra directement en contact avec vous, précisa Dejallieu.

— Merci. Merci de tout cœur, fit Aldo. Rappelez-moi au bon souvenir de votre épouse.

— Ma femme n'a plus de « bon souvenir », déclara Charles : elle est morte cette nuit.

Il raccrocha.

Voilà, Mélancolia : mission remplie. Il aurait dû régler cette question la veille au soir, c'est-à-dire « du vivant » de Mélancolia.

La cafetière fit entendre son épais crachotement de vapeur. Charles disait que son café « entrait en gare » car cela rappelait le bruit des anciennes locomotives.

Il sortit le beurre du bahut, les pots de confiture ; enquilla des toasts dans le grille-pain.

Comme l'appareil les restituait, dorés, fumants, Dora parut en se grattant les cheveux. Elle était en chemise de nuit et nu-pieds selon son habitude. Elle aimait le contact des carreaux de Provence sur sa plante de pied.

L'adolescente présenta son front à son beau-père et il y déposa le baiser habituel. Dora prit place devant « son bol ». Elle avait du mal à « s'arracher », comme elle disait. Charles stoppa le lait à l'instant où il allait déborder. Ses mouvements automatiques l'aidaient à franchir cette « zone d'horreur » dans laquelle il pataugeait.

Il présenta les pots à Dora, leurs anses tournées vers elle. Elle se servit, bâilla, cueillit un toast.

— Tu me promets de pas crier ? fit-elle.

Il attendit la suite. C'était toujours quelques secondes de gagnées sur la misère qui allait fondre sur elle.

— Ce matin, j'ai envie de sécher le lycée et d'aller avec toi à l'hosto voir maman.

Elle ajouta :

— A part le cours de maths, je n'ai pas de matières importantes.

Dejallieu regarda Dora « une dernière fois ». Après ce ne serait plus pareil, jamais ! Il fallait porter l'estocade. Elle était là, dans la fumée du petit déjeuner, sérieuse par manque de lucidité. Il allait prononcer des mots qui lui arracheraient des plaintes.

Il s'assied en face d'elle, les coudes sur la toile cirée pimpante. Mélancolia entre dans le grand magasin. Au rayon du linge de maison, se trouvent des chevalets métalliques supportant les rouleaux de toile cirée. Elle tire sur l'une, pour développer le motif genre cretonne... puis sur une autre à carreaux écossais... Une troisième. Charles regarde à peine. Pour elle le choix d'une nappe paraît important, mais lui, oh ! là là ! ce qu'il s'en fout, alors !

Mélancolia questionne :

« — Celui-ci irait bien avec les meubles provençaux, non ? »

« — Au poil ! »

Bon, Mélancolia n'achètera jamais plus de nappe en toile

cirée. Il fallait vivre cet événement au moment où il se produisait, car c'en était un. Il l'ignorait. Il ne se doutait pas que Mélancolia mourrait quelques mois après.

Il caressa la toile cirée. Motif ? De minuscules bouquets de myosotis sur fond brique. C'est cela, Mélancolia, désormais, cette nappe glacée.

— Tu ne m'as pas répondu, insiste Dora, hein, dis, je peux sécher ?

Il ne dit toujours rien, alors elle lève les yeux sur lui. Merde, il chiale ! De vraies larmes qui pleuvent sur la toile cirée.

La petite repose son bol.

— Qu'est-ce que t'as, Charly ?

Il cache sa gueule dans ses deux mains. Bon, il ne va pas la regarder et tirer au jugé. Dans les pelotons d'exécution, il se trouve probablement des soldats qui ferment les yeux avant de presser sur la détente, non ?

— J'ai été appelé par l'hôpital, très tôt ce matin. « Elle » a eu une crise... Oh ! comment te le dire, ma chérie...

C'est elle qui l'aide, déjà femelle attentive, femelle vigilante, femelle d'abnégation.

— Papa Charles (il est rare qu'elle l'appelle ainsi, et c'est chaque fois dans les cas graves), c'est pas possible, n'est-ce pas ?

Voilà, il n'a plus qu'à acquiescer derrière l'écran de ses foutues mains d'écrivain.

Dora crie :

— Maman est morte ?

Après, ils ne savent plus très bien, ni l'un ni l'autre. Ils se rejoignent au bout de la longue table « de ferme » et s'étreignent en pleurant, mais en pleurant, si tu savais... Des sanglots qui ressemblent à des râles. Des glapissements de chiots perdus. Des grondements de brute en rut. Et sans doute que c'est un peu ridicule, vu d'un peu loin, ce chagrin tumultueux. Parce que après tout, la misère des autres, hein ? Tu m'as compris !

VI

Charles ne devait jamais se rappeler les jours qui précédèrent l'enterrement. Il se laissa ballotter de formalités en formalités. Dora ne le quitta pas d'une semelle. Ensemble ils « choisirent » un cercueil. Ils vécurent presque sans se parler ; mais par instants, une crise de sauvage détresse les jetait l'un contre l'autre et ils s'étreignaient comme la première fois, dans la cuisine, en poussant des cris inarticulés. Ils constituaient leur ultime recours, chacun étant pour l'autre l'épave à laquelle il s'accrochait désespérément.

Il y eut beaucoup de monde aux funérailles. Dejallieu vit débarquer son éditeur, flanqué de son brain-trust ; des journalistes, des « confrères » à lui habitant la Côte et, surtout, quantité de curieux attirés par le chagrin d'un homme célèbre.

Ce fut une période hors du temps. Il déambulait sur une lande lunaire jonchée de souvenirs saccagés. On eût dit une moisson dévastée par un ouragan ; il retrouvait des images encore lisibles, mais beaucoup ne l'étaient plus et se présentaient sous forme de lambeaux. Il y avait des regards de Mélancolia, une toilette d'elle, un mot d'elle, un sourire d'elle et le reste semblait perdu. Il la voyait, dans l'embrasure d'une fenêtre, lui adressant un geste depuis le chalet *Trafalgar ;* ou bien, assise à table tandis qu'il traitait un journaliste, écoutant, imperturbable, son glorieux raconter sa vie, avec des mots constants, des formules si heureuses qu'il ne pouvait se retenir de les débiter, une fois de plus, avec un regard en coin à sa femme pour s'excuser de se répéter devant elle.

De ce passé fauché montait une odeur de foin, pareille à celle qui enivre Gstaad au printemps. Il recherchait désespérément le son de sa voix ; mais il s'était englouti et Dejallieu savait déjà qu'il ne le « retrouverait » jamais ; car l'homme emmagasine des images et des odeurs, plus rarement des sons. Leurs ondes nous arrivent et puis repartent en nous laissant perplexe. Ainsi, le Petit Garçon, lorsqu'il perdit son père, ne retint de sa voix que son cri suprême ; son grand cri d'adieu, de surprise et peut-être de protestation.

Lorsqu'il fut assis dans le corbillard automobile, bizarrement agencé pour les vivants et les morts, Charles passa en revue des façades inexpressives.

Mélancolia était à son côté pour la dernière fois. Elle était née en Belgique, avait franchi une trajectoire et l'escarbille éteinte venait s'engloutir dans ce sol du Midi. Cela formait un « destin ». Il songeait que beaucoup de gens demandent à être enterrés « chez eux ». Ils n'avaient jamais évoqué le sujet, sa femme et lui. Dejallieu ne parlait que de sa mort à lui, tant il était certain de finir avant Mélancolia. Et pourtant, en secret, il avait toujours eu l'impression qu'il ne finirait pas sa vie avec elle.

Dans ses vêtements noirs, Dora n'arrivait pas à ressembler à une orpheline. Elle était pâle, un peu sévère dans son chagrin, regardant les rues où l'on défilait à petit train de cet œil qu'ont les touristes depuis les cars pullmans dans lesquels on les trimbale.

Ce fut le cimetière. Le bruit affolant de la bière coulissant sur le plancher du fourgon. Un bruit d'exécution capitale coupé de heurts brefs, de piétinements.

Il faisait un temps radieux de fin septembre. Les insectes étaient toujours là, vivaces, frénétiques. Dejallieu regarda le ciel entre deux cyprès pour y chercher le visage de Mélancolia ; mais elle était absente, ailleurs. Et peut-être n'était-elle plus du tout. Peut-être qu'il ne subsistait d'elle que sa dépouille dans la boîte « richement » capitonnée, et ces souvenirs hachés dont le pourrissement le chavirait.

Un maître de cérémonie mettait en scène tout cela, distribuait les rôles, organisait les déplacements de chacun avec une mine d'affligé professionnel.

Lorsque le cercueil fut en terre, que Dora et Charles eurent souscrit au rite de l'eau bénite, le préposé les guida à la porte du cimetière afin d'y recevoir les condoléances. Charles eut un coup de panique et voulut refuser. Ce qui le retint, ce fut le souvenir de la disparue. Il avait trop tendance à éluder ce qui lui était pénible. Mélancolia « méritait » qu'il accepte la dure corvée. Ce fut une offrande ultime, un sacrifice consenti à la mémoire de sa femme, chargé de lui « revaloir » un peu de ce qu'elle avait si souvent enduré pour épargner la sereine quiétude du maître.

Il s'efforça de rester droit et digne aux côtés de Dora. L'adolescente avait cette morne expression des enfants qui se rasent en compagnie des grandes personnes. Elle était polie, mais d'une indifférence inhumaine.

Le défilé commença. Charles regarda ces gueules dont la plupart lui étaient inconnues. Il pressait les mains, disait « Merci » lorsque les lèvres de ses furtifs interlocuteurs avaient cessé de bouger. Parfois il devait « doubler » parce que l'autre n'avait pas fini. Il lisait la vérité au fond des yeux braqués sur les siens, apercevait la compassion là où elle était sincère, ou bien l'hypocrisie. Il fut même surpris — sans en être le moins du monde affecté — de débusquer, çà et là, de la jubilation, un contentement faisandé. Certains êtres sont ainsi : le malheur des autres est pour eux une espèce d'acquis. Charles se dit qu'ils assistaient à un cocktail offert en l'honneur de leur cruauté. Il ne les haïssait pas, ni ne les plaignait. Il se contentait de les « constater », d'en prendre acte. Eux aussi témoignaient pour l'homme et sa grande misère infinie.

De temps à autre, émergeant de la cohorte d'anonymes, un visage connu surgissait, Charles découvrait que cette présence lui apportait un peu de chaleur. Ainsi de son éditeur, d'Isabelle Ramone, sa directrice littéraire, de son vieux jardinier boiteux, de leur épicier qui « livrait à domicile », du facteur auquel il remettait un royal pourboire à chaque *recommandé,* de la directrice de l'institut fréquenté par Dora. Il y eut une délégation de ses compagnes de classe : des jouvencelles en larmes qui hoquetèrent à tour de rôle en l'embrassant. Dora demeurait impassible, et ce côté lointain, ce côté perdu accroissait la peine de ses condisciples.

Et puis il eut devant lui Aldo Moretti, et il songea, avant même de bien réaliser sa présence : « Dieu, qu'il est beau ! » Le comédien portait un costume bleu, une chemise blanche, un foulard bleu. Le soleil éclairait ses cheveux blonds. On le sentait pâle et crispé sous son hâle. Il avait les yeux embués. « Larmes de comédien », se dit Dejallieu, mais il était de mauvaise foi car l'émotion de Moretti n'était pas feinte. Le garçon paraissait réellement affecté. Il serra avec force la main du romancier. Dejallieu se remémora les paroles de Mélancolia, dans son lit d'hôpital : *Puisque tu n'as rien à faire, ce soir, tu devrais téléphoner à Moretti pour lui dire que tu es toujours d'accord.*

Et parce qu'il tiquait, elle avait ajouté, comme pour se justifier : *Il faut toujours aller au bout de ses promesses.*

Ç'avaient été ses dernières paroles. Jamais plus il n'entendrait le son de sa voix. Ses ultimes mots concernaient ce type indéfinissable, beau et vénéneux, et si misérable...

Il eut besoin de confier la chose à Moretti.

— Ses derniers mots ont été pour me parler de vous !

Aldo encaissa la révélation sans réagir. Il lâcha la main de Dejallieu mais ne prit pas celle de Dora. Il ne fallait pas. A cause de sa mère... Comme Charles, un instant auparavant qui avait accepté la corvée des condoléances « à la mémoire » de Mélancolia... Moretti se revit dansant avec elle au *Palace* de Gstaad, tandis qu'il lui ravissait sa fille. Diabolique ! Non ! A cette minute, il ne devait pas toucher Dora, ni lui parler, pas même la regarder. « Les pires salauds ont des sursauts », songea-t-il en s'éloignant.

Après les funérailles, ils allèrent déjeuner chez la Mère Besson « en petit comité », avec son éditeur et ses gens. Il fallut que Charles racontât la mort de Mélancolia : les signes avant-coureurs, ses crises de plus en plus répétées, et enfin la nuit fatale. Moreau, l'éditeur, était un vieil homme calme, tellement pris par ses affaires qu'il en oubliait de vivre. Confronté à ce genre de drame, il était clair qu'il « ne savait pas faire ». Il s'en tirait en puisant dans les bons vieux clichés et les formules éprouvées. Charles attendait le moment où Moreau allait lui conseiller « d'oublier dans le travail »... A plusieurs reprises, le businessman faillit sortir la *phrase clé*, mais il eut le bon goût de la remettre à plus tard. Dejallieu pensa qu'elle ferait l'objet d'un prochain coup de téléphone. Il regardait tristement scintiller le crâne chauve de l'éditeur, bourré de chiffres au point qu'il lui en dégoulinait de partout, se demandant à quoi rimait leur réunion. Isabelle Ramone (qu'on avait surnommée Ramona au bureau) « s'occupait » de Dora. Elles se tenaient face à face au bout de la table, parlant à voix basse.

Dora allait « manquer de femmes », désormais. Il tenta d'imaginer ce que serait leur existence à tous les deux et fut découragé. Il ne se sentait, quant à lui, plus le goût de vivre ; même la perspective « d'oublier dans le travail » lui paraissait impossible. *Un seul être vous manque...* Mais quel être ! Mélancolia, faible et forte, lointaine et si présente ! Etrange femme, à la fois distante et capiteuse. Qu'avait-elle aimé en ce monde, et qui, hormis sa fille ? Maintenant qu'elle avait disparu, *totalement* disparu, la déconcertante certitude que sa femme l'avait aimé d'un amour tiède et honnête le gagnait. Il commençait seulement à interpréter ses réserves et ses sourires flous. Epouse de devoir, certes, mais sans doute hantée par des appels intérieurs qui la troublaient et auxquels elle résistait.

La dislocation du groupe fut un soulagement pour Charles. Ils se retrouvèrent sur le trottoir de la rue des Frères-Pradignac, Dora et lui, comme des auto-stoppeurs qu'on vient de débarquer d'une voiture et qui en espèrent une autre pour continuer leur route. Il y avait quelque chose de frileux dans leurs attitudes, malgré le beau soleil. Ils se trouvaient sans véhicule, étant partis à bord du fourgon mortuaire.

— On aurait dû demander un taxi, murmura Dejallieu.

— Allons jusqu'à la gare, ce n'est pas si loin, proposa Dora.

Ils se mirent en marche, silencieusement. Par instants, l'exiguïté d'un trottoir obligeait Charles à descendre sur la chaussée. Ils se déplaçaient avec une lenteur calculée, désireux de mettre le plus de temps possible à rentrer chez eux. Dejallieu songeait aux effets de Mélancolia dans les penderies, aux mille objets qui complétaient sa vie. Il y avait deux méthodes envisageables : les chasser de la maison en les offrant à une œuvre, ou bien accepter leur présence et continuer d'exister en leur compagnie. Il inclinait pour la seconde solution, sachant bien qu'il ne pourrait jamais tout arracher de Mélancolia et que, moins il resterait de choses à elle dans la maison, plus leur rencontre serait bouleversante.

— Crois-tu qu'elle m'a aimé ? questionna-t-il à brûle-pourpoint.

— Evidemment, riposta Dora.

— Je ne sais pas pourquoi, des doutes me viennent, avoua Dejallieu.

— Parce que tu ne peux plus lui poser la question, dit la jeune fille ; c'est toi qui es obligé de faire les réponses à présent.

— Moi ou toi, rectifia Charles.

— Oui, admit Dora ; toi ou moi. Ne t'inquiète pas : elle t'aimait.

— Elle te l'a dit ?

— Elle aurait eu peur de me rendre jalouse. Maman était si discrète... Mais ça se voyait, l'amour qu'elle avait de toi. Elle t'admirait et te respectait.

— Ça n'a rien à voir avec l'amour !

— Je ne sais pas ce qu'il te faut ! Il commence par ça : admirer et respecter.

— Quel dommage que je ne sois pas ton vrai père, soupira Dejallieu, ça nous aurait tellement aidés en ce moment...

— Mais tu es mon vrai père, Charles, bon Dieu ! s'écria-t-elle en s'arrêtant.

Il vit son visage enflammé, ses yeux brillant d'un étrange courroux.

Dora poursuivit, avec vivacité, bouffant les mots dans sa hâte de parler :

— Qu'est-ce que j'en ai à foutre du Péruvien ? Il a allumé ma vie, seulement toi, tu as mis des bûches, jour après jour pour alimenter le feu ! Rassure-toi, le cliché n'est pas de moi, mais de Mlle Tendret, ma vieille institutrice de Gstaad. Elle m'a déballé ce morceau de littérature un jour d'après les vacances de Noël alors que je chialais pendant la récré.

— Pour quelle raison pleurais-tu ?

— J'avais trouvé mon Noël un peu triste et j'ai expliqué à la maîtresse que mon vrai père me manquait probablement. Alors, elle : hop ! à l'assaut ! Elle t'admirait aussi, peut-être t'aimaitelle en secret pour te défendre avec tant d'ardeur.

Charles découvrait que leur conversation lui procurait un soulagement. Le Petit Garçon souffrait de ses dents de lait. Il pleurait de douleur. Sa grand-mère prenait alors une virgule de coton hydrophile roulée au bout d'une allumette taillée en pointe, la plongeait dans un minuscule flacon contenant un liquide vert qui s'appelait de la Dentinette. Elle ajustait le minuscule tampon entre la dent malade et la suivante. C'était très fort, très piquant et cela procurait une sensation de froid. Aussitôt, le mal se calmait. Voilà, la parole c'est de la Dentinette, comprends-tu ? Cela met du froid sur leur grand chagrin.

Dejallieu fut contraint de quitter le trottoir, une moto à l'arrêt les obligea à s'écarter l'un de l'autre. Ensuite ils se rejoignirent. Une très vieille dame distinguée les sépara de nouveau. Charles pensa que, si elle avait vécu, Mélancolia aurait sans doute ressemblé à cette personne un jour. Seulement, elle n'a pas vécu. Elle restera belle pour l'éternité.

— Sais-tu que j'ai changé du tout au tout avec toi ? fit Dejallieu.

— Evidemment : depuis mon enlèvement.

Il baissa le ton et balbutia.

— Je t'ai achetée, comprends-tu ? Avant 1768, la Corse n'était pas française, Choiseul l'a achetée aux Gênois et, depuis, elle est française. Moi, je t'ai achetée au salaud qui t'avait volée et maintenant tu es à moi. Tu es ma fille ! Ma fille ! Tu trouves mon argument honteux, n'est-ce pas ?

Elle eut un léger sourire. La sève revenait !

— Non, je comprends. Je suis ta fille.

Ils continuèrent de cheminer en direction de la gare, à la recherche d'un taxi.

— Je me demande comment nous allons nous y prendre, fit Dejallieu. Dire quoi ? Faire quoi ? Attendre quoi ? On travaille pour avancer vers un but plus ou moins précis ; on prend du plaisir pour le partager avec qui on est bien... Bon, je vais travailler pour toi, pour t'assurer une vie super-confortable. Mais les plaisirs ? Excepté bouffer, et cela, à ton âge on s'en fout ; excepté voyager, mais sans elle nous irions où ? Ça me paraît bloqué.

Dora haussa les épaules.

— Nous ne sommes pas les premiers à qui il arrive une horreur pareille, père ; il faudra bien qu'on s'en sorte d'une manière ou d'une autre.

— Tu as dit « père » ? murmura Charles.

Il lui saisit le bras.

— Oui, j'ai dit « père », répondit Dora. La Corse a envie de t'appeler « père » à partir de maintenant ; tu es contre ?

Elle ressemblait à Mélancolia.

Il entra dans un immeuble pour pleurer dans l'ombre du porche.

VII

— Voyez-vous, disait Yves Brandon, je n'ai pas de scrupules à vous importuner, car je sais que vous vivez une période de votre vie où tout ce qui peut vous distraire — serait-ce un raseur — est providentiel. Il s'agit de gagner du temps coûte que coûte. Il y a quatre ans j'ai perdu une maîtresse que j'adorais : cancer. Ma position était difficile car je ne pouvais aller la voir puisqu'elle était mariée et bien assistée par son mari...

Il parlait, parlait. C'était un homme intarissable. Tout sujet lui était bon et il sautait d'idée en idée, comme un homme poursuivi traverse à gué un cours d'eau, dérapant parfois, se rattrapant pour continuer cette fuite haletante. Ce qu'il disait ne manquait pas d'intérêt, mais l'abondance du débit, son ton monotone finissaient par faire décrocher son interlocuteur. Charles caressait le script du *Carnaval de Tolède* en pensant à autre chose. Il tentait de « retrouver » son Petit Garçon, mais depuis la mort de Mélancolia, celui-ci s'évanouissait pour laisser sa place à la disparue et Charles se demandait avec angoisse s'il « reviendrait » un jour. Mélancolia lui avait *réclamé* son livre lors de leur dernier week-end à Baumanière. Cela avait un peu valeur de testament. Les dernières volontés de sa femme étaient qu'il achevât *Faut-il tuer les Petits Garçons qui ont les mains sur les hanches ;* et qu'il fasse engager Moretti pour le premier rôle du *Carnaval.*

Yves Brandon, le réalisateur, venait de débarquer chez lui, bardé de notes accumulées dans des « fourres », un script en haillons, gonflé de rajouts, sous le bras. Il ne « travaillait » qu'avec lui pour la télé, ayant trouvé en Brandon un homme intelligent, avisé et talentueux qui savait parfaitement donner vie à ses œuvres en leur trouvant ce qu'il appelait « des équivalences ». C'était un grand diable d'ogre, à la coiffure léonine, d'un blanc sale rejetée en arrière. De grosses lunettes d'écaille lui servant de serre-tête. Il trimbalait un gros nez constellé d'excroissances dont la vue incommodait Charles. Fringué à la sixquatre-deux, Yves semblait ne posséder qu'une tenue : un pantalon de velours à grosses côtes, de teinte verdâtre ; une chemise de lainage à carreaux verts et blancs ; un gigantesque pull gris dépenaillé, et une veste de cuir noir à la provenance indécise qui avait quelque chose de militaire et de loubard à la fois. Il fumait inlassablement, y compris pendant les repas, ce qui mettait Dejallieu en rogne, mais il n'osait pas le lui dire bien qu'ils fussent intimes.

« — Pardon de troubler votre chagrin, lui avait-il déclaré, mais je dois absolument vous voir, pour notre film. »

Charles voyait dans ce voyage une sorte d'œuvre pie de la part de Brandon. Il venait « brasser l'air » comme il disait ; secouer les idées noires du romancier avec sa grande gueule, ses odeurs de bouc et sa saloperie de fumée.

Il n'en finissait pas d'évoquer sa maîtresse qui lui téléphonait quand elle le pouvait depuis son lit de douleur, mais la voix de la malade s'affaiblissait progressivement. Depuis, Yves savait qu'il est inutile de rencontrer un être aimé pour constater comment il se porte : son ton suffit.

Il parlait gaillardement de ces choses tristes, comme il parlait des grands sentiments traités dans les œuvres qu'il réalisait : en homme qui domine et mate.

Charles attendit qu'il trempe le nez dans son whisky pour revenir au sujet.

— Ainsi vous n'êtes pas satisfait de la fin ?

L'ogre poussa un hennissement, remonta davantage ses grosses lunettes dans sa chevelure graisseuse. Ses « pataugas » sentaient mauvais. Pourquoi diable se négligeait-il de la sorte ? Parce qu'il vivait seul probablement, ayant divorcé depuis une dizaine d'années.

— Non, répondit-il ; plus je la relis, plus je la trouve bateau. Dans votre bouquin elle est amenée habilement, mais j'avoue ne pas avoir trouvé « d'équivalence » pour l'adaptation. On devrait phosphorer là-dessus, Charles. Il nous faut un déclic. Je n'aime pas terminer un film à la va-vite, style arbitre de boxe italien comptant l'adversaire étranger : « Un deux trois quatre cinq et cinq qui font dix, out ! »

Ils se mirent à échafauder d'autres chutes. Mais lorsque l'un d'eux en proposait, l'autre faisait la moue.

Dejallieu se mit à marcher dans la pièce, comme chaque fois qu'il collaborait avec quelqu'un. Le travail à deux démoralisait ce solitaire. Il avait tellement l'habitude de jongler avec ses idées à lui que celles des autres le prenaient au dépourvu.

Il contempla un instant Dora, allongée à plat ventre sur un canapé, essayant de lire des revues.

Depuis les obsèques de sa mère, elle n'était pas retournée en classe. Cela s'était fait *d'un commun accord tacite, sans qu'ils eussent à aborder le sujet.* Elle restait à la maison. Mme Mongin, la femme du vieux jardinier avait accepté de venir faire le ménage, pour dépanner. La plupart du temps, le « père et la fille » prenaient leur repas au restaurant, dans un petit bistrot sans histoire, modeste et naïf, où l'on mangeait de la cuisine de grand-mère.

Dora traînassait toute la journée, écoutant des disques ou lisant des revues. Elle pleurait moins.

Il s'approcha d'elle et se pencha pour déposer un baiser dans ses cheveux.

— Ça va ? questionna-t-il humblement.

Elle haussa les épaules sans se retourner. Il regarda ce corps d'adolescente moulé par un jean et un tee-shirt ; éprouva une confuse fierté, comme si Dora portait réellement ses gènes. Il fallait qu'elle reprenne ses études, mais sa présence à la maison le sécurisait. Il souhaitait la garder ainsi, toujours, près de lui, telle une levrette languissante allongée sur des coussins.

— Et si, au lieu de tuer la fille, il la quittait tout simplement ? suggéra Yves Brandon. On lit la tentation sur son visage, mais il la surmonte et part...

Charles eut une bouffée de colère. Il trouvait insupportable qu'on bricolât ses histoires sans vergogne. Malgré sa modestie, il était outré par la manière dont on faisait bon marché de ce qui lui avait causé tellement d'affres à concevoir et à écrire.

— C'est ça : Charlot ! Sa silhouette au bout du chemin, sur fond de couchant. Image de la solitude humaine. Le petit homme désabusé qui s'en va, s'en va, au hasard. Il s'amenuise et disparaît, *sans que rien manque au monde immense et radieux.*

Yves sourcilla devant cet accès de colère mal rengainée.

— Ne vous emballez pas, Charles : on balance tout ce qui passe par la tronche, c'est la meilleure façon d'avancer.

— La meilleure façon d'avancer, c'est de rester fidèle à l'œuvre originale, mon vieux lapin. Vous allez tourner mon livre parce qu'il vous a plu, non ? Alors, s'il vous a plu, gardez-le !

— Bravo ! fit une voix, te laisse pas enfiler par ces glandeurs, père. Ils croient créer parce qu'ils tripatouillent.

Charles resta interdit, stupéfié par l'impertinence de Dora, si réservée d'ordinaire.

— Que t'arrive-t-il, Dora ! s'exclama-t-il.

— Rien, répondit l'adolescente. J'écoute et je mets mon grain de sel ; si ça te « chicane » je me tais.

Charles n'osait plus regarder Brandon. Mais l'ogre partit d'un grand éclat de rire.

— Elle est au poil ! assura-t-il. Et comme elle a raison ! Dans notre job, on se perd dans les angoisses et on se met à marcher à côté de l'œuvre. D'accord, Charles : on va conserver la fin du livre. Ce sera à moi de bien faire mon métier pour ne pas dénaturer le vôtre. Par contre, je vous préviens que je ne suis pas du tout d'accord sur l'interprète principal. Qu'est-ce qui vous prend de sortir de la naphtaline cet Aldo Moretti qui a disparu de la circulation depuis sept ou huit ans en laissant des relents douteux ?

Là encore, Dejallieu se ferma.

Il se revit dans la chambre de l'hôpital, cette chambre « provisoire » mais qui devait être la dernière de Mélancolia. Quelle curieuse lueur brillait dans le regard de sa femme quand elle lui demanda d'appeler le comédien ?

Brandon chevauchait le « cas » Moretti à bride abattue. Il ressortait ses « bides » ; ensuite les bruits fâcheux ayant couru sur son compte. Un sans-talent, un vanneur, un porte-cerise ; un barbiquet pour dames trop mûres. Jamais il ne ferait tourner cette gouape.

Dejallieu comprit que la partie allait être rude.

— J'ai eu l'occasion de le rencontrer, il est terriblement mon personnage, assura-t-il.

— Comment ce ringard pourrait-il être un personnage autre que le sien qui est celui d'un type frelaté et archifini ?

— Vous êtes impitoyable, dit Charles. Avez-vous déjà travaillé avec lui ?

— Jamais, Dieu merci.

— Donc, vous n'êtes pas apte à juger de son talent !

— Dites donc, je l'ai vu dans les films des autres, c'est pas brillant brillant : dents blanches, haleine plus ou moins fraîche ! On dirait qu'il se regarde jouer dans une glace. J'ai pas envie de me planter, moi, mon bon Charles. Si j'annonce Aldo Moretti dans *le Carnaval de Tolède,* toute la profession va se foutre de moi !

— Vous n'aurez qu'à dire que je l'ai imposé !

— Et le bruit courra que vous êtes devenu pédé ! s'exclama Brandon.

— Il a cette réputation ? demanda sèchement Dejallieu.

— Non, ça lui manque, mais pour qu'un auteur l'impose, toutes les suppositions sont permises.

Charles se réfugia auprès de Dora. Elle avait changé de position et se tenait assise en tailleur. Il découvrit qu'elle avait une expression dure, quasi méchante. Le chagrin surmonté détruisait en elle toute innocence. Sa peine se muait en ressentiment. Elle en voulait à la terre entière — sauf à lui — de la mort de sa mère.

— Je peux dire ? fit-elle.

— Non, laisse, s'empressa Dejallieu.

— Je vais parler quand même. M. Brandon est un ami à qui on peut tout dire, non ?

Elle interrogeait Yves. Le bon ogre acquiesça :

— J'y compte bien.

— Tu vois, père : il y compte. Alors explique-lui que tu as promis le rôle à Aldo Moretti.

— Il vous aura embobeliné ! soupira Brandon.

Dora reprit :

— Explique-lui que tu l'as recherché et fait venir pour lui demander de jouer ton truc. Dis aussi qu'il a refusé. C'est seulement parce que maman a insisté qu'il a fini par accepter.

Charles rougit. Les paroles de sa belle-fille pouvaient engendrer l'équivoque. Il lui déplaisait de voir surgir Mélancolia dans ces tractations professionnelles. Brandon vit sa gêne et la subit à son tour. La disparue avait-elle été la maîtresse de Moretti ? C'était cela, peut-être, l'explication d'une pareille foucade.

— Charles, soupira-t-il. Soyons bien clairs : si votre *Carnaval* doit se tourner avec Moretti, il se tournera sans moi.

— D'accord, répondit Dejallieu. Notre vieille collaboration ne tient-elle donc qu'au choix d'un comédien ? Etes-vous à ce point sur des rails que vous refusiez de tenter une expérience ?

Brandon arracha ses lunettes serre-tête, un nuage de pellicules parut s'échapper de sa tignasse.

— Sauter du huitième étage d'un immeuble, vous appelez ça une expérience, Charles ? Pas moi.

— Sur mon contrat, il est précisé que j'ai un droit de regard sur la distribution, objecta le romancier.

— Droit de regard va plus dans le sens de mettre son veto que dans celui d'imposer.

— En ce cas, le *Carnaval* ne se tournera pas, déclara Dejallieu, du moins pas à la télé. Je veillerai à récupérer mes droits et je monterai l'affaire au cinéma.

— Avec Moretti ?

— Evidemment !

— *As you want,* fit Brandon. Si je comprends bien, nous n'avons plus rien à nous dire ?

— Sur le sujet, plus rien du tout. Mais ça ne nous empêche pas de rester copains.

Le géant haussa les épaules.

— Vous savez bien que si, Charles. On ne va pas se mettre à parler de la politique de Giscard.

Il rassemblait son fourbi en un tas informe. Le script était constellé de taches et tous ses coins « rebiquaient ». Il enfourna ses cigarettes, son briquet, son stylo, dans ses poches, cueillit sa veste et la tint sur l'épaule à la façon d'un charpentier. Il était triste, mais sans colère ni amertume.

— Bon, je vous laisse, je vais en profiter pour aller dire bonjour à ma sœur qui habite Nice, ça fait au moins cinq ou six ans que je ne l'ai pas vue, elle va en être sur le cul !

Il s'approcha du couple et le regarda avec émotion. Dejallieu et sa belle-fille ressemblaient à des émigrants dans une antichambre consulaire, à l'affût d'un visa. Le grand diable leur sourit. Il aurait aimé leur faire passer un peu de son émotion, mais à quoi bon ajouter à leur déchirement ?

— On est de revue, fit-il. Vous savez mieux que moi que ce genre d'anicroche n'est pas grave.

Il sortit pour gagner sa vieille Morgan verte dans laquelle personne n'acceptait de monter parce qu'il roulait décapoté par tous les temps.

Dora sauta du canapé et courut après Yves. Charles la regarda par la porte-fenêtre. Elle venait de rattraper l'ogre, de le saisir par le bras. Elle paraissait toute menue à côté de lui. Ils passèrent devant la Morgan et s'éloignèrent sur le chemin en devisant.

Il ferma les yeux. Il venait de penser au corps de Mélancolia en partance dans la tombe. Comment parviendrait-il à séparer ce qui avait été de ce qui était désormais ? Comment pourrait-il évoquer ses étreintes passionnées avec un cadavre ? Il avait hâte de devenir un mort à son tour, pour « ajuster » les instants.

Et le Petit Garçon ?

Parti !

Il l'avait laissé à l'hôpital, dans la pièce « neutre » où il avait attendu le résultat des premiers examens. Le Petit Garçon devait encore s'y morfondre ; peut-être fallait-il aller le délivrer ?

Charles allongea ses bras sur le dossier du canapé, dans une posture de crucifié. Il avait acheté cette maison à cause du salon bas de plafond. Il en aimait la cheminée en pierre de taille, le sol carrelé de vénérables tommettes, les trois portes-fenêtres pourvues de petits carreaux biseautés ; l'épaisseur des murs le rassurait, de même que les grosses poutres fissurées. Mélancolia l'avait décoré de rideaux aux motifs provençaux, de rudes poteries, de lampes Louis XIII en bois polychrome. Ils avaient visité les antiquaires à cent kilomètres à la ronde pour trouver des vieux meubles et des statues romanes espagnoles. C'était une pièce presque fastueuse, mais qui restait intime ; elle comprenait des décrochements, des niches, des dénivellations qui lui donnaient une âme, la faisaient « chanter ».

En cet instant, ce magnifique salon l'effrayait, comme vous effraient certains sanctuaires obscurs. Privée de Mélancolia, la pièce devenait hostile malgré son confort. Le monde aussi était hostile. Elle savait donc l'apprivoiser et il ne s'en était pas rendu compte !

— Oh ! merde, ce que je t'aime ! dit-il à l'absente.

Il ferma les yeux pour emprisonner les larmes qui lui venaient, mais il était trop tard : elles coulaient déjà sur ses joues.

Yves Brandon et Dora réapparurent, bras dessus, bras dessous.

Ils virent les pleurs de Charles et s'arrêtèrent, intimidés. Yves abaissa ses grosses lunettes sur son nez, comme un pont-levis. Il avait besoin de se cacher un instant. Dora s'agenouilla auprès de Charles, noua ses bras autour de son cou et resta immobile contre lui. Il sentait cogner le cœur de l'adolescente.

Brandon réagit :

— Cette sacrée pie borgne m'a possédé, annonça-t-il. Vous parlez d'un phénomène !

Dejallieu regarda le réalisateur par-dessus l'épaule de Dora. Yves ressemblait de plus en plus à un charpentier, compagnon du tour de France.

— Elle m'a vendu votre Moretti en deux coups les gros, fit le cinéaste, mi-rigolard, mi-furieux.

— On peut connaître ses arguments ? demanda Dejallieu.

Le grand diable haussa les épaules et replaça ses besicles à la verticale.

— Vous êtes capable de répéter le baratin d'un marchand d'aspirateurs ou d'un placier en assurances-vie ? bougonna-t-il.

Il ne tenait pas à s'étendre sur le sujet. Charles en déduisit que Dora lui avait parlé de sa mère ; il en éprouva une amertume sauvage et du ressentiment à l'endroit d'Aldo Moretti.

« Je me fous de ce type, songeait-il. Je romps des lances pour lui alors qu'il m'est antipathique et que je le tiens intimement pour un gredin. Pourquoi les circonstances vous entraînent-elles si souvent là où vous n'avez pas envie d'aller ? »

Le téléphone carillonna. Il espéra que Dora répondrait mais comme elle ne bronchait pas, il alla décrocher. C'était sœur Marie-Agnès, la directrice de l'institut que fréquentait Dora. Elle s'inquiétait de l'absence prolongée de son élève (elle lui enseignait le français et l'Histoire-géo) et demandait quand elle retournerait en classe. Elle comprenait, certes, le traumatisme que lui causait la mort de sa mère, pourtant il fallait reprendre la vie, courageusement. Elle était en seconde, classe difficile et...

Charles obtura l'émetteur avec sa main.

— Sœur Marie-Agnès, annonça-t-il ; quand comptes-tu reprendre tes cours ?

Dora eut un rire silencieux de clown blanc ; en guise de réponse elle fit un bras d'honneur. Le geste était choquant venant de cette toute jeune fille.

Dejallieu promit à la religieuse que tout allait « rentrer dans l'ordre » d'ici un jour ou deux. Sœur Marie-Agnès dit qu'elle y comptait et ajouta qu'elle priait pour eux deux. Charles l'en remercia comme d'un envoi de fleurs.

— Il va bien falloir « reprendre le collier », marmonna-t-il. Dans deux ans le bac, ma chérie ! Tu n'es déjà pas très en avance.

Dora haussa les épaules.

— Qu'est-ce que tu veux que j'en foute, du bac, père ?

— Ce qu'en font les autres : il te permettra l'accès à une faculté.

— Tu as déjà dû comprendre que je n'étais pas douée pour les études. Moi, entre une mouche qui vole et un théorème, j'hésite pas : je choisis la mouche.

— Tu dois bien te faire une situation, protesta mollement Dejallieu.

— Tu m'achèteras un bistrot ! Ou un magasin de fleurs...

Il y avait une telle aigreur dans les propos de Dora que les deux hommes se regardèrent avec inquiétude.

— Et si je n'en ai pas les moyens ? fit Charles.

— Alors, je me ferai pute, dit Dora.

Elle enfouit son visage dans un coussin et poussa un long cri désespéré qui leur fit mal jusque dans les os.

VIII

La semaine suivante, Dora n'avait toujours pas repris la classe malgré les injonctions pressantes de Charles. Le matin, il allait l'éveiller en lui apportant le petit déjeuner au lit pour la stimuler. Elle buvait son thé, grignotait un toast et se rendormait. S'il revenait à la charge, elle se fâchait, alléguant qu'elle était libre et jurant qu'elle ne remettrait jamais les pieds à l'institut. Il tentait de la raisonner, mais elle lui opposait son air buté de gamine devenue soudain capricieuse. Sœur Marie-Agnès écrivit une longue lettre pleine de tact et de fermeté. Charles répondit par une autre qui parlait de psychisme. Il gagnait du temps. Au fond de lui, il aimait cette situation anormale. A cause de la présence constante de Dora auprès de lui, la vie pouvait continuer. Elle représentait la lumière d'une ère nouvelle, convalescente, si fragile, si ténue qu'un faux mouvement risquait de l'anéantir avant qu'elle eût trouvé sa signification.

Il ne travaillait pas, se contentant de prendre des notes sur des feuillets qu'il laissait traîner un peu partout et que la vieille Mme Mongin se gardait de toucher. Bien entendu, comme prévu, son éditeur téléphonait pour lui prêcher le travail, « ce grand recours ». Dejallieu finit par lui demander s'il avait perdu sa femme, et comme l'autre devait convenir que non, il lui avait raccroché au nez. Les notes qui tombaient de lui, au fil de la journée, l'incitaient à les réunir dans un recueil de « pensées ». Il imaginait un ouvrage peu épais, relié cuir, sorte de fausse Pléiade faite pour la table de chevet. Le projet manquait d'ambition ; il n'était que prétentieux. Livrer des fientes de son esprit n'avait rien de glorieux. Il avait habitué ses lecteurs à mieux. Dejallieu méprisait toute forme de « panthéonisme ». Un ouvrage composé de maximes, d'aphorismes, de sentences avait un côté « as-tu-vu-mon-génie » qui correspondait peu à son tempérament.

S'il caressait ce projet, c'était uniquement pour essayer de donner une armature à son oisiveté et afin de se convaincre qu'elle était malgré tout productrice.

Charles décide de faire la cuisine.
Une lubie d'homme désœuvré.
Autrefois, il lui arrivait de préparer quelques plats folkloriques pour recevoir des copains, des mets à grand spectacle, du genre couscous. Il y a des années de cela. Depuis, il n'a plus le temps. Quand on transforme le papier blanc en or, on ne peut distraire des heures de sa vie à tourner des mayonnaises ou à surveiller la cuisson d'un bœuf bourguignon. Maintenant, ce n'est plus pareil. La mort de Mélancolia a fait sauter certains gonds. Le jour à vivre, la nuit à vivre sont là, immenses, déserts. Dora remue, parfois prononce un bout de phrase. Il la regarde, lui sourit. Il s'agit d'une existence enclose. Il aime le mot. Ils sont pareils à ces boules de verre teinté enfermées dans un tube plein d'un liquide spécial. Quand on saisit le tube par sa base, la chaleur de la main fait grimper les boules. Lorsqu'on le lâche, elles redescendent. C'est à la fois stupide et fascinant. Dora et lui sont deux boules de verre « encloses » dans la maison. Ils montent et descendent. Pendant ce temps, les minutes se baladent sur les cadrans de pendule, c'est l'essentiel.
Il décide de préparer des crêpes fourrées au crabe. La recette n'existe pas. Il l'invente, comme une histoire. Confectionner des crêpes sans les faire dorer. Hacher le contenu d'une boîte de crabe avec des œufs durs et du persil. Etaler la pâte ainsi obtenue sur les crêpes et rouler celles-ci. Les disposer dans un plat à gratin, napper de... De quoi ? Il bute. Crème fraîche et gruyère râpé, tu penses ? Ou bien coulis de tomates ? Qu'est-ce qui serait le moins dégueulasse ? Crabe et gruyère ça risque d'être infect. Alors, va pour le coulis.
Le plus drôle c'est qu'il n'a pas faim. Depuis qu'elle les a laissés, il mange du bout des dents, n'importe quoi, sans jamais terminer le contenu de son assiette. Et voilà brusquement qu'il a envie de manipuler les denrées alimentaires, de les rendre appétissantes !
Pendant qu'il met à sac la cuisine, Mme Mongin encaustique la desserte anglaise et la salle à manger. Elle fredonne tout le temps. Quand elle avise Dora ou Charles, elle rougit et se tait, confuse, et puis « ça repart » deux minutes après.
Charles a empli un saladier de farine. Il creuse un cratère au centre, pour y déverser le lait et les œufs. Mme Mongin chantonne avec beaucoup de discrétion *les Roses blanches*. Ça devient presque une mélopée arabe dans son nez ; sauf qu'au refrain, elle attaque carrément *Voici des roses blanches, ô ma jolie maman...* pour rejouer aussitôt du vibraphone nasal.
Dora entre dans la cuisine, regarde s'activer Charles.

— T'es payant, en cuistot, assure-t-elle. Si je te flashais, je connais au moins dix canards qui m'achèteraient la photo.

— *Voici des rooooses blanches, ô ma jolie, maman !* annonce la petite vieillarde, toute chenue et voûtée, à la cantonade.

— Tu sais quoi ? murmure Dora.

Charles lève les yeux sur elle. Il croit voir Mélancolia. Un effet de soleil braqué sur la jeune fille sûrement.

— On n'est pas encore allés sur sa tombe.

Il reste coi, l'enfariné romancier, tout con avec sa cuiller de bois (Tournoi des Cinq Nations), son tablier de gonzesse. On dirait une vieille frappe préparant la bouffe de son giton.

Il réalise. Dora a raison.. Ils ne sont pas retournés au cimetière depuis bientôt quinze jours que Mélancolia s'y trouve. Pas un instant l'idée ne lui en est venue. Penaud ? Honteux ? Plutôt déçu. Déçu par l'amour. Il n'arrive pas à comprendre pourquoi n'importe quel général Boulanger va se tirer une balle sur la tombe de l'aimée ; alors qu'il ne se rappelle plus qu'existe un rectangle de sol où l'on a mis sa femme à pourrir. Le caveau n'a été qu'un accessoire du deuil, au même titre que les draperies noire ou les tréteaux supportant la bière à l'église. Et pourtant c'est vrai : Mélancolia est allongée dans son bout de jardin. Un marbrier est en train de tailler un bloc de granit pour le poser par-dessus. « Ici repose Mélancolia. » Simplement. Il a exigé ces trois mots, Charles. Dora l'a approuvé. Juste ceci : « Ici repose Mélancolia », parce que Mélancolia, tout seul, c'eût été incompréhensible.

— C'est fou, balbutie Dejallieu. Je n'y songeais pas.

— Moi non plus, le rassure Dora, c'est en écoutant chanter la vieille. On ira tantôt, t'es d'ac ?

Il opine.

— Et on portera des roses blanches, tu veux bien ?

Oui il veut bien, il veut tout ce qu'elle veut.

Mme Mongin se pointe pour dire qu'une visite.

— Merde, meeeeerde ! s'écrie Charles.

— Qui que ce soit, tu vires ! ordonne Dora.

Le célèbre écrivain dénoue son tablier et essaie de se défariner les mains. Il traverse le salon en direction de la porte-fenêtre « principale », ainsi nommée, bien qu'elle soit toute pareille aux deux autres, parce qu'on l'utilise couramment. Il découvre un taxi sur le terre-plein, le chauffeur détache une armada de valises arrimées sur le toit. Une femme en noir sort du taxi. Un frisson d'horreur passe dans l'échine de Charles lorsqu'il reconnaît Peggy, la mère de Mélancolia. Il est à ce point saisi qu'il reste debout, sans broncher, dans la fraîcheur du salon.

Le chauffeur achève d'aligner les valises. Pourquoi Dejallieu a-t-il le réflexe de les compter ? Sept ! Plus un *beauty-case*. Sept valises pimpantes, de tailles différentes.

« Ce n'est pas possible ! » se dit-il.

Il est tenté d'avancer, de dire au taxi de rembarquer toute cette panoplie de pétasse, d'emporter la vieille peau à l'autre bout du monde : il lui réglera d'avance la course.

Peggy paie le taxi et, royale, lui indique de conserver la monnaie qui doit être d'importance à en juger aux salamalecs du chauffeur.

Elle prend tout son temps. Elle enfile même ses longs gants noirs, alors qu'elle vient d'arriver. Elle ne veut pas rater son entrée. Cécile Sorel !

« Ô Seigneur, je vais la tuer ! » pense ardemment Dejallieu.

La voiture s'en va. Les valises restent tout bêtes, comme un troupeau sans berger. Peggy se retourne et avise Charles. Elle cueille son sac à main logé sous son aisselle afin de pouvoir écarter les bras.

— Charles ! s'écrie-t-elle ; vous m'avez assassinée !

Elle ressemble au Christ du Corcovado qui domine Rio, quant à l'attitude. Tu croirais les prémices d'envol d'un pratiquant de l'aile delta.

Son personnage a été composé, mis au point, dûment répété. Elle a dû se jouer la scène cent fois devant sa glace, calculer la toilette ad hoc la plus apte aux effets de manches.

Charles regrette de ne pas lui flanquer son pied dans le ventre ! De ne pas « l'assassiner » pour de bon. Il reste impassible, blanc et muré. L'épouvantail de deuil pourrait servir à composer la couverture d'un bouquin de Gaston Leroux. C'est suranné, rococo, grandiloquent, grotesque et folklorique. Il cherche d'autres épithètes. Il la souhaiterait en photo sépia.

— Une mère ! lance l'abominable poupée funéraire. Une mère ! Sa fille, sa seule enfant meurt et on ne la prévient pas !

Là, elle a raison. Pas un instant Dejallieu n'a pensé à informer Peggy. Pour lui, elle n'existait plus. Ils étaient sans nouvelles d'elle depuis le rapt. Doléances justifiées, Votre Honneur. Le point est marqué. Que répondre ? Rien, n'est-ce pas. Alors il continue de se taire. L'abominable radasse pue tous les parfums de l'Arabie en bonbonne. Son maquillage de scène est trop forcé pour ce jour ensoleillé.

Peggy poursuit sa tirade : sa fille chérie, l'honneur de sa vie, son œuvre, son unique amour en ce bas monde...

Mélancolia écoute-t-elle maman dans son dernier grand rôle de *mater dolorosa* ? Ça subsiste quelque part, un mort ? Demeure-t-il un reflet du reflet de son esprit ? Charles sonde le ciel d'un bleu presque blanc où s'effilochent des nuages allongés. Où es-tu, Mélancolia ? Seulement dans mon cœur ? Avec ta robe de carbone dans le vestiaire du cimetière ?

Peggy finit par perdre pied devant l'immobilité et le mutisme de son gendre. Elle s'arrête de perrucher, et tape du pied, roule des yeux furibards et s'écrie :

— Charles ! Je vous parle !

— Non : vous déconnez, réplique Charles.

Le père Mongin se pointe en tirant sa mauvaise patte. Il salue et demande s'il doit « monter les valises ».

Dejallieu a un soupir.

— La chambre rose, dit-il ; ça ira avec vos yeux, Peggy.

Là-dessus, Dora survient.

— Tu reconnais madame ? lui fait Dejallieu.

La jeune fille enveloppe Peggy d'un regard flétrisseur.

— C'est la vieille qui se fait sauter pendant qu'on me kidnappe ?

Peggy est vidée de sa substance. Sa figure s'est tassée comme si elle venait d'ôter son dentier. Elle a beaucoup vieilli, ses rides mal mastiquées font de son visage une sorte de morille déshydratée.

— Mais quelle horreur ! s'exclame-t-elle. Si je m'attendais...

La réflexion de sa belle-fille trouble Charles. Comment Dora est-elle au courant du comportement de sa grand-mère, la nuit du kidnapping ? Il se propose d'aborder le sujet tabou un de ces prochains jours.

— Dis bonjour, ma chérie ! conseille-t-il d'un ton indifférent.

Dora lui coule un regard torve, plein de reproche. Elle va, à contrecœur, tendre sa joue à Peggy.

— Bonjour, mémé.

Du coup, la mère de Mélancolia est groggy. Elle oblitère de rouge la joue fraîche et lisse de l'adolescente.

Charles hèle la mère Mongin pour lui commander de conduire sa belle-mère à la chambre rose.

Soufflée, Peggy emboîte le pas à la vieillarde, laquelle se confond en condoléances.

— Nous voilà bien, bougonne Dora. Je me rappelais plus qu'elle était si horrible.

Le romancier se demande s'il va tout de même confectionner ses crêpes au crabe. Tout compte fait, il y renonce et dénoue son tablier.

— Ça t'ennuierait qu'on aille au cimetière tout de suite, pendant qu'elle bivouaque ? implore Dora. Je n'ai pas envie qu'elle nous colle au train.

Ils se rendent pour commencer chez le fleuriste où ils achètent deux douzaines de roses blanches. Après quoi, Dora exige qu'il l'arrête chez un disquaire. Charles demeure en double file pendant qu'elle plonge dans le magasin. Il écoute les informations sur Radio-Monte-Carlo. Ça le surprend que le monde continue de fonctionner malgré la mort de Mélancolia. Comment peut-on continuer de réunir des ministres en Conseil, de braquer des banques et de battre les Verts sur leur terrain (1 à 0) puisque sa femme n'est plus là, ne sera jamais plus là ? Comme tout est dérisoire ! Et lui qui s'efforçait d'écrire des livres, l'idiot !

De combiner des péripéties, de narrer des sentiments profonds, de décrire des personnages plus ou moins étranges... Page dix, page quarante, page quatre-vingts. La période la plus difficile d'un bouquin, pour lui et pour pas mal d'autres. Quatre-vingts ! Le tournant du bouquin. Il doit avoir trouvé sa vitesse de croisière, sinon il pantelle, court sur son erre et s'arrête, en panne d'essence, quelques pages plus loin.

Le matin, il écoutait Mélancolia aller et venir au rez-de-chaussée, leur maison de la Côte étant à l'inverse du chalet de Gstaad, c'est-à-dire « normale » avec la partie « à vivre » en bas et les chambres en haut. Il a délaissé le pigeonnier du début pour aménager une chambre bureau dans la plus grande pièce : le lit dans le renfoncement, sa table de travail devant la fenêtre. Mélancolia monte le voir, en fin de matinée. J'ai dit « monte » ? Pardon : elle *montait*... Elle *montait,* ça veut dire qu'elle ne montera plus jamais. Il percevait son pas dans l'escalier en bois. Elle n'avait l'air de rien en entrant, s'asseyant, devant sa coiffeuse près du lit et s'y activant, sans bruit, à quoi, grands dieux ? Il continuait d'écrire... Des histoires comme ça, de gens qui poussaient des portes, se disaient des choses, ou qui se tuaient ou qui volaient des documents, ou qui montaient dans des avions, ou qui baisaient ensemble de manière tout à fait fortuite. La présence de Mélancolia se faisait, au fil des minutes, plus... présente, justement. La qualité de l'air changeait, des ondes attaquaient Dejallieu. En lui naissait et croissait l'admirable envie de la prendre. Il s'arrêtait d'écrire et la fixait jusqu'à ce qu'elle se retourne, le regarde. Elle avait un petit sourire renseigné, satisfait lui semblait-il.

Au bout d'un moment, elle quittait la coiffeuse et se dévêtait du bas, jusqu'à la taille, sachant qu'il aimait cela.

— Pardon de t'avoir fait attendre, ces abrutis ne trouvaient pas ce que je voulais...

Elle se tait. Il n'a pas le cœur de la questionner. Son odeur le fait songer à Mélancolia.

— Tu te mets le parfum de ta mère ? questionne Charles.

— Ah ! tu as remarqué ?

Charles est allé puiser de l'eau à la fontaine proche de la grille. Il revient en s'aspergeant les pieds car il a trop empli le lourd vase de fonte. Il déteste ce qu'il a appelé dans un de ses bouquins « le jardinage funéraire ». C'est grotesque, ce service d'entretien. Autrefois, il allait se balader dans les cimetières simplement pour voir les vieilles veuves au travail, fourmis diligentes occupées à sarcler, arroser, redresser, fourbir. Les mantes religieuses, les « surviveuses ». Et voilà que c'est lui qui est veuf ! Tiens, le mot ne lui était pas encore venu à l'esprit. Il est veuf ! Qui vole un veuf, vole un bœuf. Il devrait se faire imprimer de nouvelles cartes de visite « Monsieur Veuf Charles Dejallieu ».

Il entend de la musique. S'en inquiète.

Charles presse le pas et aperçoit Dora assise sur la tombe voisine de celle de sa mère, la gerbe de roses dans ses bras. A ses pieds est posé son cassettophone Sony et une voix d'autrefois, celle de Berthe Sylva, chante *les Roses blanches*.

Charles n'est pas outré ; il comprend, du moins devine l'obscure motivation de Dora.

Il plante le vase dans la terre fraîche qui attend son bloc de granit « Ici repose Mélancolia » et prend place lui aussi sur le caveau de la famille Zanollini où habitent déjà Raymonde, née Froidevaux, Baptiste, Michel et Constant Zanollini. Des voisins. Il ne les connaissait pas encore. Il y a la photo de Baptiste dans un médaillon scellé. Gueule d'ancien vivant plutôt sévère.

> *C'est aujourd'hui diman...che.*
> *O ma jolie maman*
> *Voici des roses blan...ches*
> *Toi qui les aimes tant*

Une vieille rate noire sortie de derrière un rideau de cyprès s'approche, attirée par la musique. Elle capte la scène de ses petits yeux d'ombre, puis se sauve en maugréant.

— Tu l'as scandalisée, remarque Dejallieu.

— Y a pas de raison, assure Dora. Pourquoi ne jouerait-on pas de la musique dans un cimetière ? Elle n'est pas indécente, cette chanson : elle est conne et triste, simplement.

Elle chantonne un peu le refrain avec Berthe Sylva, morte également depuis des temps :

O ma jolie maman...

Elle répète, sans chanter :

— Ma jolie maman.

Puis demande :

— Tu l'as connue comment ?

— Je n'ai pas le courage d'en parler, avoua Charles. Je ne sais même plus si cela a existé. Il me reste dans la mémoire une grande confusion flamboyante. Tu sais, quand on conduit face au soleil et que le pare-brise n'est qu'une gerbe de lumière intense à travers laquelle on distingue à peine la route ?

— C'était le sphinx, déclare Dora.

Frappé, il demande :

— Pourquoi dis-tu ça ?

— Tu te rappelles quand elle se faisait bronzer devant son triptyque UV ?

— L'image t'est restée à toi aussi ?

— Je la revois, immobile, le buste nu, avec ces coquilles de plastique rouge sur les yeux. A quoi pensait-elle dans ces moments-là ?

— Peut-être à nous, espère Charles, mais sans croire à ce qu'il dit.

— Non, fait catégoriquement l'adolescente ; elle pensait à la vie ; elle la regardait comme quelqu'un qui va bientôt mourir et qui ne le sait pas. Son corps, lui, avait compris et cherchait à le lui faire comprendre ; mais elle ne saisissait pas le message et c'est ce qui la préoccupait.

— Tu as raison ! s'exclame Dejallieu, frappé ; elle était talonnée par cette préoccupation.

Dora quitte le marbre Zanollini pour plonger les tiges des roses dans le vase.

Elle ramasse un pétale tombé du bouquet.

— Ouvre ta bouche ! ordonne-t-elle à Charles.

Il obéit.

Elle lui donne la communion.

IX

Il trouve une place providentielle pour sa 2 cv, à deux pas des studios, s'y range et coupe le contact. La phrase d'un ouvrage de Marcel Aymé lui vient en mémoire : « Ils étaient tristes et regrettaient les lampes. » Il a lu cela dans *la Rue sans nom...* Il y était question d'ouvriers s'en allant au travail par les rues molles du petit matin. Aldo regrette les lampes. Celles de son triste foyer et la grosse lampe de la Provence. Il arrive à pied d'œuvre. Il s'est fait beau : blouson de cuir marron glacé, chemise jaune, pantalon de velours beige. Il saisit le script posé sur la banquette voisine. La masse de feuillets ronéotypés est chiffonnée, sale d'avoir été manipulée. Moretti a appris son texte « au rasoir », comme s'il s'agissait d'une pièce de théâtre. Il a voulu se débarrasser du souci de la mémoire afin de rester disponible pour l'interprétation. On ne tourne pas encore, il a seulement rendez-vous aux Buttes-Chaumont avec le réalisateur pour « une première prise de contact ».

« Prise de vue », en somme, se dit Aldo.

Il traverse la rue étroite et se présente devant l'immense entrée vitrée. Un préposé l'intercepte. Il s'explique. On lui indique où il trouvera Yves Brandon.

Cela fait des années qu'il n'est pas venu aux Buttes. L'usine à images lui semble changée. Il gravit un large escalier, croise Jacques Chancel flanqué de son assistant. Autrefois, lorsque sa carrière se trouvait au zénith, il a été interviewé par Chancel pour son émission « Radioscopie ». Il en a conservé un souvenir ambigu, à cause du regard clair de son interlocuteur planté dans le sien et qui semblait tout deviner de lui, ne pas croire en son avenir artistique. Chancel lui posait des questions auxquelles il répondait « bravement », mais il se sentait perdre pied. Les yeux incrédules qui le sondaient lui faisaient pressentir la médiocrité de son destin.

Les deux hommes passent en devisant. Aldo est convaincu que

Jacques Chancel l'a vu et reconnu, mais il n'a pas jugé opportun de s'arrêter.

L'odeur de peinture, de bois frais, de colle s'exhalant par les grandes gueules béantes des studios le chavire.

Il devrait être heureux de retrouver ces lieux magiques, cet univers un peu factice où chacun travaille en ayant l'impression de participer à une immense farandole. Mais Aldo est triste et « regrette les lampes ». Il songe à son *géranium* dans la maison de Saint-Rémy.

Depuis la brusque disparition de Mme Dejallieu, il éprouve une cuisance à l'âme. Sa fin a créé l'irréparable. Mélancolia lui apportait une notion de rédemption possible qui ne s'opérera plus désormais. A cause de ce qu'elle inspirait à Moretti (admiration, respect, émotion amoureuse), naissait dans sa vie trouble comme une lumière, une promesse de lumière ; ainsi pâlit l'horizon avant de s'ouvrir au jour. Quand il lui a téléphoné, la veille de sa mort, il a failli lui dire la vérité. L'a-t-elle senti ?

Aldo s'efface pour laisser passer une charrette sicilienne en carton-pâte.

Encore un escalier... Il aborde un machino pour s'informer de la salle où l'attend Brandon. L'homme, un petit gros vinasseux, avec un marteau passé dans sa ceinture, tel un revolver de cow-boy, lui grommelle des explications, sans s'arrêter ; la fin se perd dans un monte-charge. Aldo furète ! Des gens déambulent sans le reconnaître. Il n'est plus « d'ici ». Le temps l'en a radié. Sa réinsertion lui paraît impossible ; on lui a retiré son permis de séjour. Il se déplace dans ces studios comme dans un hôpital immense où il chercherait le service d'un médecin. Le docteur Yves Brandon pourra-t-il le récupérer, « au point où il en est » ?

Il toque à la porte. Personne ne lui répond. Il se risque à ouvrir sur une pénombre au fond de laquelle trois personnes se tiennent penchées. L'une, une femme, porte une blouse blanche (l'hôpital !) ; les deux autres sont des hommes : un grand gaillard grisonnant et un petit jeunot dont la tête presque rasée fait penser à un ananas. Ils sont alignés devant une table de montage. L'appareil émet des gargouillis. Une lueur blafarde éclaire les visages.

La femme demande :

— Qui est là ?

Moretti répond qu'il a rendez-vous avec M. Brandon. Ce dernier se retourne.

— Oh ! oui. Deux minutes, attendez-moi dans le couloir.

La voix manque de cordialité. Aldo ressort. Il a envie de foutre le camp. Il savait que ce serait ainsi.

Ce qui le retient, c'est un regard de femme : une maquilleuse, probablement. Il s'agit d'une grande bringue presque décharnée, en jean dégueulasse et pull à col roulé capable de contenir dix filles de sa taille. Visiblement, elle reconnaît Moretti et lui décoche un sourire gourmand. Il en a la gorge serrée.

— Bonjour, fait le garçon d'un ton engageant. Vous savez que vous êtes belle ?

Une boutade d'autrefois, de l'époque de sa splendeur. Quand il croisait un laideron, il prenait sa voix de velours et lui débitait cette fadaise. Chaque fois, l'intéressée acceptait le compliment pour argent comptant.

La grande bringue s'arrête.

— Vous êtes plus beau qu'avant ! lui déclare-t-elle. Qu'est-ce que vous deveniez ?

— J'étais au Brésil, répond Moretti. J'arrive tout de suite après Brando, là-bas, au box-office.

Voilà que, spontanément, il retrouve son baratin, sa gouaille d'autrefois. Il sent son tonus qui revient.

— C'est beau, Rio ?

— Moins que vous, ma chérie !

Elle se marre, contente.

Yves Brandon arrive, le regard clignotant comme celui d'un oiseau de nuit dans la lumière. Ses lunettes sont plantées dans le buisson de la tignasse.

Il avise le couple en train de rire et, d'emblée, ressent de la sympathie pour Moretti. Il l'avait à ce point noirci dans son préjugé que le comédien lui semble de prime abord agréable. Il est beau, il a de la gueule, un regard intelligent et une grande modestie non affectée.

La fille s'éloigne en adressant un grand signe aguichant à Moretti. Brandon lui tend la main.

— Salut ! Venez par ici, qu'on bavasse un peu...

Il l'entraîne dans un petit studio voisin, obscur. Le réalisateur donne la lumière. C'est insuffisant, froid et coupant. Une table métallique hérissée de micros occupe le centre. Les murs jaune-caca-d'oie sont revêtus d'une matière insonorisante qui décrit des reliefs géométriques en « pointe de diamant ». L'une des parois, vitrée, donne sur la cabine technique, laquelle semble vaguement menaçante dans les ténèbres. Des banquettes garnies d'une peluche orangée cernent le local.

— Posons-nous par ici, fait Brandon.

Il traîne plein de relents confus, plutôt âcres.

— Physiquement, vous êtes tout à fait le personnage, admet-il.

La déclaration est formulée sous forme de réflexion à haute voix. Aldo ne s'y trompe pas : elle est davantage péjorative que positive. Elle renferme tous les doutes et les arrière-pensées que traîne le metteur en scène à son propos. Stoïque, il attend la suite.

— C'est un grand rôle, déclare Yves Brandon en tâtonnant pour s'assurer que ses lunettes lui servent toujours de serre-tête.

— Je sais, répond Aldo. Et je n'ignore pas non plus que c'est sur l'insistance de Charles Dejallieu que vous me le confiez. Mais au cas où je vous inspirerais un sentiment de rejet, n'hésitez pas à me le dire.

Son regard tranquille va chercher celui de Brandon. Le réalisateur est gêné. Il a un sourire incertain et finit par hausser les épaules.

— Un *come-back* est toujours préoccupant, dit-il. Mais si nous gagnons la partie, plus belle sera la victoire.

Aldo réprime son contentement. Il doit « faire sobre à l'écran comme à la ville », selon l'expression consacrée. Rester calme, être aimable sans onctuosité. Surtout ne pas avoir l'air d'un lécheur.

— Je suis un homme qui n'a plus rien à perdre, donc qui est obligé de gagner, murmure-t-il.

*
* *

— Je peux entrer, Charly ?

Dejallieu sursaute car il n'a pas entendu la porte s'entrouvrir. Il considère la gueule flétrie de Peggy, crépie de fards de plus en plus clownesques. Sa belle-mère s'avance dans un déshabillé transparent qui ne cache rien de ses formes pendantes. Il y a quelque chose d'héroïque dans sa persévérance. Elle fait naufrage dans son âge, ou plutôt s'y enlise sans faiblir.

Charles jette un regard écœuré aux jambes veinées de bleu dont les mollets se fripent. Elle a chaussé des mules de soie rose bordées de cygne. Carnaval !

Est-il possible que Mélancolia soit un jour sortie de ce ventre de bouvreuil, rond et bas ?

— Il faut absolument que je vous parle, Charly.

Elle reste guillerette malgré les rebuffades dont elle est l'objet depuis trois jours. A croire qu'elle ne réalise pas combien sa présence dérange son gendre et sa petite-fille. Ils mènent leur vie sans elle. Elle n'a pris que deux repas en leur compagnie. Quand elle propose de sortir avec eux, ils lui répondent qu' « impossible », sans explications.

Charles voit arriver sur son bureau une grosse vague noire sur la crête de laquelle flotte une charognerie vivante qui s'appelle Peggy. Il se contracte. Il rêvassait au Petit Garçon, essayant vaille que vaille de lui ménager une place dans sa pensée à travers les souvenirs obsédants de Mélancolia. Il le « voyait » enfant. Quel âge ? Huit ou dix ans. A une époque où le Tour de France était une épopée. La radio n'était pas encore standardisée et c'étaient les journaux du lendemain qui rendaient compte de l'étape. Seuls les marchands de cycles et quelques cafetiers informés par téléphone affichaient les résultats sur une ardoise. Les mêmes noms revenaient toujours : Magne, Leducq, Speicher, Lapébie... Un coureur italien, Di Pacco, le fascinait parce qu'un jour il avait été sérieusement blessé au cours d'une chute et qu'il avait repris le départ le lendemain. Mussolini lui avait même adressé un télégramme pour le doper : *Coraggio, Di Pacco. Mussolini.* Démagogie de bon aloi et qui faisait plus pour le dictateur qu'un nouveau tronçon d'autoroute.

Peggy tortille du croupion. Charles l'imagine, nue, avec quelques plumes de paon dans l'anus. On dit que les plumes de paon portent malheur. La mère du Petit Garçon l'affirmait. Elle s'était « laissé prendre » un jour par un bouquet de plumes bleues et vertes, très décoratif pourtant dans un vase d'opaline dont les anses représentaient des serpents. A compter du jour où ces plumes avaient trôné sur la desserte de la salle à manger, une foule de malheurs en tous genres s'était abattue sur la famille.

— Qu'avez-vous à me dire ? soupire Dejallieu.

Il s'accoude à son bureau. Sa machine à écrire en chômage repose sur la moquette, entre la commode et le mur. L'absence de l'objet lui flanque presque de l'agoraphobie, sa table de travail devenant tout à coup une espèce de contrée désertique.

— Il s'agit de Dora, comme vous vous en doutez.

Non : il ne s'en doutait pas. Mais alors pas du tout.

— Eh bien ?

— Il est temps qu'elle prépare ses valises ; je vais retourner à Rome où mon cher compagnon m'attend et, bien entendu, désormais, elle habitera avec moi.

Dejallieu est stupéfait.

— Qu'est-ce que vous racontez !

— Voyons, Charles, cette enfant n'a que seize ans et vous n'êtes pas son père. Il est impensable qu'elle vive seule sous votre toit. Vous savez comment sont les gens ? C'est une situation qui lui nuirait horriblement, le jour où elle se marierait.

— Qu'allez-vous chercher là ? s'écrie Charles, fou furieux. Pas son père ! C'est moi qui l'ai élevée. Et quand il l'a fallu, j'ai versé deux millions de francs suisses pour la récupérer.

— Vous avez été fantastique, Charly, admet la perruche, mais cela se passait en présence de ma chère Mélancolia. Maintenant qu'elle n'est plus là (elle renifle et écrase un pleur), tout est changé, fatalement. Je suis sa tutrice. Je dois l'assumer totalement.

Charles se demandait si Di Pacco avait ou non gagné l'étape, au lendemain de sa blessure. Il pensait que oui mais n'en était pas certain. Le Duce, maillot jaune !

Il cherche à lire les pensées de Peggy. En a-t-elle seulement ? Agit-elle par ruse, vengeance, ou pour « jouer son rôle de grand-mère responsable » ? Jadis, c'était sa fille qu'elle imposait à des compagnons de lit. Elle la leur abandonnait avec une ignoble insouciance de fofolle pour qui seul compte son cul.

— D'ailleurs, reprend-elle, à vous parler franchement, la petite file un mauvais coton depuis le décès de ma chère chérie. Elle ne va plus en classe, passe ses journées à lire ou à écouter de la musique quand elle ne disparaît pas avec vous Dieu sait où !

Charles s'arrache à son bureau pour gagner la porte. Au passage, il se pince le nez.

— Putain, gronde-t-il, ce matin, la lance d'arrosage a fonctionné !

Depuis le couloir, il hurle le nom de Dora. Quelque part dans la maison, l'adolescente répond un « Quoi donc » maussade.

— Arrive tout de suite !

Peggy a profité du temps mort pour s'installer dans un fauteuil Louis XIII à crémaillère. Jambes croisées, cuisses offertes, décolleté de nourrice en batterie, elle occupe le territoire, radieuse dans le confort de son bon droit.

Dora survient, les mains aux poches. Elle feint d'ignorer sa grand-mère pour ne s'adresser qu'à Charles :

— Qu'est-ce qu'il t'arrive, mon vieux Montaigne ?

— Ton aïeule veut te parler.

Ce bougre de sale romancier a le secret des mots : des mots qui chantent et de ceux qui fâchent. « Aïeule ! ». Peggy blêmit sous sa peinture. Aïeule ! elle si pimpante, preste, disponible et salace. Aïeule ! avec sa technique amoureuse, son corps désirable... Nonobstant son tour de taille, rien n'a bronché dans ses mensurations.

Son regard de chienne fureteuse s'électrise. Elle pince ses grosses lèvres carminées. Le mépris embrume son cerveau. Pourquoi Dejallieu, si bien élevé, se conduit-il en butor avec elle depuis qu'elle est arrivée ? Il a osé enterrer sa fille sans la prévenir. Et c'est lui qui fait la gueule, puis lui inflige sarcasmes et rebuffades.

— Ma chère enfant, commence-t-elle, la mort de ta merveilleuse maman...

Dora n'en supporte pas davantage.

— Je t'en supplie, vénérable grand-mère : pas de superlatifs entre nous.

— Pardon ?

— Le chagrin, c'est un truc digne. C'est franc, c'est positif ; si tu disposes des rondelles d'œuf dur et des feuilles de salade autour, il se met à ressembler à du saumon froid !

Peggy est dépassée par le verbiage de sa petite-fille.

— Charly, bredouille-t-elle, Charly, mais qu'est-ce qu'elle raconte ?

— Elle ne raconte pas, elle dit ! déclare l'écrivain.

Ça n'arrange pas les bidons de la vieille.

— D'accord, elle dit ! Moi aussi, je vais dire. Dora, les

circonstances font que tu dois quitter cette maison et me suivre en Italie. Désormais, c'est avec moi que tu vas vivre, du moins jusqu'à ta majorité.

Elle remet ça avec les convenances, l'ambiguïté de la situation, son devoir de tutrice légale...

Dora l'écoute discourir, la tête légèrement penchée, comme elle la tient en classe lorsqu'un cours l'intéresse.

— J'espère que tu comprends mes arguments, dit Peggy en terminant. J'agis pour ton bien. A Rome, tu fréquenteras le lycée français qui est excellent. Je vis avec un homme âgé, certes, mais bienveillant, tout prêt à t'ouvrir les bras. Je suis sûre que tu seras heureuse...

Lorsqu'elle se tait, elle décide qu'un baiser théâtral serait la meilleure des conclusions. Alors elle avance, les mains écartées pour cueillir la tête de l'adolescente.

Dora se dérobe d'une esquive pivotante. La mère Peggy reste comme une idiote avec ses mains bibliques qui paraissent offrir du vent.

La jeune fille va se placer sous la protection de Charles. Elle l'enlace farouchement.

— Père, chuchote-t-elle, débarrasse-moi de cette vieille colique, je t'en supplie. Donne-lui du pognon s'il le faut, mais qu'elle nous foute la paix, nom de Dieu !

Et, à Peggy :

— Tu as gâché la jeunesse de ma mère, je ne te laisserai pas gâcher la mienne ! T'entends, mémé ? On m'a kidnappée pendant que tu te faisais sauter comme une vieille pute, et tu voudrais que j'aille vivre avec toi ! T'es gâteuse ou quoi ?

Peggy se ploie, percée jusque z'au fond du cœur d'une atteinte imprévue aussi bien que mortelle. Elle profère des « Oh ! » des « Ah ! » pour agonies d'opéra. Ses mains gentiment déformées par le rhumatisme, deviennent nœuds de serpenteaux grouilleurs. Elle voudrait mourir, ne serait-ce que pendant cinq minutes, pour signifier l'horreur de son chagrin. Dora se fout de ses simagrées.

— T'arranges ça, poète ? dit-elle à Dejallieu. Après, on ira bouffer à la *Colombe d'Or.*

Elle s'envole sur cette désinvolture. Peggy s'abat dans son fauteuil. On voit sa culotte rose avec des fleurettes blanches. Charles songe que si l'envie lui prenait, il pourrait la sauter, elle en serait ravie. Rien ne compte pour Peggy, en dehors de son corps en défaillance d'âge. Elle se fluidifie sans abdiquer ses ardeurs. Tout sexe masculin croisant à sa portée devient potentiellement sa chose.

— Ce que vous êtes désirable ! assure le romancier.

Elle se requinque à la seconde. Magique ! La tragédie tombe d'elle comme une robe déboutonnée. Regard allumé, bouche prête. Ses mains fanées remontent une poitrine toujours en service. C'est à peine si on peut lire la surprise sur les traits de la vieille polissonne. Elle sait l'homme et ses caprices inattendus. Toujours à l'affût du mâle, elle débusque ses moindres désirs. Question d'ondes. Elle a ramassé des bites qu'elle jugeait perdues ; eu droit à d'impossibles troussées. La vie est bellement capricieuse et salopiote ; il faut lui garder aveuglément sa confiance.

— Je suis désirable pour qui sait désirer, répond-elle en se demandant où elle a entendu ça ; ce ne doit pas être d'elle, ce genre de réplique creuse mais ronflante qui jette une échelle de corde aux amants possibles.

Charles réprime son mépris. Il sourit. Va à l'électrophone pour brancher Sinatra. La célèbre voix retentit. Et c'est Mélancolia qui lui revient. Si digne et si belle. D'une élégance naturelle. Mélancolia, la fille de cette affreuse croqueuse de pafs. Mélancolia et son mystère, Mélancolia et son parfum. Mélancolia et sa majesté surprenante. De qui la détenait-elle ? Pourquoi passait-elle, dans un silencieux frou-frou de robe à traîne, cette souveraine sans royaume qui allait mourir si tôt ?

Peggy croit que la musique est chargée de « soutenir » les intentions de son gendre.

Bel homme ! Si elle s'attendait ! Il est vrai que la solitude... Pas un instant elle ne se dit qu'il était l'époux de sa fille.

Elle vient fureter autour du grand lit espagnol. A disposition ! Elle s'assoit négligemment sur le couvre-lit ancien, déjà troussée, le derrière en mouvement. Charles se rappelle une réplique de *la Route au tabac*. L'idiote sans culotte qui se traînait sur le sol. Un vieux lui dit : « Arrête ! tu vas te remplir de sable ! » Dejallieu aime les images choc, brutales, catégoriques. Elles sont irremplaçables.

— J'admire votre appétit, fait-il.

Elle minaude, râlote :

— Aoh ! Tcharly...

— Vous vous donneriez à moi, n'est-ce pas, adorable Peggy ? demande l'écrivain.

— Charly, vous rendez-vous compte que vous êtes un garçon franchement irrésistible ?

— Je veux bien vous faire l'amour mais pas ici, dit Dejallieu.

Elle se pâme.

— Oh, oui, oui : allons dans un endroit tranquille.

— Le cimetière, propose Charles ; que diriez-vous de la tombe de Mélancolia ? Bien entendu, on emporterait un coussin pour ménager votre vieux cul.

Il rit avec cruauté. Peggy trouve qu'on devient franchement méchant dans cette maison. Charles et sa « fille » supportent mal le chagrin ; ils sont différents depuis la disparition de Mélancolia. A croire qu'ils cherchent à se venger de ce mauvais coup du destin.

— Je vous plains, dit-elle, en guise de défense.

— Et moi je vous envie. Comme il doit être bon de perdre sa fille et de continuer à chercher des sexes de bonne volonté. Un clitoris à la place du cœur ! Ô bonheur ! Vous survolez le monde, Peggy ! Quel merveilleux personnage de roman vous allez devenir un jour, grâce à moi, si l'envie d'écrire me reprend. D'y penser me stimule déjà. Je vous décrirai avec âme et passion, ma vieille. Sublime, attendrissante, pute au-delà du plus élémentaire respect humain ! Des hommes vous ont-ils frappée ? Probablement, hein ? Et ça ne vous a pas déplu ; avec quel élan total vous deviez vous jeter ensuite sur la braguette d'un cogneur ! O ma triomphale, je ne vous oublierai jamais. Réceptacle pendant neuf mois de l'être qui vous fut le plus contraire, en ce monde. Sainte Salope qui avez enfanté la pudeur ! Laissez-moi m'agenouiller devant vous.

Charles tombe à genoux.

— Permettez que je pose un instant la main sur votre ventre qui la contint !

Il pose la main sur le ventre palpitant de Peggy, laquelle est dépassée par le discours de Charles.

— Elle était lovée dans cette conque, ma Mélancolia. Elle n'avait pas quarante années à vivre ; peut-être s'en doutait-elle déjà, elle qui savait tout ?

« O Peggy, merci de l'avoir acceptée et conservée dans ce ventre tant et tant profané depuis. Grâce à elle, il aura trouvé sa justification et il lui sera tout pardonné. »

Sinatra chante *Strangers in the night.* Il ne saura jamais que Mélancolia l'écoutait dans la pénombre, en rêvassant.

Dejallieu se relève.

— Peggy, vous ne pouvez nous séparer, Dora et moi. Parce que, comprenez-le, elle et moi, ça compose un fantôme, Son fantôme. Je vais vous verser une somme d'argent, une vraie : en dollars, ma chérie, vous qui aimez le vert ! En contrepartie, vous me signerez un document par lequel vous faites abandon de tous vos droits sur la petite et souhaitez que j'en devienne le tuteur légal.

Peggy se requinque à fond.

— Charly, pour qui me prenez-vous ?

— Pour une merveilleuse poupée qui a besoin de robes neuves et d'acheter parfois des montres à des gigolos.

— C'est une infamie, Charly !

— Probablement, mais une infamie consentie de part et d'autre n'est plus qu'un marché à l'amiable, ma beauté. Vous connaissez ma générosité. Elle est proverbiale. Je pourrais ratiociner. Non : tout de suite la forte somme. Je vous évite la corvée du marchandage, toujours déprimante. Peggy, ma radieuse : dix mille dollars. Il vous faudra une valise pour les trimbaler une fois qu'ils seront convertis en lires.

« Dix mille dollars, Peggy, mon fossile d'amour. Je vous imagine, arpentant d'un pas sûr la Via Venetto, secouant les vendeuses des boutiques, les mettant à vos pieds, chère Incomparable. Dix mille dollars, Peggy ! C'est pas mieux que de baiser, ça, ma poule ? Allons jusqu'à mon bureau pour copuler vraiment. »

Elle partit dans l'après-midi après lui avoir signé tout ce qu'il voulut.

X

Il lui fit quitter l'école, prétextant auprès de la directrice qu'ils retournaient habiter la Suisse. Cette décision constituait la réponse à une série de lettres de plus en plus comminatoires de sœur Marie-Agnès. Pour se donner bonne conscience, Charles inscrivit Dora à un cours par correspondance, mais très vite les lettres contenant les devoirs à traiter s'accumulèrent sans qu'on se donnât la peine de les ouvrir.

Le « père et la fille » poursuivaient leur vie végétative de désœuvrés, comme s'ils eussent vécu dans un univers carcéral. Ils restaient prisonniers de l'absence de Mélancolia. Leur peine se calmait mais ils ne souhaitaient rien d'autre que ces malsaines vacances de convalescents qui consistaient à tromper le temps, heure après heure, avec des moyens qui engendrent une torpeur.

Ils s'engourdissaient dans la lecture, les repas, les films et la télévision et en arrivaient à se négliger. Charles ne se rasait pas plus de deux fois la semaine, et Dora remettait les mêmes nippes plusieurs jours d'affilée. Elle avait les cheveux gras, des bouffissures aux pommettes. Lorsque Dejallieu lui proposait d'aller acheter des fringues, elle répondait : « Jean et baskets, c'est mon uniforme. »

Ils ne recevaient personne. Dejallieu avait fait poser un répondeur téléphonique. L'appareil prétendait qu'il était en voyage. Mais Charles avait glissé de l'insolence dans le ton du message pour avertir qu'on devait lui foutre la paix. Ils étaient pareils à deux enfants livrés à eux-mêmes, à la fois grisés par leur liberté et empêtrés dedans. Par la suite, Charles devait beaucoup repenser à cette période et s'avouer, avec une cuisante honte, qu'elle avait été la plus belle de sa vie. Son amour pour Dora croissait chaque jour davantage. Un amour farouche, un amour absolu. Aucune convoitise charnelle, plus ou moins avouée, ne le souillait. C'était intense et éblouissant. Dora était devenue l'âme de Mélancolia. La *vérité* de Mélancolia. De sa femme, il avait eu le corps, mais pas l'esprit. Il possédait l'esprit de Dora avec d'autant plus d'intensité que son corps nubile le laissait indifférent.

Quand ils débarquaient, lui chaussé d'espadrilles et elle fagotée comme une loubarde, dans leurs restaurants préférés, ils passaient pour des hurluberlus. Les gens mettaient sur le compte d'un snobisme d'artiste ce qui n'était que du laisser-aller.

Ils retournaient souvent sur la tombe de la morte, mais jamais pour s'y recueillir. Chaque fois ils s'y livraient à une occupation quelconque, emportant des livres ou le jeu de scrabble. Il leur arriva même d'y pique-niquer. Ce coin de cimetière était frais et sentait bon. Dora questionnait Charles sur ses amours avec Mélancolia ; il racontait tout, y compris leurs étreintes, comme il livrait autrefois la vie du Petit Garçon au papier.

Il avait beau prendre la décision d'écrire, s'efforcer des heures durant devant la feuille blanche magique, l'enfant estropié ne lui parlait plus et boudait. En se stimulant, Dejallieu parvenait à lui arracher un début de souvenir ; hélas, la confidence tournait court ; ou bien si elle se développait, elle n'excitait pas Charles. Il se demandait alors comment il avait pu noircir une bonne centaine de pages sur la vie de cet être falot dont une infirmité mineure constituait toute l'aventure. Il en venait à le mépriser. Mais, se rappelant sa promesse à Mélancolia d'achever son livre, il espérait que « l'inspiration » reviendrait un jour ; la bienheureuse inspiration qui tourmente comme un désir sexuel.

Le télégramme arriva comme ils partaient pour le cinéma.
— *Impossible vous joindre ; appelez-moi coûte que coûte. Yves Brandon.*

L'expression « coûte que coûte », sur un télégramme aux caractères dansants, avait une force à laquelle il ne put résister et il rentra chez lui pour reprendre la ligne. Le compteur de l'enregistreur était saturé et l'appareil gorgé d'appels inécoutés cessait de remplir sa mission. Dejallieu appela Brandon chez lui. Un autre répondeur automatique le renvoya aux Buttes-Chaumont. Charles se dit que l'homme devient une marionnette actionnée par tout le système qu'il a inventé pour faciliter sa vie. De même que l'esclave s'est rebellé un jour, la machine infernale du progrès se retournait contre son employeur.

— Oui, quoi ? aboya la voix de Brandon.
— Dejallieu !

Le réalisateur changea d'intonation, mais pour partir dans un crescendo.

— Ah ! tout de même ! Merde ! Ça devient plus possible de travailler avec vous !

— Eh bien, travaillez avec d'autres, dit Charles.

Il raccrocha et s'en fut rejoindre Dora qui l'attendait dans la voiture. Mais comme il avait omis de rebrancher le répondeur, le téléphone se mit à sonner.

Charles hésita. Son coup de rogne se dissipait. La sonnerie semblait pressante ; il alla répondre.

— Si vous montez sur vos grands chevaux, c'est la fin de tout ! dit Brandon. Je suis en plein tournage, le savez-vous seulement ?

— Ça marche ? coupa Charles, flegmatique.

— Si ça marchait je ne me casserais pas les burnes à vous appeler toutes les dix minutes pour m'entendre répondre que vous êtes aux îles Fidji.

— Qu'est-ce qui ne va pas ; Moretti ?

— Non, lui ce serait plutôt la surprise du chef, il se défend comme un lion qui a beaucoup bouffé de vache enragée. Ce qui ne va pas, qui n'a jamais été, et qui n'ira jamais c'est votre foutue fin. Je l'ai visionnée : c'est à se taper le cul par terre. Il faut absolument en tourner une autre. Inventez n'importe quoi, ce sera meilleur que celle-ci. Seulement il me faut le texte demain avant dix heures.

— Vous vous foutez de moi ! grommela Dejallieu.

Yves Brandon poussa une sorte de hurlement. Charles l'imagina, vigoureux et cradingue sous sa tignasse grise, les lunettes en bataille, cassant les crayons se trouvant à sa portée comme chaque fois qu'il prenait un coup de sang.

— Ecoutez-moi bien, Charles, j'ai terminé mon tournage avec déjà des dépassements. Après-demain on démolit mes décors et mon héroïne fout le camp à Rome pour un western spaghetti. Alors vous sautez dans un avion et pendant le vol vous nous administrerez la preuve que vous êtes un génie en inventant une autre fin. On passe la nuit à mettre le truc au point et demain je tourne, bordel ! Vous m'entendez, Charles ? Je tourne !

— Galilée ! soupira Dejallieu.

— Hein, quoi ? fait son interlocuteur, ahuri.

— « Et pourtant, elle tourne », paroles de Galilée après ses démêlés avec l'Inquisition.

Yves Brandon a un intense soupir d'incompris.

— Follement drôle : on essaiera de la glisser dans le film, au mixage. Bon, alors, dites, Charles, vous arrivez ?

— D'accord.

Le metteur en scène est tout à coup aux anges.

— Vous savez, Charles, *le Carnaval* est un très bon film si l'on excepte la fin.

— Et si vous finissiez avant la fin ? suggère le romancier.

— Vers quelle heure pensez-vous arriver ? grommelle Brandon.

— Comment le saurais-je ? Vous serez chez vous, en fin de journée ? Ou plutôt, non : venez me rejoindre au *Plaza*. Vous m'y attendrez si je n'y suis pas.

Ce qu'il éprouve c'est de la pitié. Ce réalisateur obnubilé par son film lui semble puéril. Yves n'a pas encore compris la vanité du travail, l'irrémédiable médiocrité de toute œuvre, fût-elle de

Shakespeare, de Mozart ou de Raphaël. Il reste de l'inabouti dans toute création, même dans celles qu'on répute chefs-d'œuvre. La perfection n'est qu'une pauvre idée reçue. Allons, puisque Brandon conserve sa foi, il va aller lui bricoler une fin plus ou moins tirée par les cheveux, en puisant dans les poncifs et les trucs enrobés de son style « pétillant », la sauce faisant passer la qualité du ragoût.

Le temps est médiocre. Aujourd'hui, la Côte d'Azur fait la gueule dans une grisaille légère. Il souffle du ponant et la mer prend des allures d'Atlantique.

— On va être en retard au cinoche, fait observer Dora.

Charles s'installe, riant sous cape.

— On ne va plus au cinéma, fillette, mais à Paris.

Il démarre. Elle ne dit rien. Ils sont complices, follement complices. Ils peuvent décider n'importe quoi de baroque, l'autre « suivra » automatiquement.

Ce qu'il y a d'amusant dans l'aventure, c'est ce départ « mains-aux-poches ». Charles est en espadrilles, pantalon de lin, blouson-chemise... Il a, par contre, son portefeuille dans une petite sacoche Cartier, ainsi que son chéquier, sa carte de l'American Express et une liasse de billets de banque. Dora est naturellement en jean, avec un tee-shirt « Coca-Cola-buvez-glacé ».

Dejallieu consulte sa montre. Il est treize heures trente. En roulant sec, dans huit heures ils seront à Paris.

Dora taquine Charles en s'abstenant de le questionner sur l'objet de ce brusque voyage. Elle branche la radio pour une histoire de Pierre Bellemare : Barbe-à-papa brillamment racontée. C'est plein d'admirables poncifs, ça fourmille de lieux communs, mais Bellemare jongle avec le texte et semble s'en délecter.

Dejallieu et sa « fille » écoutent religieusement. Après la réplique de fin, magistralement assenée, Dora éclate de rire.

— Tu crois que c'est vrai, toi, cette histoire ?

— Tout est vrai, assure Charles, surtout ce qui est inventé.

Ce n'est presque pas une boutade. Au long de sa carrière de romancier, il a eu maintes occasions de s'apercevoir qu'il inventait des choses qui se produisaient par la suite.

Il parlait souvent de ce phénomène avec Mélancolia. Dans le fond, il se vantait toujours, ce grand modeste.

— Tu penses à elle ? demande la jeune fille.

— Comment le sais-tu ?

— A la qualité de ton silence. Lorsque tu évoques maman, il y a de la lumière autour de toi.

Il lui tend la main. Celle de Dora est toujours fraîche. Si lisse...

— C'est pas le tout, il faut que je trouve une fin pour *le Carnaval de Tolède* avant d'arriver à Paris.

Elle bougonne :

— Le grand grizzli a fini par t'avoir ?

— Il était désespéré et m'a juré que la fin du bouquin n'est pas possible à l'écran.

— C'est un con.

— Pas fatalement. Ce qui est visualisé prend une force brutale, quelquefois insoutenable. Dans mon bouquin, le héros tue l'héroïne qui est en train de recouvrer la mémoire, pour l'empêcher de se souvenir de son passé dégueulasse. Je fais très bien avaler la chose en l'expliquant au lecteur. Je l'amène à conclure qu'il s'agit d'euthanasie, d'un meurtre par charité humaine ; il me suit dans cette démonstration, mon lecteur. Seulement à l'écran, il se passe quoi ? Le gars tire sur la fille et ça, c'est un meurtre catégorique. On se fout de la motivation, ne reste que l'énormité de l'acte. On *voit* mourir une jeune femme.

Elle se love sur le siège passager couvert d'un skaï bleu semé de paillettes, horriblement américain. Ils moquaient souvent leur voiture qu'ils appelaient « le barlu ».

— Bon, alors ça va finir comment ? Ils se marièrent et eurent beaucoup d'enfants ?

— Il me faut un moyen terme.

— Ce sera un moyen terne, assure Dora. Et merde, pourquoi laisses-tu faire des films avec tes livres ? *Because money ?*

Charles réfléchit.

— Probablement, oui. Mon éditeur reçoit des propositions, il m'engage à les accepter puisqu'on partage, et j'accepte.

— Ensuite tu te retrouves sur l'autoroute du Soleil, à chercher ce que tu vas bien pouvoir fiche d'une histoire qui s'est cependant vendue à deux cent mille exemplaires !

— A quatre cent trente mille, rectifie Dejallieu par coquetterie.

Elle a un rire indulgent, rire de femme amusée par la vantardise du mâle. Mélancolia se contentait de sourire avec les yeux, elle. Elle regardait l'existence avec pudeur, peut-être également avec crainte. Elle en connaissait les cruelles perfidies.

*
* *

Yves Brandon poireaute dans le hall du *Plaza,* assis auprès d'un gigantesque bouquet. Il est là depuis une heure au moins.

Ce grand frémissant hirsute a toutes les patiences quand le travail est en jeu. Cent fois au moins, il a potassé le script innommable qu'il triture. Il lui arrive de se curer un ongle avec l'extrémité de la reliure en spirale. Son regard suit les allées et venues du palace. Pour lui, comme pour Dejallieu, les hommes sont des personnages. Charles les capte pour les réinventer,

Brandon voudrait les filmer, tels qu'ils surgissent devant lui, avec des mises conçues par eux, des gueules d'accidentés de la nature...

Leur multiplicité le fascine. Il les range par catégories. Il y a les « ternasses », les « surprenants », les « inouïs », les « sales fumiers », les « cons », les « pauvres gentils »...

Il voudrait planter sa caméra au milieu du hall et mettre en boîte ces gens sans importance mais qui s'en donnent tellement. Ces illustres-d'eux-mêmes, comme il dit : gros Levantins à la fois tapageurs et empotés ; filles archisophistiquées ; vieilles dames couvertes de fards, de fourrures et de bijoux, vivants mausolées érigés à la gloire de leur passé...

La porte tournante pivote avec un bruit de vent dans les branchages, propulsée par un groom ganté de blanc. Dora débarque, surprenante dans cet univers de grand luxe. Charles est craché à son tour par le tambour. Ses espadrilles sont jaune paille pour tout arranger. Les arrivants étonnent. La faune présente les regarde d'un air indécis, car il faut être inconscient ou très riche pour se permettre un pareil accoutrement dans un tel endroit.

Dejallieu vient à la rencontre de son réalisateur.

— Vous êtes là depuis longtemps ?

— Davantage, ricane Yves en présentant sa grande main pas propre. Pour gagner du temps, j'ai fait réserver votre suite habituelle.

Sa *suite habituelle*...

Mélancolia défaisait les valises ouvertes sur le lit, tandis que Charles accaparait le téléphone dans le salon. C'est la première fois qu'il revient au *Plaza* sans elle.

— Bonne idée, Yves. Merci.

Il va se présenter à la réception après avoir serré les mains de l'escouade de concierges trônant derrière leur banque surélevée. Dora regarde les vitrines, près de l'entrée du restaurant.

— On va s'occuper de vos bagages, monsieur Dejallieu.

— Je n'ai pas de bagages, nous sommes partis à l'improviste. Envoyez-moi un chasseur dégourdi, je voudrais qu'il nous achète des objets de première nécessité au Drugstore Publicis.

Une bouteille de champagne dans un seau à glace, une corbeille de fruits, un bouquet de fleurs les attendent. Charles donne toutes les lumières. Il pince le nez, agacé par les odeurs de fumée qui imprègnent l'appartement.

— Je peux ouvrir la fenêtre, Yves ?

— Vous me demandez ça à moi qui ne ferme jamais les miennes ?

C'est un montagnard d'origine, Brandon. On s'attend à trouver un piolet et un rouleau de corde à sa ceinture.

— Vous savez, je crois que je vous apporte la fin de vos rêves, déclare Charles.

— Elle est merveilleusement conne, assure Dora.

Le réalisateur sourcille. Pourquoi diable cette gamine « le cherche-t-elle » ?

On frappe, c'est un jeune chasseur qui vient aux ordres. Dejallieu lui explique ce qu'il attend de lui, mais Dora intervient :

— Je peux l'accompagner, père ? Je choisirai...

Charles se rembrunit. La perspective de quitter Dora, de la laisser vaquer sans lui dans Paris le navre inexplicablement. « Comme un adieu, pense-t-il, comme un adieu. » Mais le chasseur semble être un petit gars consciencieux.

— D'accord.

Il tend des billets de cinq cents à sa fille.

— Tâche de me dénicher un rasoir électrique, une brosse à dents et peut-être un pyjama, taille 48... Tu t'achèteras ce que tu voudras.

Il ajoute :

— Sois prudente.

Il la regarde sortir sur les talons de l'employé. Une immense bouffée de chagrin lui « remonte ». Des larmes jaillissent de lui. Il quitte la pièce pour aller les essuyer à la salle de bains, mais il s'agit d'un vrai chagrin, d'un grand chagrin, d'un chagrin qui ne va pas finir « comme ça ». Il s'assied sur le bord de la baignoire, enfouit son visage dans le tissu râpeux d'une serviette nid d'abeilles. Et il pleure, il pleure éperdument... Il en a la poitrine secouée. Il suffoque...

La silhouette du grand s'encastre dans l'ouverture de la porte qu'il n'a pas fermée.

Brandon murmure :

— Je peux faire quelque chose ?

Dejallieu secoue la tête. Tout de même, la voix du réalisateur lui insuffle de l'énergie.

Il s'essuie fortement la gueule.

— Vous comprenez, c'est la première fois que je reviens dans cette suite sans elle ?

Et il a honte de son mensonge. Mais peut-il dire à Yves qu'il est au désespoir parce qu'une petite fille vient de le quitter un instant ? Qui donc pourrait comprendre ?

— Je suis un con, soupire Brandon, j'aurais pu y penser ; mais il n'est pas trop tard pour changer...

— Non, non, c'est un orage, Yves... Même pas : des giboulées...

Il rit avec sa pauvre bouille abîmée par les larmes.

— On va se mettre au charbon, débouchez le champagne, j'arrive. Je parie que ma fin vous fera bander. Il ne la tue plus, Yves. Au contraire, il cherche à lui décrire un avenir heureux ;

elle a l'air captivée... Vous me suivez, Yves ? Elle est fascinée. Ça le survolte. Il est de plus en plus lyrique, mais quand il cesse de parler, elle tombe... Car elle s'était empoisonnée avant ce beau duo. Ou bien, non : elle s'ouvre les veines derrière la table, pendant qu'il lui parle... Hein ? Qu'en pensez-vous ? Trop mélo ?

— Pas mal, et vous ? ricane Brandon.

— Bon, alors je sais... Il parle d'avenir et d'amour, ça je le sens. Et pendant ce temps, elle s'en va. Il s'agit de trouver le cadre, l'articulation de la scène. Question de lieu.

Mais Charles a beau se débattre dans son intrigue, il garde, en filigrane, le tourment que lui cause l'absence momentanée de Dora. Il a besoin d'elle ; il est malade d'elle.

XI

Lorsque Dora revint, une heure plus tard, escortée du chasseur bardé de paquets, Charles se sentit délivré. Il eut envie de la prendre dans ses bras pour longuement la serrer contre lui ; il s'abstint à cause de Brandon qui là encore n'aurait pas compris. Les autres croient lire nos sentiments dans nos actes et leur donnent une interprétation erronée. Nous vivons en semant de fausses impressions qui nous trahissent et parviennent parfois à nous modifier.

Pourtant, il ne put cacher sa flambée de joie. Il devint disert, plein d'entrain, d'enjouement ; insista pour faire servir un repas dans l'appartement et transforma cette soirée de travail en une sorte de fête. Yves s'aperçut de ce changement d'humeur, mais ne put en percer la cause. Il le mit sur le compte du champagne et de l'euphorie du travail. Dejallieu se piquait au jeu. Oubliant l'œuvre initiale, il prenait un sadique plaisir à en démanteler le dénouement. Il redonnait une vie nouvelle à cette œuvre tombée de lui depuis longtemps. Le vieux pommier produisait encore des fruits ; peut-être avaient-ils un autre goût, mais ils gardaient belle apparence.

Quand ils se séparèrent, à deux heures du matin, Yves Brandon était joyeux, un peu soûl et plein d'admiration pour son complice à l'imagination si riche.

Pendant tout le temps où ils travaillèrent, Dora resta près d'eux, recroquevillée sur le canapé, silencieuse et attentive. Elle écoutait Charles s'enflammer pour ses idées. Certaines étaient excessives, mais il le constatait de lui-même, rapidement. Il y avait d'abord le jaillissement spontané ; ensuite venait le self-control. Il n'attendait même pas les objections de Brandon pour renoncer aux solutions qu'il venait de proposer et qu'il appelait « des inventeries à la con ». C'était un spectacle fascinant ; une jonglerie de funambule. Il lançait des suggestions sans cesse de progresser, donnant l'impression qu'il allait tomber dans le ridicule, mais se rattrapant à l'ultime instant pour placer un élément confondant d'efficacité.

Lorsque le réalisateur fut parti, il dit à Dora de dormir dans la chambre tandis que lui coucherait dans le lit qu'on avait dressé au salon. Ce grand sauvage avait fumé toute la soirée et l'air était empuanti pour la nuit, malgré la fenêtre ouverte.

Dora refusa, sachant combien Charles détestait l'odeur du tabac. Il lui laissa la salle de bains et, pendant qu'elle faisait sa toilette, il passa en revue les feuillets griffonnés au cours de cette séance. Les brouillons lui rendaient compte de ses faux pas. Ils lui permettaient de suivre son cheminement tâtonnant vers la chute idéale, la seule possible.

Dora lui avait déniché un pyjama trop grand, dans les tons bleus à rayures ; un rasoir Braun pareil à celui dont il se servait d'ordinaire et même le pré-shave d'Héléna Rubinstein qu'il employait toujours. La brosse à dents était un gadget en forme de fourchette.

Elle se coucha et il la borda. Elle était son enfant, son infini trésor. Comme il l'embrassait, des larmes lui revinrent encore.

— Quoi ? murmura-t-elle.

— Toi, répondit-il.

Il lui dit ce qu'il avait éprouvé quand elle avait suivi le chasseur au drugstore ; cette immense détresse ; cette vague de désespoir impossible à endiguer. « Comme si tu ne devais jamais revenir, comprends-tu, ma Dora ? »

Oui, oui, elle comprenait. Lui dit qu'elle aussi avait été saisie d'angoisse une fois dehors.

Charles hocha la tête.

— Je n'ose pas penser au jour où tu me quitteras, fit-il.

— Pourquoi veux-tu que je te quitte ?

— Parce qu'il y a en ce moment, quelque part sur cette putain de planète, un garçon auquel tu es destinée. Il t'emportera et tu seras follement heureuse d'être emportée car telle est la vie, Dora ; tel est notre destin depuis le fond des âges : les enfants grandissent, s'accouplent et s'en vont.

— Eh bien, moi, je ne te laisserai jamais, père.

Il se fit l'effet d'être Jean Valjean avec Cosette. Le quatrain concluant *les Misérables* lui revint à l'esprit et il se le récita mentalement :

Il dort. Quoique le sort fût pour lui bien étrange,
Il vivait. Il mourut lorsqu'il n'eut plus son ange ;
La chose simplement d'elle-même arriva,
Comme la nuit se fait lorsque le jour s'en va.

Ce salaud d'Hugo avait tout compris. Charles n'aurait même plus l'ultime ressource de chanter sa misère, le jour où « son ange » s'en irait.

Heureusement : il serait encore là cette nuit. Et aussi demain.

Et peut-être pendant beaucoup de jours encore ? Il décida d'adresser une prière à Mélancolia pour qu'elle « fasse le nécessaire ».

*
* *

Le téléphone sonnait. Aldo s'éveilla et fut tenté de décrocher, mais comme il n'était pas chez lui, il estima qu'il n'en avait pas le droit ; aussi secoua-t-il sa compagne de lit.

Evelyne Morges dormait en chien de fusil. C'était une exquise fille blonde, avec de grands yeux limpides (qu'on ne voyait pas pour l'instant). Elle ronflait un peu et Aldo en fut choqué. Le ronflement, pour lui, était une espèce d'infirmité grotesque qui ne pouvait en aucun cas affecter une beauté comme Evelyne.

Il la houspilla un peu plus fort pour se venger de la déception qu'il éprouvait. Elle cessa de ronfler et ouvrit ses yeux d'innocence.

— Qu'est-ce qu'il y a, mon chéri ? parvint-elle à formuler dans un seul geignement.

— Téléphone !

— Réponds, je dors...

— Je ne voudrais pas te compromettre...

Elle eut un gloussement.

Il décrocha et reconnut aussitôt la voix d'Yves Brandon.

— Salut, Evelyne, je vous réveille sans doute ?

— C'est Moretti, répondit Aldo.

Il y eut un court silence ; le temps que mit Brandon à réaliser la situation.

— Oh ! bon, je dérange ? grommela-t-il.

— Pas du tout.

— Je vais faire d'une pierre deux coups car j'allais vous appeler tout de suite après. Vous pouvez venir aux studios une heure plus tôt tous les deux pour tourner la nouvelle fin que Dejallieu a concoctée cette nuit ?

— A votre disposition, Yves. Elle est bonne ?

— Excellente.

— Bravo d'avoir su le convaincre, dès la première lecture je sentais que ça finissait foireux. J'en avais d'ailleurs parlé à sa femme...

Aldo revit Mélancolia chez lui, à Saint-Rémy, somptueuse et secrète. Intouchable, à moins que... Que quoi ? Une violente nostalgie le poigna, comme chaque fois qu'il repensait à Mme Dejallieu. La mort avait achevé de la placer sur un piédestal. Elle ressemblait désormais à un personnage de vitrail.

Il réagit :

— A propos de la fin du film, Yves, Evelyne et moi avons décidé d'organiser un petit raout, ce soir, chez elle ; il est indispensable que vous en soyez.

— D'accord, accepta le réalisateur.

Il faillit faire une allusion à cette liaison entre Evelyne et Aldo, qu'il venait de découvrir. Il s'abstint, l'expérience lui ayant enseigné les vertus de la discrétion. Il était fréquent que des partenaires, vivant l'aventure d'un tournage, se retrouvent dans un lit. Généralement, cela durait jusqu'au film suivant.

— A tout à l'heure !

Moretti raccrocha. Sa maîtresse dormait toujours, mais d'un sommeil aux aguets. Sa respiration avait changé de rythme ; elle se tournait et retournait dans le lit, malmenant l'oreiller.

Aldo regarda la chambre un peu frivole, pour midinette enrichie. Elle était gaie, naïve avec quelque prétention qui en causait le mauvais goût. Il s'assit, le dos appuyé contre le montant capitonné. Sa coucherie avec Evelyne (il repoussait le mot liaison) datait de trois jours. L'actrice l'avait ramené des Buttes au volant de sa Porsche blanche car il n'osait plus montrer sa malheureuse deux chevaux depuis sa reconquête des studios. Son *come-back* s'était opéré « en trombe ». Galvanisé par une énergie spontanée, il avait subjugué tout le monde par sa gentillesse, sa modestie pleine d'entrain ; surtout, il avait su se montrer drôle, or tout est facile à un homme qui fait rire. Les femmes et les hommes lui sont d'emblée acquis. Il s'était gaussé de son long purgatoire, clamant qu'il allait jouer le « Retour du ringardo ». Il avait montré un talent qu'on ne lui connaissait pas et qu'il ignorait lui-même. A croire que ces années d'amère pénitence l'avaient façonné secrètement. Yves Brandon avait eu l'agréable surprise de découvrir en lui un acteur plein de mesure, de retenue, de richesses en friche. Il lui avait déclaré, un soir, au bar, qu'une nouvelle carrière l'attendait, « une vraie ». La transmission du *Carnaval de Tolède* lui ouvrirait des portes ; il y aurait, à cette occasion, un fort coup de projecteur sur lui ; il devait ne pas s'emballer, savoir choisir, surtout ne pas accepter n'importe quoi.

Moretti était conscient qu'il pouvait « repartir », et pourtant il ne se sentait pas motivé. Au cours des quatre semaines de tournage, il avait souvent eu la nostalgie de sa petite maison de Provence et du cabaret arlésien où il se rendait quelquefois... Sa mère lui manquait, bien qu'elle fût désormais hors d'atteinte. Il s'était délibérément marginalisé, puni, en quelque sorte. Oui, c'était cela, Aldo avait besoin de se punir d'être ce qu'il était. Il portait la haire et le cilice presque par besoin, afin de contrebalancer des instincts tourmentants.

— C'était qui ? bredouilla Evelyne Morges, affleurant enfin la réalité.

— L'ours Martin : on doit aller au studio une heure plus tôt. On nous a mijoté une nouvelle fin belle et pathétique à chier partout.

— Tu veux bien aller faire le café ?

— D'ac.

Elle fut arrachée définitivement du sommeil par une préoccupation ménagère.

— Si on tourne plus tôt, quand irons-nous faire les emplettes pour ce soir ?

— T'inquiète pas, je m'occupe de tout. Pendant que tu te prépareras, je foncerai chez le traiteur du coin. Une fiesta, c'est quoi ? Charcutailles, rosbif, poulet froid, et à boire, à boire, à boire...

Il se leva, traversa le vaste living attenant et passa dans la cuisine pour brancher la cafetière électrique.

Evelyne était une fille plutôt gentille, plutôt bonne baiseuse, plutôt ravissante et plutôt un peu conne. Il se réjouissait de la quitter le lendemain pour retourner auprès de son géranium.

*
* *

Charles proposa à Dora d'aller aux studios pour voir tourner la « nouvelle fin », pensant que la chose l'intéresserait car elle n'avait jamais mis les pieds sur un plateau. Mais elle refusa. Elle préférait passer la journée à l'hôtel, à traînasser dans la suite comme elle traînassait dans leur maison de Mandelieu. Elle était devenue une espèce de chatte de luxe allant d'un coussin à un autre, ne s'éveillant que pour laper son lait ou croquer sa boîte de Ronron. Une chatte angora, aux beaux yeux fixes.

Elle se fit monter une brassée d'hebdomadaires qu'elle feuilleta, à plat ventre sur le tapis. A midi elle brancha la télé. A treize heures ils commandèrent une bouffe qui leur fut servie en grand apparat par un maître d'hôtel compassé.

Charles se « mit au bureau », comme on se met au piano et écrivit quelques textes sur le Petit Garçon. Il se forçait, tentait de s'exciter par cette masturbation littéraire, mais le Petit Garçon restait claquemuré dans son passé, farouche. Dejallieu essaya de lui extorquer des confidences sexuelles, sachant qu'on est bon gré mal gré « embarqué » par ce genre de sujet toujours « payant ».

Le Petit Garçon aimait à séduire pour se prouver qu'il valait n'importe qui. Il lui arrivait de déclarer un amour-passion à des filles pour lesquelles il ne ressentait pas le moindre désir. Il les voyait une fois ou deux et puis les abandonnait froidement, sans un mot. Lorsqu'elles s'accrochaient et venaient lui demander raison, il les traitait avec hauteur, comme un homme étonné qu'on se soit mépris sur ses sentiments.

Dejallieu tentait désespérément de regonfler son inspiration. Il n'y parvenait plus. L'idée qu'il pourrait peut-être ne plus écrire le torturait, pourtant il se savait coupable de l'accepter, comme certains hommes acceptent leur déclin sexuel.

Son éditeur lui envoyait de longues lettres dont le ton variait.

Tantôt elles étaient manuscrites (pour faire davantage « personnel »), tantôt elles étaient dactylographiées et découpées en paragraphes dont chacun contenait un motif péremptoire pour que Charles se remît à « produire ». En filigrane on lisait la menace de cesser les avances mensuelles. Charles avait totalisé ses avoirs. En tapant dans son capital, il aurait de quoi vivre largement jusqu'à la majorité de Dora. Pourquoi se fixait-il une telle échéance ? Que signifiait-elle au juste ? Il aurait été incapable de le dire, mais pressentait qu'elle représentait une limite.

Quand Yves Brandon vint les rejoindre, en fin d'après-midi, il les trouva en pyjama, l'un et l'autre. Dejallieu avait dû retrousser les manches et les jambes du sien. Ni l'un ni l'autre n'avait pris de bain et ils sentaient encore le lit. Il tiqua. La perspective que Charles couchait avec sa belle-fille s'imposa à lui. Elle lui paraissait évidente. Il flottait dans la suite une intimité amoureuse. Le réalisateur songea que même un vrai père et sa vraie fille ne restent pas une journée entière ainsi claquemurés dans un appartement d'hôtel. Il domina sa réprobation. Après tout, chacun vivait comme il pouvait. Lui-même gardait le cuisant souvenir d'une nièce qu'il avait « bricolée » (il se réfugiait derrière ce terme imprécis) un jour de pluie dans le Périgord.

Son contentement professionnel faisait plaisir à voir.

— Charles ! Ç'a été gé-nial ! Vous m'entendez ? Gé-nial ! Un vrai velours... Vous n'avez pas à traîner d'arrière-pensées, cette fin-là s'imposait. Quand vous verrez le film, vous comprendrez que j'avais raison.

Dejallieu fut heureux de la bonne nouvelle. Il connaissait son Brandon et savait qu'il n'avait pas l'enthousiasme facile.

— Voulez-vous que je vous dise, Charles ? Je ne me rappelle pas avoir tourné un sujet de cette qualité. J'en espère beaucoup. Votre Moretti y est plus que remarquable. Une révélation ! Tout en nuances. C'est intelligent et c'est fort. La petite Morges ? Parfaite : elle joue comme elle respire. Pour le policier, vous serez sur le cul, mon ami. Rien d'aussi terrifiant qu'un comique quand il ne fait pas rire.

— Et la mise en scène ? demanda en plaisantant Dejallieu.

— Vous la jugerez sur pièce. Bon, c'est pas le tout, vous allez vous fringuer, mes enfants, nous sommes tous invités chez Evelyne Morges pour une nouba de fin de film.

— Très peu, merci, grommela Dejallieu ; je suis venu ici pour travailler, pas pour faire le con avec des cabots.

L'ogre s'emporta :

— Pensez un peu aux autres, merde ! Les comédiens savent que vous êtes à Paris et vous n'êtes même pas passé aux Buttes leur serrer la louche. Ils croient que vous les méprisez !

— Je ne les méprise pas, mais je me fous de ce qu'ils pensent, répondit Charles.

**
* *

Ils sont une quinzaine dans l'appartement d'Evelyne Morges : acteurs et principaux techniciens du *Carnaval*. Une quinzaine qui boivent copieusement. Alors le ton monte, tu sais bien.

Moretti a préparé un punch froid géant dans un seau à champagne. Ça saoule plus vite, donc ça crée l'ambiance. Chacun puise à la louche, ce qui est amusant. On s'enivre sans avoir l'impression de boire vraiment.

On échange des plaisanteries, des quolibets. On « charge » un vieux comédien que les autres ont surnommé Harry Baur, à cause de ses lourdes paupières. Il a joué le chef de la police de Tolède, affublé de lunettes qui donnaient de l'ampleur à ses « valoches ». A l'écran, c'est un acteur scrupuleux, un peu tatillon. A la ville un vieux célibataire frileux. Il est d'usage de le charrier. Le preneur de son commence en déclarant que le film sera sûrement une grande réussite *malgré* la prestation d'Harry Baur. Celui-ci proteste ; pourquoi Yves Brandon, qui est l'un des meilleurs réalisateurs des trois chaînes, l'a-t-il choisi ? Hein, dites-lui !

— Parce que tu n'es pas cher, déclare un comédien, ça lui a permis de faire un effort sur un poste plus important.

Le vieux se fâche. Il est « bon client » dans ces cas-là, car il ne comprend jamais la plaisanterie.

Evelyne fait un signe à Aldo. Ce dernier opine et passe discrètement dans la chambre à coucher. La jeune comédienne entreprend alors de mettre « les autres » dans la confidence. Ils ont préparé un « canular » pour Harry Baur, Moretti et elle. Aldo qui excelle à jouer les travelos va se déguiser en femme et faire du rentre-dedans au vieux, lequel passe pour avoir la main leste. On le présentera à Harry Baur en prétendant qu'il est la sœur d'Aldo. Tout le monde glousse d'excitation.

On sonne énergiquement à l'entrée. C'est Yves Brandon, plus cradingue et superbe que jamais, la chevelure comme une crinière, et ses besicles s'y perdent. Il porte son trop grand pull plein de plis et de trous, de taches aussi. Il fume sa pipe. Il a son blouson de cuir à l'épaule. Il exulte parce que Dejallieu et sa fille l'accompagnent. Il tonitrue :

— Place au maître, bonnes gens !

Présentations. Représentation ! La soirée baisse d'un ton car l'écrivain impressionne un peu les participants. Il y a sa gloire, sa figure courtoise mais « ailleurs », cette manière de ne parler qu'à bon escient (et si tu étudies les choses de près, il n'y a rien d'essentiel à dire dans la vie courante).

Dejallieu presse des mains, assure qu'il est ravi.

— Voici Tony Frank, qui joue le policier dans le *Carnaval*, et puis Anna Garvin, la logeuse et « Harry Baur », le préfet de police de Tolède...

Charles félicite Brandon sur la justesse de son « casting », ce qui est la meilleure manière de complimenter tous ses interprètes.

A son tour il présente Dora :

— Ma fille.

Il a la bouche pleine d'orgueil.

L'adolescente salue d'un air rogue : elle n'avait pas envie de venir. Sa plongée dans ce groupe d'inconnus soudés par la complicité du travail en commun la paralyse. Elle en veut à son père d'avoir cédé aux instances du grand ogre. Elle hoche la tête sans dire bonjour, touche mollement les mains tendues. Finit par se déposer près de Charles sur un canapé.

Evelyne Morges vient leur chuchoter qu'un gag se prépare. Aldo, déguisé en femme, va essayer de « vamper » le vieil Harry Baur. Brandon qui adore les farces rigole déjà. Il donne à Dejallieu et à sa fille quelques explications indispensables pour leur permettre d'apprécier la situation : le vieux beau se croit toujours irrésistible et fait à la ronde des confidences graveleuses quant à ses prouesses amoureuses...

On fourre un verre de punch dans les mains des arrivants.

Coup de sonnette en coulisse. C'est Aldo. De la chambre on passe dans la salle de bains et de la salle de bains dans le hall ; ainsi feint-il d'arriver de l'extérieur. Evelyne va lui ouvrir. Elle l'annonce :

— Barbara, la sœur d'Aldo !

Et Moretti entre, dans une robe noire, la démarche assurée malgré des escarpins à hauts talons.

— Evelyne chérie ! Je suis en retard ! roucoule Aldo.

Il dit bonjour à la ronde. Il parle d'abondance, fait de l'esbroufe. Apercevant Dejallieu, la fausse Barbara s'écrie :

— Mais c'est notre grand homme ! Si je m'attendais ! Et voici miss Dora, sa belle jeune fille, je suppose ?

Il avance la main pour caresser la joue de Dora. Celle-ci est pâle, comme au bord de l'évanouissement.

Elle dérobe sa tête à la main qui s'avance.

— Non ! Non ! Non ! crie-t-elle.

Les invités sont surpris. Tout le monde regarde la scène. Dora se lève et court à la porte en hurlant :

— Viens, papa ! Viens !

Charles, très pâle lui aussi, s'élance derrière elle.

— Excusez-moi, dit-il.

Il rattrape Dora dans l'antichambre. Elle s'affaire pour ouvrir la porte, n'y parvient pas. On dirait une folle. Yves Brandon surgit sur les talons de Dejallieu. Tout cela est un peu burlesque.

— Charles, que se passe-t-il ?

— Laissez ! gronde le romancier ; laissez-nous, je vous en conjure !

Il saisit Dora par le bras et l'entraîne vers l'ascenseur.

Une fois dans la cabine, elle se plaque à lui. Elle tremble. Il l'embrasse sur les paupières, la berce doucement.

— N'aie pas peur, ma Dora, n'aie pas peur, petite âme...

— Si tu savais, fait-elle en sanglotant.

— Je sais, dit Charles, je sais...

XII

Il savait que cela se produirait. Il était impossible que cela ne se produisît pas. Aussi passait-il ses journées à attendre. Il attendait comme l'on attend les résultats d'analyses importantes dont le déchiffrage peut vous apporter l'annonce de votre trépas. Il traversait des périodes d'angoisse auxquelles succédaient de courtes euphories dues à l'alcool.

Le retour auprès de son géranium ne lui avait pas donné le réconfort qu'il en espérait. Sa mère prostrée, à tout jamais close, était pareille à un gisant de marbre représentant le mort qui repose au-dessous de lui. Elle se laissait manipuler par l'infatigable Mme Servellin avec une hébétude tragique.

En rentrant de Paris, Aldo eut l'impression qu'elle avait vieilli en quelques semaines. Que le temps portât atteinte à cet être perdu l'épouvantait comme la barbe poussant sur les joues d'un défunt. Moretti se rendit compte qu'il venait de traverser une longue période de répit. Le milieu des studios, le travail, les coucheries l'avaient distrait de sa vie morose. A Paris, il regrettait sa léthargie de Saint-Rémy, mais de retour à Saint-Rémy, il mesurait à quel point un être de son âge est peu fait pour un tel renoncement.

Il pensait que le téléphone carillonnerait au moment où il « n'y penserait pas » ; ou bien qu'il recevrait une convocation quelconque ; et peut-être même qu'il aurait la visite de policiers agissant sur commission rogatoire.

Ce fut une lettre qui arriva.

L'enveloppe, en beau vélin épais, se détachait derrière la petite porte vitrée de la boîte aux lettres. Au dos, on lisait, en belle anglaise noire : *Le Mont des Oliviers, Mandelieu.*

Aldo passa son index sur les lettres gravées. Son cœur lui faisait mal. Cette élégante missive était en réalité une bombe.

Il ventait dur et des rafales d'une étrange petite pluie oblique frappaient son visage. Moretti rentra à la maison et regagna sa chambre pour y lire la lettre.

Mon Cher Moretti,

Vous avez dû être surpris par le comportement de ma fille lors de votre réception parisienne.

Depuis le décès de sa mère, Dora est un être à vif qui me donne beaucoup d'inquiétude.

Je préfère vous dire la vérité, aussi saugrenue qu'elle puisse vous paraître. Quand vous avez surgi, travesti en femme, elle a eu l'impression de revoir une « personne » qui participa à son kidnapping.

Comme cette impression tourne à l'idée fixe, je ne vois qu'un moyen de l'en débarrasser : que vous veniez dîner à la maison, le plus rapidement possible. Cette thérapie serait, j'en suis convaincu, salutaire car Dora comprendrait alors l'extravagance d'une telle pensée.

Je vous espère donc au plus vite.

Cordialement à vous.

Charles Dejallieu

P.-S. : *Mon ami François Chalais qui a assisté à une projection privée du* Carnaval *ne tarit pas d'éloges sur votre compte.*

Aldo déposa la lettre sur sa table de chevet et descendit boire un verre de vin de pays à la cuisine. Il avait l'esprit « neutre », c'est-à-dire que rien de positif ne s'y inscrivait. Cette lettre était bien une grenade lancée par-dessus son mur, mais il était possible qu'elle n'éclatât pas. Elle prouvait que Dejallieu n'avait rien entrepris « d'officiel » et qu'il comptait procéder lui-même à un « approfondissement » de la question. Il ménageait Moretti en laissant entendre qu'il ne partageait pas « l'idée fixe » de Dora ; malgré tout, une menace ténue s'y glissait entre les lignes. Un mot, surtout, dans cette lettre le faisait tiquer : le mot « personne ». *...Elle a eu l'impression de revoir une « personne » qui participa à son kidnapping.*

Le mot trahissait le doute du romancier. Il n'avait pas écrit « une femme », mais « une personne », comme pour montrer qu'il ne rejetait pas la possibilité que la femme en question fût un homme déguisé.

Déjà, Aldo avait senti le vent du boulet, à Baumanière, quand Dejallieu l'y avait convié inopinément. Cette première fois, il avait su « rassurer » l'écrivain. La tâche qui l'attendait à présent serait écrasante. Deux personnes désormais le suspectaient, dont l'une était sa principale victime.

Dora comprendrait alors l'extravagance d'une telle pensée.

Là aussi, perçait la menace. Charles Dejallieu était un pince-sans-rire, il savourait les mots, en usait en bon apothicaire du vocabulaire.

Quant au post-scriptum, c'était la touche finale. Il devait

balayer l'inquiétude du comédien. Fait-on des compliments à un individu qu'on soupçonne ?

Moretti relut deux fois la lettre. Ensuite il la savait par cœur.

Il gagna la salle de bains pour vérifier sa gueule dans le miroir. Elle lui révélerait « où il en était ».

Elle lui parut normale. Un peu lourde dans la région des yeux, mais détendue.

En la contemplant, il évoqua le général de Gaulle (non pas qu'il lui ressemblât) qui, un jour d'allocution, lors des événements d'Alger, avait commencé par : « Eh bien, mon vieux pays, nous voici donc une fois de plus face à face. »

Il murmura :

— Eh bien, mon vieil Aldo, nous voici donc une fois de plus face à face...

Il se demanda si l'âge finirait par le guérir, ou plus exactement, par conjurer ses démons. Parviendrait-il, plus tard, quand sa mère aurait disparu et qu'il serait devenu un vieux type, parviendrait-il à trouver la paix ? Tout au moins une forme de tranquillité intérieure ?

Aldo fut tenté de garder le silence vis-à-vis de Dejallieu. Se draper dans sa dignité outragée et attendre. Ou bien lui adresser un billet très sec, du genre : « Je n'apprécie pas les insinuations de votre fille, vous devriez la montrer à un psychiatre. »

Mais la lettre du romancier était « sûre d'elle ». Il ne pouvait se dérober à l'invitation.

Alors, se manifester de quelle manière ? Par lettre ou par téléphone ? Ecrire lui permettait de présenter déjà des arguments. Un appel téléphonique, c'est déjà une confrontation. Il est aisé d'aménager son style ; sa voix dépend de l'émotion de l'instant.

Pourtant il opta pour la seconde solution, comptant bien que l'écrivain serait sensible à cette forme de courage.

« Tu ne risques rien, Aldo, s'exhortait-il. Ton alibi de Gstaad était en bronze. Quelle police accorderait de l'attention à une jouvencelle qui, près de quatre ans après son enlèvement, prétendrait reconnaître sa ravisseuse en la personne d'un comédien déguisé ? Dejallieu, lui, sait. Il possède un « sixième sens ». Son imagination « professionnelle » l'aide à croire aux extravagances. Mais un flic a les pieds sur terre. Il ne peut suivre les arguments de gens habitués à marcher sur les nuages.

Une voix chevrotante répondit à son appel après bien des sonneries.

— Je dois parler à Charles Dejallieu ! fit-il, mon nom est Moretti.

Sa tournure de phrase le surprit. Pourquoi ce « je dois parler » ?

— Je ne crois pas qu'il est là, répondit Mme Mongin ; mais je vais regarder.

Elle mentait. Sans doute avait-elle reçu des consignes. Dejallieu protégeait son intimité.

Un moment s'écroula et Charles répondit. Sa voix était
cordiale :

— Aldo Moretti ?

— En effet.

— J'avais des doutes ; ma standardiste va sur ses quatre-vingts
ans et croit que le téléphone a été inventé il y a six mois.

On sentait un parti pris « d'enjouement ».

« Il m'apprivoise », songea Moretti.

— Vous savez que vous venez de m'envoyer une drôle de
lettre, mon cher maître ?

Le trac était parti, comme au lever du rideau. Ne restait en lui
que l'exquise griserie du danger. Non : on ne lui ferait jamais
toucher les deux épaules. S'il « s'affalait » un jour, ce serait de
son plein gré.

— Je sais, répondit Dejallieu.

— Après votre départ de chez Evelyne Morges, la plus grande
perplexité a régné et nous nous sommes tous perdus en
conjectures, bien que Brandon nous ait dit que votre fille se
remettait mal de la mort de sa mère. Je ne me doutais pas que
j'étais la cause de cette crise.

— Oui, c'est assez effarant, éluda le romancier.

— Je ne demande pas mieux que d'aller vous rendre visite, si
vous jugez que ce serait profitable à Dora ; toutefois, avant
d'accepter votre proposition, je tiens à avoir une précision :
pensez-vous que votre fille puisse avoir raison, monsieur Dejallieu, ou ne le pensez-vous pas ? Car, si vous le pensez, ce n'est
pas à moi que vous devez vous adresser, mais à la police.

Charles eut un profond soupir.

— Moretti ! Invite-t-on chez soi quelqu'un que l'on soupçonne d'un tel forfait ?

— J'espère que non, fit Aldo. En ce cas, votre jour sera le
mien.

— Ce soir ?

Le comédien sauta sur l'occasion, soulagé à l'idée d'en finir au
plus vite :

— Entendu.

*
* *

Le Petit Garçon revenait timidement. Il restait à distance, tels
ces chiens chassés qui attendent, de loin, un signe d'apaisement
de leur maître.

Il racontait cette foutue manie qu'avaient les gens de lui
mettre la main sur l'épaule au moment des effusions. Et c'était
immanquablement sur son épaule gauche « malade », puisqu'ils
se servaient de leur main droite. De quel droit se permettaient-

ils de palper sournoisement son infirmité, ces hypocrites ? Le Petit Garçon ne bronchait pas ; il souriait avec affabilité. « Un tendre ! » disait-on de lui. Mon œil ! Il aurait voulu leur flanquer un grand coup de tête dans la bouche pour les faire lâcher prise.

Charles sourit. Il imaginait la scène. Le personne palpeuse, en pleine congratulation. Et ce coup de boule dans la gueule ! La stupeur ! Cher Petit Garçon passif, contrit, tripoté. Et qui se résigna à son cœur défendant.

Mme Mongin frétille, comme chaque fois qu'on la charge de faire la cuisine. Elle mijote sa spécialité pieds et paquets, regrettant qu'on ne l'ait pas prévenue la veille, car c'est un plat qui exige du recul. Comme entrée : des hors-d'œuvre avec de l'anchoïade et de la tapenade. Son vieux boulanger lui a confectionné, in extremis, de la fougasse...

Tout l'après-midi, l'agitation de la vieille femme et les fumets en provenance de la cuisine mettent dans la maison une atmosphère heureuse. Habituellement, « le Mont des Oliviers » fait penser à un mausolée. Tout y est silencieux, figé, dolent.

Charles tente de faire passer le Petit Garçon par le crible de sa machine à écrire. Il *dit* le jour d'avant-guerre où le père de son héros se fit opérer de polypes mal placés. Son fils l'accompagna à l'hôpital. On ne le fit se dévêtir que du bas et l'on plaça ses vêtements sur son ventre, les chaussures y compris, avant de l'emmener dans la salle d'opération.

Le chirurgien proposa au Petit Garçon d'assister à l'intervention, comme il l'aurait convié à voir fabriquer des crêpes. Le Petit Garçon refusa : il respectait trop son père pour le voir en si peu glorieuse position.

Lorsqu'on sortit le père du bloc opératoire, il dormait toujours, mais des larmes coulaient sur ses joues blêmes. Le Petit Garçon ne devait jamais les oublier. Oui, c'était un des points culminants de sa vie, ces pleurs d'un homme anesthésié qu'on traînait sur un chariot avec une paire de pauvres godasses sur l'abdomen.

Ô vie !

Dora déroule ses anneaux et se redresse, comme un naja. Elle considère son père en train d'écrire. Il est à la fois crispé et souriant.

— Tu es content ? demande-t-elle.

Charles réagit comme s'il était pris en défaut. Il a l'impression qu'on vient de lire par-dessus son épaule, chose qu'il ne peut supporter. Autrefois, il a vécu avec une fille qui avait cette manie. Elle arrivait par-derrière, nouait ses bras autour de son cou, lui couvrait la tête de baisers, puis, sans la moindre gêne, prenait connaissance du texte en chantier. Elle lisait à mi-voix. Donnait des appréciations, souvent flatteuses. Un jour, Dejallieu ne put se contenir et la gifla.

Il sourit à Dora.

— Oh ! non, comment un artiste pourrait-il être « content » de ce qu'il fait !

Elle achève de se dérouler et va à la fenêtre. Il fait une fin d'automne gris, avec des traînées lumineuses au-dessus de la mer.

— C'est pas la mer qui est belle, assure la jeune fille ; c'est la terre. La mer, c'est la feuille blanche sur laquelle on dessine la terre.

Elle ajoute :

— On devrait acheter un bateau, au printemps. Un gros « pointu » avec un moteur qui fait « teuf, teuf ». Tu y ferais construire un petit habitacle et on partirait en croisière, le long des côtes.

— Je veux bien, mais à condition que nous dormions à l'hôtel.

Elle sourit.

— Tu es pourri par le confort.

— C'est un rêve de pauvre auquel je me cramponne.

— Tu es d'accord pour le barlu ?

— Nous irons ensemble le commander, nous le ferons confectionner sur mesure.

Dora bat des mains. Avec Charles, c'est tous les jours vacances, tous les jours dimanche, tous les jours Noël.

Son élan de joie s'évapore. Elle retourne sur le canapé.

— J'ai peur, pour ce soir, avoue-t-elle.

Aldo arrive à l'heure dite. Il porte un pantalon gris, un pull jaune sur une chemise blanche, un blazer bleu roi orné d'un écusson britannique. Il a amené des roses et des chocolats.

Charles vient l'accueillir en souriant.

Les deux hommes se serrent la main. Celle de Moretti ne tremble pas et ses yeux se plantent dans ceux de son hôte.

— Si ce n'était l'objet de ma visite, je serais ravi d'être ici, déclare-t-il.

— Enfantillage ! Nervosité de jouvencelle ! répond Charles.

Vieux judas ! Il a honte de trahir Dora.

Un feu d'olivier claque comme des drapeaux au vent dans la vieille cheminée.

La table basse, chargée d'amuse-gueule et de boissons variées, invite à la détente. Ils prennent place.

— Vieux porto, whisky ?

— Whisky sec, si vous le voulez bien.

— Un Teacher's Royal, douze ans d'âge ? C'était le préféré de ma femme : elle ne se soûlait qu'avec ça.

Aldo se cabre. Pourquoi Charles vient-il de lâcher cette phrase sacrilège ? Il la juge comme étant une profanation ; une insulte à la mémoire de Mélancolia. Mais, chose surprenante, une insulte qui semble le viser lui.

Moretti demeure impénétrable.

— Va pour le Teacher's Royal.

Dejallieu le sert copieusement puis se verse un porto. Ils restent un instant sans se parler, leurs visages tournés vers le feu de bûches. La cheminée ronfle, à cause du vent.

— J'ai hâte de voir votre fille, dit le comédien ; ou, pour être plus précis, « d'être vu par elle ». Depuis ce matin, je ne pense plus qu'à ça.

— Elle va descendre.

— Si j'en crois sa réaction de l'autre soir, elle doit redouter cette rencontre ?

— Peut-être, mais elle en espère beaucoup.

Une nouvelle période de mutisme les sépare. Charles déguste son porto. Il ne peut s'empêcher de trouver Moretti beau et romantique, d'un romantisme « fripouille ».

— Raskolnikov, soupire Dejallieu.

Aldo bondit.

— Cela veut-il dire que vous me comparez à un assassin, monsieur Dejallieu ?

Charles hausse les épaules.

— Je songeais que vous seriez parfait en Raskolnikov, c'est un rôle pour vous. Pierre Blanchar y a excellé autrefois et ce n'était pas un assassin. De nos jours, si l'on réalisait un *remake,* vous seriez l'interprète idéal.

— Je suis blond et pas du tout émacié.

— Raskolnikov pourrait être chauve et bedonnant comme Porphyr ; c'est le feu intérieur qui compte. On le sent qui couve en vous. Il suffit de souffler dessus pour qu'il se transforme en un brasier semblable à celui-ci. Je crois comprendre ce qui a séduit Mélancolia chez vous.

— Séduit ? murmure Aldo.

— J'emploie ce mot parce que je n'en trouve pas d'autre. Plus j'évoque sa fin, plus je devine qu'elle a été touchée par votre personnage. Je vous l'ai déjà dit et vous le répète : les derniers mots qu'elle a prononcés ont été pour vous recommander à moi. Vous avez eu quelques conversations privées, elle et vous, n'est-ce pas ?

— Oui, deux je crois.

— Vous avez bien dû sentir qu'il se « passait quelque chose » entre vous, non ? Le soir de la disparition de Dora, vous l'avez fait danser au *Palace* de Gstaad. Je l'ai regardée tourner dans vos bras et j'ai senti qu'elle était... parlons sottement : troublée !

— Comme tous les époux amoureux, vous êtes très jaloux, déclare Moretti. Ainsi je dois répondre, ce soir, à deux chefs d'accusation : rapt d'enfant et tentative de séduction sur la mère !

Charles se lève pour aller brancher la sono. La voix de Sinatra retentit.

— Elle passait des heures à l'écouter, fait-il en revenant s'asseoir.

Ils se laissèrent aller à leurs pensées, au rythme de la voix chaude, buvant plusieurs verres jusqu'à ce que Mme Mongin parût, sanglée dans un tablier blanc amidonné pour leur dire que le repas était servi.

— Prévenez Dora, ordonna Dejallieu.

— Elle est déjà à table qui attend, répondit la vieille Provençale.

Ils passèrent dans la pièce voisine dont la table ressemblait à la couverture d'un ouvrage gastronomique.

Dora avait mis une robe rose, devenue un peu juste, et qui lui donnait encore une apparence de petite fille modèle.

Aldo s'approcha d'elle et lui tendit la main.

— Bonjour, Dora, suis-je toujours un croque-mitaine ?

Elle le considéra froidement.

— Prenez votre voix de femme de l'autre soir, et dites ceci : « Ecoutez, Dora, vous êtes une grande fille, je vais vous parler franchement. »

Moretti sourcilla.

— A quoi cela rime-t-il ?

— Répétez en prenant une voix de femme : « Ecoutez, Dora, vous êtes une grande fille, je vais vous parler franchement ! »

Elle le transperçait d'un regard farouche de femelle décidée. Moretti préféra ne plus ergoter. Il prononça la phrase qu'il lui avait lancée, le soir du rapt, dans la voiture. Dora ferma les yeux pour écouter.

— Oui, dit-elle, c'est bien ça. Et puis il n'y a pas seulement la voix, il y a aussi... votre odeur.

— Allons bon, j'ai une odeur ?

— Tout le monde, répondit-elle. A Baumanière, elle m'a très vaguement rappelé quelque chose...

— Quelle mémoire olfactive ! Plusieurs années après, vous vous souvenez d'une odeur d'homme ?

— Ce n'était pas l'odeur de n'importe qui, objecta Dora. Dans vingt ans, je me la rappellerai encore !

— Servez-vous, fit Charles, en poussant les raviers vers son invité.

Moretti obéit avec une nonchalance affectée. Quelle extraordinaire situation ! Le père et la fille le cernaient. Pourtant il se sentait hors d'atteinte. Il se défendait à peine, sans virulence ni hauteur, mais avec sang-froid, celui que donne la bonne conscience. *Il se sentait bonne conscience !*

Cette gamine qui se rebiffait et lui demandait des comptes l'intéressait sans l'inquiéter. Il se remémorait les quelques jours vécus en sa compagnie, dans la cabane du photographe. C'était un être terrorisé. A présent, l'ayant reconnu, elle voulait lui faire payer cette terreur, toutes les humiliations qu'il lui avait infligées « par la force des choses » : la cagoule, le long voyage en voiture, le seau hygiénique sur lequel elle était surprise, parfois, les friandises qu'il lui apportait et qu'elle dédaignait.

— Ecoutez, Dora... Vous me paraissez enfermée dans un labyrinthe dont il va falloir trouver l'issue. Puisque vous portez contre moi une aussi terrible accusation, je dois me défendre. Je pourrais avoir une autre attitude qui consisterait à vous planter là et à vous laisser vous débrouiller avec vos fantasmes ; mais je préfère vous démontrer la sottise de votre idée fixe.

— Ce n'est pas une idée fixe, fit Dora fermement.

Il passa outre.

— Comme tout le monde, à l'époque, j'ai lu le compte rendu de l'affaire dans les journaux. Il paraît que vous avez parcouru beaucoup de chemin, cette nuit-là ? Or, votre papa me l'a rappelé tout à l'heure, pendant ce trajet, j'ai fait danser votre maman au *Palace*. Je n'ai pas le don d'ubiquité, Dora.

Il croqua une branche de céleri trempée dans l'anchoïade.

— Nous avons une hypothèse, déclara Charles.

Il servait le vin avec application pour ne pas souiller la belle nappe blanche brodée ; celle que préférait Mélancolia.

— Supposez que ce long trajet ait été effectué en rond ?

— Comment ça, en rond ?

— Pour donner le change à Dora, pour l'amener à révéler « plus tard » qu'elle a été conduite très loin de Gstaad. Elle prétend qu'il y a eu changement de chauffeur en cours de route, n'est-ce pas, ma chérie ?

— Oui, dit-elle. Le deuxième respirait autrement.

— Dora affirme aussi qu'à deux reprises des changements de conducteur se sont opérés au même endroit, c'est-à-dire près d'une rivière.

Moretti ouvrit de grands yeux sincèrement surpris.

— Je ne me rappelle pas qu'elle ait fait de telles déclarations à la police.

— Parce que ces choses ne lui sont apparues que la semaine dernière pour tout vous dire, Moretti. Chez Evelyne Morges, vous avez provoqué un déclic. Avant cette soirée, Dora ne nous avait jamais reparlé de « l'affaire » et nous nous gardions bien d'y faire allusion, notre souci étant qu'elle l'oublie. Nous avons passé le restant de la nuit à creuser la question, elle et moi. Les souvenirs lui revenaient, à gros bouillons. Elle prétend qu'un jour « la dame » lui a apporté un éclair au chocolat en provenance de la pâtisserie de Gstaad, elle a reconnu la forme et le goût du gâteau. Elle se rappelle aussi que les bruits d'auto-route qu'elle avait mentionnés à l'époque ont totalement cessé pendant un bon quart d'heure, un après-midi.

— Et quelle conclusion en tirez-vous, monsieur Dejallieu ?

— Qu'elle n'était pas sur une autoroute, là encore on lui créait une illusion.

— Vous me racontez le scénario de votre prochain livre ?

— Non, celui-ci n'est pas de moi. Je pense que le kidnapping a été organisé par un être imaginatif ; psychologue et froid, bref, par un vrai criminel.

— Ai-je l'air d'un « vrai criminel » ? demanda Moretti.

— Je pense que les vrais criminels n'ont pas l'air de l'être, assura Charles.

Moretti continuait de manger placidement. Dora s'abstenait de le regarder. Dejallieu écoutait une étrange mélopée tout au bout de son âme. Il lui semblait que Mélancolia était présente. Depuis sa mort, jamais encore il n'avait eu cette sensation ; il s'interrogeait sur sa signification profonde.

Ils franchirent un espace de temps « sans importance ». Une stupéfiante connivence paraissait les lier obscurément.

Quand ils en eurent terminé avec les hors-d'œuvre, Mᵐᵉ Mongin réapparut. Elle « guignait » l'évolution du repas depuis la porte. Cette promotion au grade de cuisinière la comblait de fierté.

— C'était bon ? se permit-elle de questionner familièrement.

— Délicieux ! dit Moretti.

— J'espère que vous vous régalerez avec la suite...

— J'en suis convaincu, madame. Vous êtes un fin cordon-bleu.

Elle retira les assiettes sales et les remplaça par d'autres qui étaient brûlantes.

Puis elle s'en fut chercher sa coquelle de pieds et paquets.

— Vous m'avez trompé, monsieur Dejallieu, déclara tout à coup Aldo.

Il s'exprimait avec âpreté et ses yeux avaient foncé sous l'effet de la colère.

Comme Charles l'interrogeait du regard, il précisa :

— Je vous avais dit que je viendrais à condition que vous soyez sûr de mon innocence.

Dejallieu lui adressa une œillade éloquente pour lui faire comprendre qu'il devait entrer dans le « jeu » de Dora.

— Je vous fais seulement part d'une hypothèse d'école, comme disent volontiers nos brillants politicards.

Il changea de ton :

— Comment va votre mère ?

— Comme une morte qui vivrait encore.

— C'est vraiment irréversible ?

— D'après les médecins, oui.

— Elle ne donne jamais de signes de compréhension ?

— Jamais.

Aldo ajouta :

— Parfois je me penche sur elle et je reste un temps infini à la regarder dans les yeux en chuchotant « Maman, maman ». Mais le regard d'un portrait communiquerait davantage que le sien. C'est la coupure absolue.

— Il doit être réconfortant pour vous de l'assister et de pouvoir lui procurer un certain bien-être.

— Quel bien-être peut-on apporter à une personne qui ne ressent rien ?

— Il existe peut-être, dans quelque lobe de son cerveau, une certaine zone de perception dont elle ne peut rendre compte, mais qui maintient sa vie cérébrale ?

— Je me demande si c'est souhaitable, soupira Moretti.

La vieille femme apporta en ahanant son immense marmite noire d'où s'échappait une vapeur odorante. Elle la plaça sur le dessous de plat, reprit souffle et claironna :

— Vous me direz !

— Comptez sur nous, madame Mongin, fit Charles.

Il se leva pour servir les convives. Autrefois, c'était Mélancolia qui opérait, avec sûreté et grâce. Lui maniait les énormes couverts d'argent vieilli gauchement, laissant retomber des morceaux qu'il tentait de repêcher ensuite. Il flanqua de la sauce tomate sur la nappe immaculée, en éprouva une contrariété disproportionnée avec l'accident. Il avait toujours été d'un grand détachement matériel, mais de petites choses comme du pain jeté, du vin renversé ou un verre brisé l'affligeaient sottement.

Les pieds et paquets étaient succulents.

— Délectable, fit Moretti. Vous nourrissez bien les criminels.

Sa boutade grinçante déclencha Dora.

— Je sais ce qui me gênait dans « la dame », fit-elle brusquement à Charles.

— Eh quoi donc, mon ange ?

— C'était un homme ! Je ne parvenais pas à comprendre ça parce que j'étais trop petite, mais mes impressions me sont restées, elles sont intactes ; maintenant je sais. Un homme ! Avec une odeur d'homme, des gestes d'homme, un regard d'homme.

Moretti mangea gloutonnement dans un moment d'abandon. Il recrachait les osselets des « pieds » dans sa main, tels des noyaux de cerise et les déposait sur le rebord de son assiette.

— Monsieur Dejallieu, s'écria-t-il soudain, on ne va pas en rester là, à flotter comme des chiens crevés au fil du courant.

Pourquoi cette image ? Il proférait les idées telles qu'elles se présentaient, sans chercher à les contrôler.

— Vous devez aller au bout du problème ! poursuivit avec force le comédien. Il faut informer de vos doutes la police bernoise, tout lui dire et la laisser agir. Obstruez la carie, sinon il faudra arracher la dent !

Nouvelle métaphore saugrenue. Il en fut gêné. Ne trahissaitelle pas sa confusion intérieure ? Un homme aussi proche de l'humain que l'était Charles devait savoir interpréter ces sortes « d'égarements » du langage.

— Berne est en Suisse, et nous en France, objecta Dejallieu.

— Je suis prêt à vous accompagner là-bas et à y séjourner pendant tout le temps de la contre-enquête !

Leurs yeux se prirent un moment. Il y avait chez Moretti quelque chose de dominateur et ce fut Dejallieu qui, le premier, détourna le regard.

— C'est pas la peine, déclara Dora.

Elle se mit à « piochailler » dans son assiette. Elle ne dédaignait pas la nourriture en temps normal, mais ce soir-là, l'appétit « n'y était pas ».

— Pourquoi ne serait-ce pas la peine, Dora ? demanda Aldo.

Elle hocha la tête.

— Je « sens » comme ça, voilà tout.

Ils ne reparlèrent plus de la « chose » pendant le reste du repas et s'ingénièrent à trouver des sujets de conversation. Le tournage du *Carnaval de Tolède* leur en fournit un de choix.

Après l'immense tarte aux poires de Mme Mongin, ils retournèrent au coin du feu. Dora ne tenait pas en place. Elle finit par déclarer qu'elle avait sommeil et quitta les deux hommes sans serrer la main de Moretti.

— Café ? demanda Charles.

— Non, merci, jamais le soir.

— Vous avez de la route à faire, objecta Dejallieu.

— Elle me tiendra davantage éveillé qu'un café.

— Alcool ?

— Ça, volontiers.

Il accepta un grand verre de vieux calva.

L'écrivain allongea ses jambes devant l'âtre.

— Que ferez-vous, quand votre mère ne sera plus là ? demanda-t-il.

— Je deviendrai un bel alcoolique, avec un nez et des pommettes pareils à la carte des voies navigables, des yeux gélatineux et la main qui tremble pour saisir le premier verre du matin.

— Pas d'autres ambitions ?

— Aucune autre.

— C'est un peu juste, jeune homme ! Le boulot, non ? On va probablement vous en proposer lorsque le *Carnaval* sortira.

— Je le refuserai.

— En ce cas, qu'est-ce qui vous a incité à accepter le principal rôle de mon histoire ?

Aldo eut un sourire ineffable.

— Mais... votre femme, vous le savez bien.

— Elle a été tellement persuasive ?

— La preuve.

Charles s'abîma dans son hymne intérieur.

— Elle était lamentable, au moment du rapt, vous savez, dit-il.

— Je m'en doute.

— A l'époque, en la voyant prostrée devant le téléphone, j'ai pensé : « Lorsqu'elle sera vieille, elle ressemblera à ça. » Et puis elle n'est pas devenue vieille. Elle ne l'aura été que quelques jours, pendant la disparition de Dora.

— Comment cela se passe-t-il, sans elle ?

— Elle avait tout prévu avant de partir, répondit Charles.

— Dora ?

— Gagné !

— Il est évident que vous la croyez, n'est-ce pas ?

Dejallieu ferma les yeux, respira profondément et se décida.

— Oui, Moretti, je la crois.

— C'est donc moi le kidnappeur ?

— C'est vous. Il y a longtemps que je le sens. On peut me tromper, mon instinct, lui, ne me trompe jamais. Si je ne « sentais » pas les choses, je n'écrirais pas. Un romancier, qu'est-ce que c'est, sinon un homme qui devine ?

— Vous espérez que je vais avouer ?

— Non, et je m'en fous. Ce qui compte, c'est que vous sachiez que je sais. L'existence ne sera plus pareille pour vous désormais, vous verrez. Vous risquez fort de devenir un ivrogne bien avant la disparition de votre maman.

— Je suis innocent, monsieur Dejallieu.

— Le jureriez-vous sur votre mère, mon ami ?

Sans hésiter, Moretti allongea le bras.

— Je le jure !

Charles croisa les jambes. Il lui en coûtait de prononcer sa seconde question.

— Et vous le jureriez aussi sur la mémoire de Mélancolia ? demanda-t-il.

Aldo pâlit.

— Tout cela commence à devenir odieux, monsieur Dejallieu. J'en ai assez, faites ce que vous voudrez !

Il déposa son verre à demi plein et partit sans se retourner.

XIII

Il se jeta derrière le volant de sa deux chevaux qui tangua sous son poids. La voiture ronfla à la première sollicitation. Aldo était furieux de s'être laissé « posséder » par l'écrivain. Sans avoir l'air d'y toucher, par petites touches, Dejallieu l'avait pratiquement confondu. Cela s'était fait dans le calme, presque tranquillement. Charles ne se vantait pas en assurant qu'un écrivain est un homme qui « comprend tout ». Sa dernière question prouvait qu'il « sentait » combien Mélancolia avait bouleversé Moretti. Plus que l'accusation, cette mise à nu de son âme irritait le comédien. Il y avait violation de la pensée. L'autre « savait » ce qu'il continuait d'éprouver pour la morte, et Aldo le haïssait pour sa perspicacité.

Il démarra, fit une manœuvre saccadée pour mettre le museau de sa bagnole dans l'axe du chemin. Celui-ci descendait rapidement, puis remontait et se mettait à longer des propriétés plus banales que celle du romancier. Aldo pilotait aussi vite que le permettait le modeste véhicule.

La merde ! La merde ! Si cette conne d'Evelyne Morges n'avait pas eu l'idée saugrenue de lui faire « séduire » Harry Baur, rien ne serait arrivé. Dejallieu aurait gardé ses arrière-pensées pour lui, soucieux qu'il était du confort mental de Dora. Verminerie de gosse ! Si sûre d'elle ! Déjà adroite, déjà implacable ! Son beau-père était amoureux d'elle, cela se voyait. Peut-être se la « payait »-il déjà ? Mais non : il devait plutôt la « préparer », le salaud, comme on engraisse la dinde destinée au réveillon ; la dégustant par la pensée, la regardant croître et s'épanouir. Il attendait son heure. C'était bien une combine de romancier, ça. Du vice artistique. Il la mignardait, la pelotait en douce : faux papa gâteau !

Il poussait des grondements de fauve encagé, les mains crispées sur son volant. Cette foutue bagnole n'avançait pas. Franky Muzard s'était montré moins raisonnable, lui, et avait carrément acheté la Porsche de ses rêves malgré les expresses recommandations d'Aldo. Conclusion : il s'était planté comme un con, et son accident au volant de ce bolide avait fait réfléchir Dejallieu.

Dans son excitation, il rata la bretelle conduisant à l'autoroute, s'en aperçut trop tard, après qu'il eut déjà traversé l'espèce de tunnel qui passait au-dessous.

Il jura, ralentit pour étudier quelle manœuvre pourrait le ramener à la bretelle. Son coup de frein déclencha un choc sourd à l'arrière de la deux chevaux. Surpris, Moretti s'arrêta sur le bas-côté et regarda derrière lui. Il aperçut Dora pelotonnée sur le caoutchouc du plancher.

— Non, mais, ça va pas ! explosa-t-il. Qu'est-ce que vous foutez là ? Allez, relevez-vous, bon Dieu !

Il se tut au moment où une vive douleur lui fouailla le dos. Aldo ne comprit pas tout de suite. La chose s'était produite silencieusement.

Il avait mal. Il tenta de remuer, la douleur s'accentua.

— Qu'est-ce que vous m'avez fait, petite salope ?

Dora abandonna sa position accroupie et s'assit sur la banquette arrière. Elle regardait le manche du couteau planté dans l'étoffe du dossier. Il remuait légèrement parce que Moretti bougeait.

— Je vous ai enfoncé un couteau dans le dos, dit-elle sans émotion, mais j'ai frappé beaucoup trop bas. Ça fait quatre ans que je rêvais de ça. Vous vous rappelez : quand j'étais allongée sur le plancher de votre voiture ? Vous me parliez, j'avais peur, je pleurais. Et je me disais : « Si au moins j'avais un couteau ! » Mais c'était une grosse voiture, avec un dossier beaucoup trop large ; et puis je n'aurais pas eu la force, à l'époque. Le dossier de votre deux chevaux est très mince. C'est rentré sans problème. J'aurais pu buter contre une côte ; mais non, la lame a pénétré comme dans un bloc de viande. Je suis loin du cœur. Je devrais retirer le couteau pour recommencer plus haut, seulement vous en profiteriez. Là vous ressemblez à un papillon épinglé. Vous ne pouvez plus bouger. Si vous remuez vous vous déchirez des choses dans le corps. Vous savez, je suis soulagée. Ce soir, je vous écoutais discuter avec mon père. Je me foutais de la conversation. J'attendais qu'il soit temps de quitter la table et d'aller me planquer dans votre cage à poules. Parler, à quoi ça rime ? Je n'avais envie que de ça : enfoncer ce couteau dans votre dos. Je comptais frapper fort, mais comme vous m'avez découverte, j'ai préféré le planter en douceur, avec mes deux mains, en appuyant de tout mon buste.

Elle parlait, adossée sur sa banquette, nonchalante, comblée. Moretti l'écoutait, plein d'une indicible angoisse. Cette affreuse lame, engagée dans sa chair, allumait en lui un feu sournois. Il tentait de procéder à une révision anatomique. La souffrance se situait à droite, au-dessus du bassin. Quels organes importants pouvaient avoir été atteints ? Le foie ? Un rein ? Il ne savait plus.

— Je suis très heureuse, reprit la jeune fille. Très très heureuse. Il ne s'agit pas de vengeance, mais de châtiment. La nuit, à Gstaad, lorsque vous m'avez enlevée en trompant ma confiance, vous avez commis une grande abomination. Attendez, je voudrais un mot plus fort : une ignominie ! Vous savez ce que je pense ? Maman est morte de cette atrocité. Elle a tenu le coup quelques années, mais le mal était fait. J'aurais bien aimé que vous mouriez de mon coup de couteau. Hélas, j'ai dû le planter beaucoup trop bas. Enfin, tant pis : je l'aurai fait. Peu importent les conséquences pour moi, vous savez. Ça n'a aucune importance. La vie n'a aucune importance. Je suis certaine que vous êtes d'accord avec moi. Ce qui est « potable » en vous comprend ça. Allez, bon, il faut que je rentre.

— C'est ça, soupira Aldo, va te faire mettre par ton gentil papa. Il te fourre bien ? Pas encore ? Tu ne perds rien pour attendre : un de ces quatre matins, il te flanquera sa bite dans les miches, ma belle, c'est écrit dans les étoiles ! Il te prépare pour la fête.

Elle sortit de la voiture et se mit à courir sur la petite route.

Les voitures déferlaient sur les deux voies de l'autoroute. Le tunnel formait caisse de résonance et le grondement amplifié fut insoutenable pour Dora. Elle hurla à s'en rompre la gorge. Elle prenait peur. Soudain, Charles lui apparaissait comme un monstre, un vieux sadique papelard qui la cajolait pour mieux se jeter sur elle. Moretti, en quelques mots orduriers, venait de détruire son innocence.

*
* *

Aldo demeura longtemps immobile. Le mal gagnait dans tout son corps. Sa situation devenait insoutenable. Alors, il serra les dents, crispa ses deux mains sur le volant et s'élança en avant pour se dégager de la lame retenue par le dossier de toile.

La douleur fut effroyable. Il eut envie de vomir, s'affala contre le volant pour tenter de récupérer.

Malgré tout, il sentait poindre, par-delà la souffrance, une espèce de sombre contentement. Comme si ce coup de couteau soldait ses comptes tortueux. Allait-il en mourir ? Il ne le pensait pas. Il ne « sentait » pas la mort s'installer en lui.

Au bout d'un assez long moment, il eut la force de sortir de l'auto. Il marchait plié en deux, à tout petits pas de vieillard. Il se pencha à l'intérieur de la deux chevaux, sur l'arrière. Dora, en s'enfuyant, avait laissé la portière ouverte. D'un geste calme, il arracha le couteau. C'était un coutelas de cuisine à manche noir, à la lame effilée.

Il frissonna, jeta l'arme dans le fourré et reprit place à son volant. Il lui semblait qu'on l'avait scié en deux. Le mal descendait dans sa jambe droite. Il avait du mal à respirer.

« Je dois faire vite », se dit-il.

Avant de démarrer, il sortit l'argent qu'il avait dans la poche de son blazer, en fit une boule et la conserva au creux de sa main pendant qu'il conduisait. Il obliqua, un peu plus loin, trouva une petite route qui redescendait sur Cannes. Parvenu en ville, il laissa tomber les billets de banque sur la chaussée.

Il roula jusqu'à un carrefour, stoppa sa voiture et tenta d'en descendre, mais il perdit connaissance et s'effondra sur le trottoir.

*
* *

Charles hésite à remettre une bûche dans l'âtre. Dix fois au moins il vient de « revivre » la soirée. Aldo est un coriace qu'on ne coincera jamais. Il est troublé parce que Moretti n'a pas « juré sur Mélancolia », alors que cela lui était si facile. Il venait de jurer, sans hésiter sur sa mère. Une jalousie sournoise le taraude. Qu'y a-t-il eu entre sa femme et ce gredin ? Probablement rien. *Rien et tout.* Des pensées, un lien ténu, indéfinissable, que la mort n'a pas rompu. Un appel secret. La splendide attirance. Charles se sent bafoué.

Il se verse une crème de cassis. Il boit volontiers des liqueurs douces, comme le Cointreau ou la Chartreuse. Des liqueurs douces mais alcoolisées. Il agite son verre ventru pour que la force centrifuge l'embue de violine.

Mme Mongin ramène sa fraise.

— Je peux me rentrer ? La vaisselle est dans la machine à laver.

— Bien sûr.

— Dites, il est parti tôt, votre invité ?

— Il avait de la route à faire...

— Alors, vous avez été content, c'était bon ?

— Merveilleux.

— Vous avez presque rien mangé ; heureusement que ça se réchauffe. Les pieds et paquets, plus c'est mijoté, meilleurs ils sont.

— On va se régaler demain, dit Charles.

Qu'elle s'en aille, bon Dieu ! Dejallieu a toujours été frappé par les années-lumière séparant l'importance de sa pensée et l'insignifiance des propos tenus par son entourage. Un lit de platitudes... Et il faut répondre ! Montrer bonne figure. Laisser croire qu'on participe, qu'on s'intéresse.

— M. Mongin doit s'impatienter ? fait-il.

— Lui ? Il dort comme cent souches !

— Faut-il vous raccompagner en voiture ?

— Vous plaisantez ! J'en ai pour dix minutes, marcher me fera du bien après ce tintouin !

Ce repas fera date pour la vieille femme. A chacun ses événements.

Elle part enfin de son allure roulante. L'on dirait un gros bateau de pêche. Charles boit son cassis. Le feu agonise. Les ultimes tronçons de bois s'effondrent et ne sont plus que braises.

Dejallieu se renverse sur le dossier pour regarder les poutres grossièrement équarries. Soirée ratée. Il n'en est rien sorti, vraiment. Il ne pouvait rien en sortir. Les romanciers doivent se contenter d'écrire leurs « inventeries » ; ils ne sauront jamais les vivre. Leur domaine, c'est l'imaginaire ; la réalité les mystifie. Il a certes placé quelques banderilles dans le moral d'Aldo, mais Aldo a gagné. C'est lui qui a eu le mot de la fin ; la sortie.

Charles entend un pas sur la terrasse. Il se redresse. Dora surgit de la nuit, les bras ballants. Elle est pâle et son regard est éteint comme celui des poissons.

— Mais d'où sors-tu ! s'exclame Charles. Je te croyais au lit.

— Je l'ai raté, dit-elle. Quatre ans que je rêvais de ça, le moment vient, et je le rate !

Il la presse de questions, elle raconte en termes précis. Elle vient au rapport. Sa voix est nette, ses phrases brèves.

Dejallieu l'écoute, incrédule.

— Mais comment as-tu pu, Dora ?

— C'est facile de pouvoir quand on ne pense qu'à ça !

— Tu es certaine que le couteau a... a vraiment pénétré ?

— Naturellement. Attends, je voudrais me rendre compte : assieds-toi sur cette banquette.

Charles lui obéit. Elle passe derrière l'écrivain, s'accroupit, reconstitue son geste et lui plante son index dans le dos.

— Qu'est-ce que c'est, ici ?

— Le rein, je pense.

— On peut mourir d'un coup de couteau dans le rein ?

— Evidemment.

Elle hoche la tête.

— Si au moins...

Elle n'achève pas sa phrase. Charles la saisit par les épaules.

— Et tu l'as laissé avec ce couteau dans le dos ?

Dora lui échappe avec brusquerie.

— T'es qu'une mauviette, Charles, juste une grande gueule. Tu papotes, tu parlotes ; tes mots, toujours tes mots comme des grelots. Tu sais, en Belgique, ces arlequins qu'on avait vus un jour avec maman ? Les Gilles... C'est toi ! Tu t'agites, ça fait grelin-grelin. Pour le reste, zéro !

Il est éperdu, fou de détresse.

— Mais, Dora, mon amour !

Le regard de la petite se fait noir.

— Ne m'appelle pas ton amour, Charles ; l'amour, c'est seulement dans tes bouquins à la con !

Il veut la reprendre dans ses bras, mais elle recule comme une fille attaquée par un loubard.

— Non, non, ne me touche pas ! Tu me dégoûtes ! Tu me dégoûtes ! Le type qui m'a enlevée était là, et tu lui faisais des ronds de phrase, tu lui servais à manger et à boire. T'as rien dans ton froc ! Moi, je suis une gamine, mais je l'ai poignardé. Et je souhaite qu'il crève ! Et s'il faut aller en taule à cause de ça, j'irai. Tu veux que je te dise, Charles ? Le mystère de maman ? Elle se faisait chier avec toi ! Simplement. Elle t'aimait bien, elle admirait ton talent, ta pensée vertigineuse, mais elle se plumait. Elle picolait pour pouvoir te supporter. T'es un paon qui se regarde penser devant la glace.

Elle l'abandonne pour grimper dans sa chambre où elle s'enferme. Elle hait Moretti passionnément.

Ce triste salaud aura donc tout saccagé en elle : son innocence d'enfant et son amour pour Charles. Il a trouvé le moyen, avec une lame enfoncée dans le rein, de détruire l'île heureuse où elle se prélassait en compagnie de Charles.

Pourquoi cet acharnement ?

Elle se met à pleurer.

Pourvu qu'il meure ! Pourvu qu'il meure !

Mais ça changerait quoi ?

XIV

Charles se réveille aux lueurs de l'aube. Il a froid et il est courbatu. Il a passé la nuit au salon, abîmé dans la pire détresse devant la cheminée en train de s'éteindre. Sa première pensée est pour le Petit Garçon. Plus exactement, il devait rêver de lui. En tout cas, l'incident évoqué est réel. Le Petit Garçon devait avoir dix-huit ans environ. Et la chose se passait sous l'Occupation.

Il traversait la place Bellecour, à Lyon, donnant le bras à sa grand-mère. Un rassemblement de badauds les attira. Ils s'y intégrèrent et l'horreur les atteignit de plein fouet. Cinq cadavres d'hommes ensanglantés gisaient sur le trottoir devant un café fréquenté par les Allemands et qu'on avait plastiqué. Ils apprirent qu'il s'agissait de cinq résistants amenés de la prison Montluc et froidement abattus à la mitraillette à leur descente du camion. Ces cinq corps avaient d'étranges attitudes d'hommes morts à l'improviste. Les assistants regardaient en réprimant leur colère. Planté devant les cadavres, le patron du bistrot toisait la foule, un verre de vin en main. C'était un grand gaillard au crâne rasé. Il affichait un défi insoutenable. L'Occupant venait de lui offrir ce présent abominable. Ces cinq hommes assassinés constituaient probablement à ses yeux un cadeau de dédommagement... On le tuerait plus tard, à la Libération. Et lui-même serait l'offrande posthume accordée aux cinq fusillés.

Oh ! Seigneur, que de sang... Interminablement gaspillé.

Dejallieu a un cri de poitrine, rauque. Les invectives de Dora l'ont « assassiné ».

Il se rend à la cuisine pour préparer du café. La cafetière est docile. Elle ne sait rien. Elle transforme l'eau et la poudre en un breuvage revigorant. La cuisine ne sait rien non plus.

Seulement lui, il sait. Il n'oubliera plus. Il aime tant Dora. Pourquoi s'est-elle transformée soudain en diablesse vitupérante ? Elle le détestait donc en secret ?

Il sucre son café. Sa main tremble. Il a froid. Il se rappelle la nuit où il l'a retrouvée sur la route d'Aigle. Et puis, après la mort de Mélancolia, eux deux s'étreignant à en perdre la vie. Tu penses vraiment qu'un jour il pourra écrire tout cela, le Célèbre ? Fourrer ces instants héroïques dans un bouquin qu'il devra dédicacer ensuite à des critiques, dont on « rendra compte » dans des journaux ? Qu'il ira tâcher d'expliquer à la télé ou ailleurs ? *Expliquer !* Ecrire sa vie, écrire son cœur, ses couilles, ses tripes, et puis s'en aller *expliquer* cet abcès crevé à des professionnels ! Raconter pourquoi il a eu ce besoin, cette faiblesse, ce relâchement ! Faut-il donc être lâche ! Faut-il être complaisant ! Faut-il s'aimer...

Mais la vie t'échappe, seconde après seconde, celle qui suit étant immanquablement pire que celle qui précède. Qu'est-ce qui provoque cet incessant pilonnage ? Je te cause, bordel ! Réponds ! Pourquoi boitons-nous de plus en plus bas à travers ce champ de mines ravagé ? L'or est à combien, ce matin ? Et le dollar, hein ? Le dollar ! L'enfer vert, bien plus perfide que celui de l'Amazonie. Et tout ce sang versé. Et ces peines journalières, dites ? Ces peines qui pleuvent, qui pleuvent par tous les temps et en tous lieux.

Il traversait la place Bellecour en donnant le bras à sa grand-mère, le Petit Garçon qu'on n'a pas tué à temps. Et des gens silencieux contemplaient des morts silencieux, des miliciens silencieux, un affreux bistrotier silencieux. Quel goût avait donc le vin qu'il se forçait à boire pour braver la foule hostile, ce grand cabaretier glabre ?

Foutaises à grand spectacle ! Dérision ! Les hommes sont empêtrés et dérisoires.

Les cinq résistants criblés de balles, vidés de leur sang, gisaient sur le trottoir et aussi dans la rue. Quel mois était-ce, déjà ? Il faisait beau. Donc il devait y avoir des mouches ! Pourquoi la mort se contente-t-elle d'être inéluctable ? Pourquoi n'est-elle pas de surcroît contagieuse ? Pourquoi ne meurt-on pas de regarder des morts ?

Dora entra, en pyjama et nu-pieds. Elle lui sourit, vint l'embrasser. Elle faillit marcher dans le sang des cinq fusillés de la place Bellecour.

— Je te demande pardon pour hier, lui dit-elle, j'étais complètement dans le cirage. Faut dire que je n'ai pas l'habitude de poignarder les gens.

Elle alla prendre un second bol et s'assit en face de lui.

— Tu avais dit que nous irions commander un bateau, père ?

Charles fut sidéré par sa totale décontraction. Elle parlait de son acte comme d'une mauvaise blague qu'elle aurait faite. Il chercha son regard, mais elle le lui déroba. Il subsistait une confuse hostilité en elle. Un orfèvre de « l'atmosphère » comme Dejallieu comprit que leurs rapports venaient de basculer. Elle devrait désormais faire des efforts pour continuer de jouer les « filles aimantes ». Elle lui en voulait de n'être pas intervenu de manière énergique dans l'affaire. Tout en elle criait vengeance et Charles n'avait pas levé le petit doigt.

Il lui versa du café.

— Il faut que je te parle, se décida-t-il.

Elle laissa tomber trois sucres dans le bol, se mit à touiller le breuvage sans marquer de réaction.

— Tu as commis une folie, hier ; soit. Moi, j'avais un plan beaucoup plus perfide que ce coup de couteau dans le dos. Je voulais démolir son moral à petit feu. Prendre tout mon temps pour l'amener à avouer et à se livrer aux flics.

— Chacun ses méthodes, riposta Dora. Je suis plus impulsive que toi, je n'aime pas attendre.

Son ton révélait sa rancune rentrée.

— Maintenant, je ne sais plus où nous en sommes, dit Charles. Est-il gravement atteint ? A-t-il prévenu la police ?

— Si c'était le cas, on serait déjà venu me chercher.

Il se leva et alla composer le numéro de téléphone d'Aldo. Malgré l'heure matinale, on répondit très vite. Une voix de femme fleurant le Midi.

— Ici Charles Dejallieu, se présenta-t-il, pourrais-je parler à M. Moretti ?

La grosse Mme Serbellin se mit à débiter des « Mon pôvre monsieur, si vous saviez ! » qui agacèrent l'écrivain. Elle finit par expliquer que, la veille au soir, après être parti de chez lui, M. Aldo avait « chargé » un couple de stoppeurs sur le chemin menant à l'autoroute. L'homme avait pris place devant, la fille à l'arrière. A un moment donné, alors qu'ils traversaient une zone déserte, l'homme avait enjoint à Moretti de stopper ; comme il refusait, la femme lui avait planté un couteau dans les reins. Son voisin avait coupé le contact avant de le détrousser de son argent. Le couple avait été rejoint par un complice au volant d'une voiture et s'était enfui. Moretti était parvenu à regagner Cannes pour y demander de l'aide. Mais, à l'entrée de la ville, il s'était évanoui. Des employés de la voirie l'avaient découvert et avaient donné l'alerte. A présent il se trouvait à l'hôpital de Cannes où l'on devait procéder, ce matin même à l'ablation du rein droit. Son état était jugé sérieux, mais ses jours ne paraissaient pas en danger, sauf complications...

Dejallieu remercia et promit d'aller rendre visite au blessé dès que la chose serait envisageable.

Il rejoignit Dora à la cuisine pour lui résumer sa communication.

L'adolescente but son café à petites gorgées. Comme elle paraissait « femme » tout à coup ! Elle ressemblait de plus en plus à sa mère, mais on ne retrouvait pas en elle la poésie de Mélancolia. Elle devenait un être farouche et dur. Charles avait le cœur serré en la regardant. Pourquoi les petites filles exquises, innocentes et joyeuses, se transforment-elles en femelles inquiétantes ? Pourquoi s'enfoncent-elles résolument dans leur personnalité en gestation ? Le moment vient où plus rien ne compte pour elles. Plus rien.

— J'irai lui porter des fleurs, demain, fit-elle. Aujourd'hui, occupons-nous du bateau.

*
* *

Sauveur N'Boa asperge le boulevard Carnot. Il pense à son pays. Tout en évoquant son village de terre ocre, les cocotiers auxquels il grimpait pour aller cueillir des noix pleines de lait juteux et frais sous la carapace verte, il joue à traquer les détritus souillant la chaussée. « Ils sont dégueulasses, mon vieux. Ils jettent n'importe quoi par la portière de leurs foutues bagnoles, la fuite leur gardant bonne conscience. Des emballages de cigarettes, alors, là, je te promets ! Pas étonnant qu'ils crachent leurs poumons, ces grands cons ! » Tzouf ! Un coup de jet sur le paquet de Gauloises vide. Direction caniveau. Et tzouf ! sur cet horrible machin de bonne femme ! Elles sont encore plus dégueulasses qu'eux, mon vieux, malgré leur peinturlure sur la gueule ! Et tzouf ! sur cette boule de papier verdâtre. Elle suit docilement le jet, rejoint le mince et bref ruisseau jaillissant d'une bouche d'eau et qu'un sac à pommes de terre roulé canalise pour lui faire longer le trottoir.

Sauveur N'Boa rigole comme une tranche de pastèque. La boule de papier file à toute pompe, mon vieux. Et puis une pierre qu'on se demande ce qu'elle fout là freine sa fuite. La boule de papier se déplie. Sauveur N'Boa sourcille. L'incrédulité fait danser sa glotte. Dis, ça ressemble à des billets de cinq cents balles, mon vieux ! Mais, putain, oui : c'en est !

Sauveur se précipite. Il n'a pas lâché sa lance d'arrosage qui fouette la liasse pantelante. Les billets repartent. N'Boa galope. Il se pointe devant la bouche d'égout au moment où le flouze s'y engouffre, mon vieux ! *Bye-bye !* Qu'est-ce que tu dis de ça ? C'est pas son jour ! Non, c'est pas son jour ! Qu'est-ce que tu veux qu'on y fasse ?

Il se remet à penser au village près des cocotiers. Il chassait le scorpion avec une longue herbe desséchée qu'il enfonçait dans un trou. Le scorpion, ce con, attrapait l'herbe ; y avait plus qu'à tirer doucement.

Une voiture de laitier klaxonne pour lui signifier de se tirer de la chaussée. Ils sont cons, mon vieux, je te jure ! Bien plus cons que les scorpions.

*
* *

Il se sent déchiqueté, broyé, étouffé.

Aldo ouvre les yeux sur un brouillard blanc dans lequel s'agitent des silhouettes blanches.

Il souffre abominablement. Sa respiration va cesser. Quelqu'un se penche. On lui retire quelque chose de la bouche : un long tube souple. Ça y est, il peut respirer ; mais cela accroît encore sa douleur infinie. Intolérable ! Il voudrait parler. Il ne sait s'il le peut. Près de son lit-chariot, un autre où gît une femme d'un blanc presque bleu, avec des cheveux blonds filasse. Elle doit être jolie lorsqu'elle est vivante, debout, dehors. Ici, elle est comme morte. Ressemble-t-il à ce spectre ?

— Mal ! geint Moretti.

Une fille se penche, yeux bleus... Elle ressemble vaguement à Evelyne Morges. Ne porte qu'une blouse blanche sur son corps nu. Malgré sa souffrance, il enregistre la chose. Il ressent une nostalgie, un regret... Peut-être aussi un espoir.

La fille lui tapote la joue.

— Ça va aller, ne vous agitez pas.

— Mal...

— Je vais vous faire une piqûre...

Il essaie de se souvenir. Il se revoit « en » salle d'anesthésie. On lui a enfoncé un trocart monstrueux dans le poignet. Un grand homme blond lui expliquait qu'il allait le mettre « aux absents ». Confiance ! Détente ! Se laisser aller. Pas regimber. *Accepter !* Le chirurgien est venu lui demander si tout « allait bien ». Il était déjà prêt : bonnet, masque, gants. Aldo a cru déceler un sourire sous le tulle. Une espèce de prise de congé. Il fallait s'abandonner totalement, en effet. Tant pis pour la mort. Moretti songea qu'il ne s'éveillerait jamais. Une impression, comme ça. En tout cas, il avait « fait le nécessaire » pendant que police-secours le coltinait à l'hôpital ; donné sa version des faits, en termes hachés. Bon, c'était mieux ainsi. *Pour tout le monde.*

Et le voici réveillé, lucide, fou de souffrance. Pas sorti de l'auberge pour autant. Il pense à son géranium qui ne saura jamais rien. Qu'il meure ou qu'il survive, cela ne changera rien. Malgré tout, il balbutie « Maman ».

*
* *

Le chantier naval, assez artisanal, intéresse Dora. Elle regarde avec attirance ces carcasses neuves fleurant bon le bois. Les bateaux à terre paraissent plus gros que sur l'eau. Une fois à la mer, on perd leur vrai volume ; ils n'existent plus que par leur partie émergée. Charles explique au directeur ce qu'ils souhaitent : un « pointu » équipé d'un rouf pouvant abriter une table et deux couchettes (Dora y tient). Il faut que ce soit un grand bateau, avec un moteur le plus puissant possible. Le charpentier leur montre des plans d'embarcations qu'il a créées. Charles discute. Dora s'ennuie déjà. Elle précise simplement que le bateau devra être peint en bleu ciel, avec une bande bleu marine, et qu'il devra s'appeler *Mélancolia*.

Charles se rappelle le jour où sa femme se tenait assise sur la balustrade du chalet *Trafalgar,* les jambes dans le vide, regardant le panorama.

Elle semblait très loin de tout. Il l'observait, accoudé à la fenêtre de leur chambre ; Mélancolia ignorait sa présence. Il l'a regardée plus d'un quart d'heure, fasciné par son immobilité. Elle paraissait en transe.

La balustrade du chalet faisait penser à la poupe d'un bateau. Mélancolia naviguait à travers les montagnes, les yeux perdus dans l'Infini. Seuls, certains animaux sont capables d'une telle fixité.

Alors, le bateau va s'appeler *Mélancolia.* Une idée de petite fille...

Quand ils s'en vont du chantier, ils ne causent même pas de leur commande. Charles conduit avec un bloc de pierre dans la poitrine. Il n'en peut plus de cet affreux malaise qui croît entre eux.

— On dirait que tu ne m'aimes plus, murmure-t-il.

Elle regarde droit devant elle et finit par laisser tomber, d'une voix neutre, insultante :

— Quelle idée !

— Tu as changé en une nuit ; même pas : en une heure. C'est à cause de ce coup de couteau ?

Dora se remémore la soudaineté de son geste. Sa facilité déroutante. La lame était mince et effilée, mais elle s'attendait à davantage de résistance. L'expression « comme dans du beurre », lui vient. Elle a cruellement atteint Moretti. On l'a opéré, il est possible que ça tourne mal. Elle n'en conçoit aucun remords ni aucune crainte. Elle le hait tellement désormais. Beaucoup moins à cause du rapt que des sales mots qu'il lui a jetés, son couteau planté dans le dos. En quelques phrases mauvaises, il a su détruire ses assises, le sens profond de sa vie. Des sarcasmes orduriers ont suffi pour tuer l'amour qu'elle portait à Charles et faire de son beau-père un salaud parmi les autres. Dejallieu a perdu son aura ; ce n'est plus qu'un mâle aux aguets.

Aldo a raison de prétendre qu'il la convoite, qu'il la « prépare ». Elle est l'oie blanche qu'on élève pour la manger, le temps venu. Les hommes sont ainsi : forniqueurs, toujours au service de leurs propres désirs. Comme il doit être voluptueux pour cet écrivain de se fabriquer une Mélancolia bis qui n'aura pas d'autre passé que lui-même. Origine garantie ! Produit de la

ferme ! La haine qu'elle voue à Moretti déborde sur Dejallieu.
Peu à peu, elle les place dans le même sac à mépris. Elle a beau
se dire que le comédien a agi par désir de vengeance, afin de
l'humilier, elle pense qu'il n'a pu « inventer » cela. C'étaient les
paroles d'un homme « informé ».

— Tu sais qu'on doit tout se dire ! fait Charles. C'est la
moindre des choses. Tu es ma fille !

— Non, répond Dora.

Il encaisse ce nouveau coup de griffe. Mais pourquoi est-ce
que tout s'écroule, bon Dieu ? Pourquoi Mélancolia est-elle en
train de mourir pour de bon ?

— Tu n'es plus ma fille ?

— Je ne l'ai jamais été, Charles. On a joué à faire semblant.
On n'achète pas sa fille. D'ailleurs, je te rembourserai un jour.
Je sais que ça représente beaucoup d'argent, mais je me
débrouillerai, tu verras.

— O Dora, pourquoi es-tu soudain si cruelle ?

— C'est un alexandrin, non ?

Elle compte les pieds sur ses doigts :

— *O Do ra pour quoi es-tu sou dain si cru elle.* Oui, c'est un
alexandrin. Tu vas pouvoir écrire en vers, comme les mecs de la
Pléiade.

— Mais c'est épouvantable ! hurle Dejallieu ! Je t'interdis de
me parler ainsi, petite saloperie ! Je n'existe que pour toi ! Je suis
incapable d'écrire à cause de toi ! Je vis à ton heure, au gré de tes
caprices de gamine.

— Eh bien, il va falloir que tu t'arranges pour vivre pour toi,
maintenant. Tu es célèbre, tu as du pognon, ta gueule est restée
très convenable, tu pourras te reconvertir. Il y a plein de bonnes
femmes encore fraîches qui ne demanderont pas mieux que de
t'aider à avoir un avenir, mon vieux Corneille.

Charles se met à crier n'importe quoi. Il a stoppé sa foutue
bagnole de gogo sur un terre-plein dominant la côte. A cet
endroit, les roches sont rouges. La mer s'étale, bleue et grise,
avec des sillages blancs. Les îles de Lérins, de loin, sont pareilles
à deux bateaux ancrés dans la rade.

Il sort comme un fou de l'américaine, contourne le bloc de
ferraille pour aller s'accouder à la portière de Dora.

— Dora ! Ma chérie ! Mon amour ! Ma toute petite ! Mais
qu'est-ce qui t'arrive ? Qu'est-ce qui te prend de me poignarder
aussi, et bien plus cruellement que l'autre connaɪd ? Qu'ai-je fait
qui puisse justifier cet abominable revirement ?

— Disons que mes yeux se sont ouverts, répond Dora.

— Ouverts sur quoi ?

— Ben, sur la réalité.

— Et c'est quoi, la réalité ?

— Tu es un homme seul, moi une jeune fille seule ; nous
n'avons aucun lien de parenté.

— Tu es au moins ma belle-fille !

— C'est pas un lien de parenté, ça !

— Et tous les autres, sale garce ? Les liens de la tendresse ? Les liens du chagrin ?

— Quand j'étais petite, tu me détestais. Exact ?

Il reste coi.

— Y a fallu que tu lâches ton blé pour que je me mette à exister. Je suis devenue une partie de ton capital. Je représente un placement de deux millions de francs suisses, t'es toujours d'accord ?

Il s'éloigne de l'auto pour s'approcher du garde-fou protégeant la route du gouffre.

Il contemple l'abîme avec convoitise.

— Et tu as tout de même voulu qu'on aille commander un bateau ! lance-t-il par-dessus son épaule.

— J'ai tenté de continuer...

Charles revient à elle.

— Comment ça ?

— Ce matin, comprenant que je te peinais, je me suis dit : « Il faut faire marche arrière, essayer de reprendre la vie habituelle. » Alors je me suis accrochée à ce projet de bateau. mais pendant que tu discutais avec le type, j'ai eu la certitude que je me trompais. Ce bateau, c'est pas la peine, tu peux le décommander ; je m'en fous. Je ne monterai jamais dessus.

Charles ouvre grand sa bouche pour plus d'oxygène. Il voit passer le Petit Garçon sur la nationale, au bras de sa grand-mère. Ils marchent d'un bon pas, en serrant le bas-côté. Il les regarde s'éloigner à contre-jour, silhouettes noires. Dejallieu est tenté de s'élancer derrière eux.

— Tu ne vas pas encore pleurer, hein ! grommelle Dora.

Il sonde ce visage aimé et ne le reconnaît plus. Dora est devenue une autre.

Tout le monde meurt.

XV

Aldo « tient » grâce aux calmants qu'on lui prodigue. Sitôt que leur effet diminue, la souffrance plonge en lui, fouailleuse, impitoyable. Ce matin, on l'a forcé à se lever et il a crié de douleur. L'assistance efficace de deux infirmières lui a permis de se traîner jusqu'aux toilettes, mais tout l'étage a entendu ses plaintes. Il est devenu très très vieux, complètement ruiné physiquement.

Pendant qu'il urinait, cramponné à deux barres chromées placées là pour l'assister, il a jeté un regard dans la glace ; l'être hagard qu'il a aperçu n'avait rien de commun avec lui, ne lui ressemblait absolument plus. C'était un homme sans âge, blafard, creusé de partout, aux yeux profondément enfoncés. Il a tenu à lui sourire.

Les infirmières lui ont demandé de ne pas tirer la chasse ; il l'a fait cependant, honteux de ses urines brunes et sanglantes : coquetterie ultime. Le « voyage » du retour a été pire que l'aller. Il était pris d'étourdissements, des sueurs froides trempaient ses cheveux. Moretti pensait très fortement à son géranium, là-bas, à Saint-Rémy.

Lorsqu'il fut recouché, il eut droit à une piqûre bienfaisante qui lui permit de flotter au-dessus des pénibles réalités. Il ne perdit pas conscience, mais les bruits lui parvenaient de très loin et la lumière du jour passait à travers une étendue d'eau glauque.

De temps à autre on venait régler le menu débit de son goutte-à-goutte. Présence feutrée, bienveillante. Il se savait regardé. Tout participait à sa sécurité. La potence du perfuseur ressemblait à un gibet. Montfaucon ! Villon ! « Frères humains qui après nous vivez »... Les « frères humains » n'existent pas « après nous », mais « en même temps que nous ». Pas de passé, de présent ni d'avenir. Tout est lâché comme une poignée d'étoiles. Tout s'éparpille, s'éteint en même temps. Villon, c'est en ce moment. Tout est « en ce moment ». La chose lui est évidente. Il a fallu qu'il « gise » sur un lit d'hôpital, le torse à demi sectionné, pour s'en rendre compte.

Le gibet...

Quand on l'a conduit aux toilettes, l'une des infirmières poussait le goutte-à-goutte devant elle, car il est à roulettes. Aldo restait uni à cette mamelle transparente qui s'aplatit lentement, au fur et à mesure qu'elle se transvase dans ses veines.

Les heures doivent s'écouler pour d'autres, ceux qui n'ont pas eu la « révélation du temps unanime » ; et qui se laissent encore brimer par des pendules.

L'ombre floue d'une infirmière... Ce doit être la brune, il reconnaît son odeur.

— Vous m'entendez, monsieur Moretti ?

— Oui.

— Vous avez une visite. Mais elle ne devra pas s'attarder, on l'a prévenue. Vous serez raisonnable ?

Qu'est-ce que c'est que ce charabia ? « Etre raisonnable » ! Comme s'il avait les moyens de ne pas l'être sur ce lit !

Il ne répond rien.

A la place de l'infirmière brune, il y a Dora. Elle porte un imperméable serré à la taille et un foulard bleu noué façon gavroche. Aldo ne montre aucune surprise. Sa visiteuse tient un bouquet de fleurs enveloppé de cellophane, il croit distinguer des roses jaunes à travers le papier.

— Salut, fait-elle, il paraît que vous souffrez beaucoup ?

Il s'intéresse au petit visage implacable penché sur lui. « Son assassin » lui apporte des roses ! Ça, c'est une situation de cinoche, mon ami, non ?

La figure émaciée de l'opéré est éloquente.

— Je vous remercie d'avoir avoué, chuchote Dora ; car en donnant cette version du... crime, vous reconnaissez être mon ravisseur de Gstaad, n'est-ce pas ? Vous ne pouviez pas m'accuser car j'aurais été contrainte de dire la vérité. Vous me sauvez la mise pour vous la sauver à vous-même. On y voit très clair. Il paraît que vous allez vous en tirer, m'a-t-on certifié. Dans le fond, c'est mieux. Vous suivez bien tout ce que je vous dis ?

— Evidemment, fait Moretti dans un souffle.

— Alors vous allez pouvoir répondre à cette question : il vous reste combien sur la rançon, Aldo ?

Il est muet. Ses yeux rivés à ceux de Dora tentent de conjurer l'irrémédiable, seulement il n'est plus de force. L'instant de l'abdication est arrivé.

— La moitié de ma part, c'est-à-dire le quart, murmure-t-il.

— Et ça se trouve où ?

— Dans un coffre de banque, en espèces.

Dora réfléchit. Moretti est terrifié par la détermination de la visiteuse. Il semble émaner d'elle une légère vibration de ligne à haute tension.

— Dès que vous en aurez la force, vous irez chercher ce fric et vous le rapporterez à Charles Dejallieu! ordonne l'adolescente. Si vous ne le faisiez pas, je vous achèverais. Aldo, c'est pas la peine de vous dire que j'en suis capable. Quand vous aurez fait ça, je ne *lui* devrai plus qu'un million et demi, ajoute-t-elle.

Elle se redresse.

— Bon, je ne dois pas vous fatiguer davantage.

Elle élève le bouquet et en flagelle à deux reprises le visage de Moretti. Les roses sont déchiquetées quand elle jette le bouquet sur les jambes du comédien.

— Ça, Aldo, c'est pour ce que vous m'avez dit l'autre nuit à propos de Charles. Vous êtes une ordure, vous ne respectez rien. Vous aurez saccagé mon enfance et ensuite mon adolescence. Il faudra que ça me serve à quelque chose! Je vous jure que ça servira à quelque chose! Je vous le jure sur la mémoire de ma mère. Vous entendrez parler de moi.

Elle regarde le drain de plastique fiché dans la cicatrice d'Aldo et qui sort de sous les draps pour plonger dans un bocal. Il véhicule une sanie liquide écœurante qui s'écoule dans le récipient.

— Vous ne me faites pas pitié, assure Dora. Je crois que je n'aurai jamais plus pitié de personne désormais.

Il la suit du regard. Son ombre danse un court instant sur le verre dépoli garnissant la porte de la chambre.

Aldo ferme les yeux. Des épines de roses ont lacéré ses joues, son front, sa bouche. Mais la douleur qui en résulte est insignifiante comparée à l'autre.

Dora était derrière lui dans la voiture. Il emmagasinait des kilomètres pour qu'elle croie à un long voyage... Il lui parlait, mais elle ne répondait que « Maman ». Il revoit Frank Muzard, au clair de lune, dans la clairière. Frères humains... C'était un individu du « premier degré ». Posséder une Porsche représentait pour lui l'accomplissement suprême. Aldo a beau fermer les yeux, il ne parvient pas à faire l'obscurité dans sa tête. La nuit est une récompense.

*
* *

Charles l'attendait dans un café de la rue d'Antibes. Elle lui trouva aussi mauvaise mine qu'à Aldo. Dejallieu était malade de chagrin. C'était donc qu'il l'aimait? Elle venait de démanteler son rêve, de le faire capoter. Leur curieuse vie oisive, bâtie furtivement à l'ombre du caveau de Mélancolia, venait de cesser. Cette période indécise mais heureuse n'avait été qu'un sursis.

Elle s'assit en face de lui.

— Alors? demanda-t-il en s'efforçant.

— Alors, quoi ?

— Comment cela s'est-il passé ?

— Comme je l'avais prévu, rétorqua fièrement Dora.

Et à compter de maintenant, tout se passerait comme elle le « prévoirait. »

Elle ajouta :

— Il n'est pas brillant, mais il va s'en sortir. Dès qu'il pourra marcher, il te rendra le fric qu'il lui reste. Le quart de la rançon m'a-t-il dit.

— Il te l'a avoué ?

Elle le toisa avec insolence.

— Qu'est-ce que tu crois ?

Le garçon vint prendre sa commande. Dora lui demanda un gin-tonic.

— Tu bois de l'alcool ? s'étonna Charles.

— Tu vois.

Ils se turent un moment. Le brouhaha de l'établissement ressemblait à un bruit de frelons enfermés dans une bouteille.

— Maintenant, on va se quitter, déclara la jeune fille.

Charles pensa à une réplique lancée par un médecin légiste : « Voilà le printemps : les gens vont arrêter de se pendre pour se noyer. »

Une scie circulaire mordant dans du fer disloquait ses pensées. « On va se quitter ! » Venait-elle de prononcer ces quatre mots ?

— Tu ne veux plus vivre avec moi, Dora ?

— Non.

— Tu veux me tuer ?

— Tu n'en mourras pas.

Elle continuait de lui parler avec autorité, en femme d'expérience s'adressant à un gamin. Il était subjugué.

— Tu comptes partir ?

— Oui.

— Tu n'en as pas le droit, tu es mineure !

— Je sais.

— Si tu partais, je te flanquerais la police aux fesses !

— Je sais aussi que tu le ferais.

— Explique-toi.

— J'ai téléphoné à Peggy de venir me chercher. Je vivrai avec elle jusqu'à ma majorité.

Il bondit.

— Ah ! non ! Ah ! non ! Jamais ! Toi, vivre avec cette vieille folle qui n'a jamais été foutue de s'occuper de ta mère !

— Je n'ai pas besoin qu'elle s'occupe de moi.

— Elle n'a plus aucun droit sur toi, pour dix mille dollars elle me les a cédés, ma fille, l'as-tu oublié ?

— On déchirera le papier !

— N'y compte pas. Plutôt crever !

— On déchirera le papier ! Sinon j'irai dire aux flics ce que j'ai fait à Moretti et j'attendrai ma majorité en prison.

Il fut convaincu qu'elle le ferait.

— Peggy est une vieille pute !

— Qui peut l'ignorer ? fit Dora avec un petit rire.

— Elle te confiera au premier saligaud venu. Elle t'a déjà vendue à moi, elle te vendra à un autre. Elle serait même capable de te faire tapiner si les circonstances se présentaient.

— Crois-tu que ma mère ait tapiné ?

Il prit sa tête dans ses mains.

— Quel malheur, quel grand malheur, balbutia Dejallieu.

— Tu en feras un livre, plaisanta Dora avec cynisme.

Il haussa les épaules.

— Ta mère est morte en vingt-quatre heures, et toi en une heure. Où est ma responsabilité dans ces deux drames qui me frappent ?

— Cherche !

— Tu le sais, toi ?

Elle fit une moue dubitative.

— Hein, réponds, Dora ? Je suis fautif ?

— Toutes les victimes sont fautives.

— Alors, qu'on m'explique.

— On n'explique pas aux aveugles comment on voit.

Il ne lui connaissait pas cet esprit de repartie. Jusqu'à la mort de sa mère, elle avait toujours été une gamine sage, parfois enjouée, mais jamais impertinente. Depuis le décès de Mélancolia, elle se révélait hargneuse et caustique, pleine d'un esprit mordant qui n'épargnait personne.

— Ecoute, Dora...

C'est lui qui ne parvenait pas à s'exprimer. Elle attendait sans complaisance, se gardant bien de l'aider.

— Ecoute, Dora. Admettons que je t'aie déçue, l'autre soir, en laissant repartir Moretti ; ce n'est tout de même pas ce qui motive ton incroyable volte-face à mon égard.

— Il suffit de si peu, dit-elle.

— Alors, vraiment, c'est là la raison de ton... abandon ?

— Probablement.

— A Paris, tu m'avais promis de ne jamais me quitter.

— Ce qui prouve qu'il est idiot de s'engager.

Adieu, Dora ! Comme elle est hors d'atteinte, à présent, indifférente au-delà de la plus élémentaire charité.

— N'oublie jamais une chose, ma fille : malgré le malheur qu'a été la mort de ta mère, les plus beaux jours de ma vie resteront ceux que nous avons passés ensemble, à ne rien faire, à traîner d'une pièce à l'autre, d'un fauteuil à l'autre, d'un restaurant à un cinéma. Tu étais devenue pour moi une nouvelle Mélancolia, plus proche et pourtant désincarnée.

Dora tressaille en entendant ce mot.

— Tu étais une flamme, comprends-tu ? Tu étais un nuage rose dans ma nuit. Il me suffisait de te sentir près de moi, de te contempler, de t'écouter, pour éprouver le plus grand des bien-être. Tu me comblais par ta présence. Grâce à toi j'ai pu atteindre ce que j'ai toujours cherché à travers mes livres : l'absolu. Je n'avais plus besoin d'écrire, ni même de penser. J'étais bien, comme un animal est bien, couché sur le flanc, au soleil. J'étais repu, je n'attendais plus rien, ne désirais plus rien. Aucun tourment ne me hantait. Mon seul souci était de protéger notre paix. J'ai eu la faiblesse de te laisser arrêter tes études. J'aurais voulu t'emporter dans une île fleurie du Sud. J'espérais que le temps s'arrêterait, qu'il nous épargnerait. Je pleurais en pensant qu'il continuait malgré moi et donc me nuisait. Et voilà que ce que j'appréhendais le plus, mais que je situais à des années de là, se produit. O Dora, Dora, pourquoi ai-je rappelé Yves Brandon le jour où nous quittions la maison ? Pourquoi ai-je cédé à l'appel du travail ? Pourquoi sommes-nous allés à Paris ? Le malheur m'y attendait, Dora. Je suis allé m'y faire assassiner. Tu vas t'en aller, et je resterai planté sur mon îlot désert. Mais comment peux-tu, comment peux-tu, ma fille ? Tu veux m'abandonner pour vivre avec cette monstrueuse folle qui t'apprendra le vice, parce qu'elle ne sait que cela de la vie. Cette folle que tu as vraiment chassée de la maison, il y a quelque temps. Qui te faisait horreur puisqu'elle est horrible. Qui te contaminera, comme ce qui est gâté contamine ce qui l'approche. Dora, je t'en supplie, renonce !

Elle était très pâle, presque indécise. Dans un éblouissement, il la crut à sa portée.

Alors, ce sale con prononça la seule phrase qu'il ne fallait pas dire à cet instant.

Il lui saisit la main et soupira :

— Je t'aime à la folie.

Dora retira sa main et dit qu'il était temps de rentrer car elle avait ses bagages à préparer.

XVI

Peggy avait promis à Dora de venir la chercher le lendemain ; mais elle n'arriva que trois jours plus tard, au moment où Charles commençait à reprendre espoir.

Elle sortit d'une vieille Rolls noire immatriculée à « Roma » et garnie à l'intérieur d'une quantité de petites sottises suspendues, peu compatibles avec la dignité du véhicule. Un Italien du Sud, plus calamistré qu'un chaudron à frites, la pilotait.

Peggy descendit de la solennelle automobile comme l'héroïne d'un western descend d'une diligence. Elle portait un pantalon de daim jaune, extrêmement moulant, et une veste à franges qui produisait un bruit de robe à traîne quand elle remuait.

Plus théâtrale que jamais, elle prit sa petite-fille dans ses bras, la couvrit de baisers, et présenta son nouveau chevalier servant :

— Benito (comme le Duce). Un grand ami à moi qui loue des voitures de maître. Il a accepté de m'amener, nous allons passer par Florence pour repartir, mon Bijou, ça va être un voyage inouï, je te promets.

Elle traita Charles avec hauteur, en gagnante qui tient à faire sonner sa victoire. En deux minutes, son verbiage avait donné la nausée à Dejallieu. Elle parlait de sa vie romaine, de ses relations haut placées, de ses projets. Elle s'était déniché des faux cils, longs comme des pattes de mygale et son visage évoquait celui d'une actrice du cinéma muet.

Charles lui proposa d'entrer, mais Peggy refusa. Elle était attendue à Monte-Carlo, prétendait-elle, par un marquis espagnol, ami de son époux. La scène, comme chaque fois avec elle, était colorée et loufoque. Peggy resterait jusqu'à sa mort un personnage de carnaval allemand. Charles regardait sans vraiment voir, écoutait sans vraiment entendre. Il se disait que le condamné à mort qu'on venait réveiller avant l'aube devait avoir cette même perception indécise des gens, des choses, du temps ; un pareil égarement de la pensée. Et surtout, il devait comme lui à cet instant, se retenir de claquer des dents. Et aussi rejeter l'immonde réalité, la détruire par un refus formidable capable de détourner l'événement.

Peggy bourdonnait, Peggy puait le parfum, la vieille, la mort. Peggy lui arrachait l'âme à coups de bec et d'ongles. Il n'était plus qu'une charogne mise en pièces par une buse sur un chemin de campagne. Elle picorait ses yeux, son cœur. Ses serres crevaient ses poumons et son souffle fuyait.

Charles vit déboucher le Petit Garçon, flanqué de sa grand-mère. Il lui offrait son bras malade, parvenant à donner à ce malheureux membre la forme d'une anse en conservant le pouce passé dans sa ceinture. Il l'y avait placé à l'aide de sa main droite. Le Petit Garçon passa devant la haie bien taillée, déboucha sur la place Bellecour où des gens silencieux formaient un essaim noir. Le Petit Garçon et la vieille dame s'engagèrent dans la pâte vivante. Ils s'arrêtèrent pour contempler une immense flaque de sang. Couché sur cette flaque, ils virent Charles Dejallieu, mort dans un grand cri d'ombre.

Dora demanda à Benito de l'aider à porter sa valise. Ils entrèrent dans la maison. Peggy parlait toujours. Charles ferma les yeux. Peggy gisait sur le trottoir de la place Bellecour, au côté de Charles. Elle avait le ventre ouvert et des rats fureteurs sortaient, menus, de ses entrailles vertes.

L'Italien réapparut attelé à deux valises Vuitton. Il ouvrit le coffre de la Rolls où s'entassaient déjà les bagages de Peggy et sa valise de raphia, à lui. Dejallieu songea que le « loueur de voitures de maître » devait être en réalité quelque chauffeur en vacances avec la bagnole du patron. Ce dernier pria Charles de l'aider à reconstruire l'édifice. Charles le fit sans comprendre, se contentant de prendre et ensuite de tendre certaines valises.

— Vous avez mal au bras ? demanda l'Italien à Dejallieu dans un français approximatif.

L'écrivain ne répondit pas.

— Il a le bras gauche inerte, révéla Peggy à son « ami Benito » ; c'est de naissance, n'est-ce pas, Charles ? Mais il déteste qu'on en parle. Il est coquet. Hein, Charles que vous êtes coquet ?

Le couvercle du coffre fut rabattu soudain sur l'amoncellement de bagages.

— Bon, eh bien, ne traînons pas. Au revoir, Charly ! Ne faites pas cette tête, voyons ! Elle vous écrira.

Peggy grimpa à l'avant de la Rolls.

Tout allait très vite, très vite.

On allait déboucher dans la cour de la prison et ce serait la guillotine dressée. Des moments invivables. Des moments impossibles. Dora n'allait pas oser prendre place dans ce corbillard ! Elle ne pouvait dire adieu à Charles, pas après ce qu'ils avaient vécu... Toute cette peine, toute cette détresse, toutes ces larmes muées en contentement d'être. Une espèce de bonheur infini, beau comme l'aurore ou le crépuscule, ou comme les montagnes de Gstaad, ou comme une très jeune fille alanguie sur des coussins...

Et pourtant elle s'approcha de lui, très calme, presque souriante, avec l'air mystérieux de sa mère. Et c'était, oui c'était Mélancolia qui s'en allait, qui partait pour de bon vers un destin dont Charles serait banni. Mélancolia, si tranquille, si inquiétante...

Tout un monde infiniment riche ; tout un univers de bonheur incognito, mais qui à cette minute seulement montrait sa face de lumière avant de s'engloutir.

Elle embrassa Charles après avoir mis la main sur son épaule, *comme les autres.*

Il demeura sans réaction.

— Merci pour tout, murmura-t-elle.

Benito devait bien être chauffeur de « grande maison » car il lui tint la portière ouverte et eut une courbette avant de la fermer.

— *Arrivederci !* lança-t-il à Dejallieu.

Le moteur se mit à tourner, sans bruit. Les larges roues commencèrent à bouger sur le sol bitumé.

Charles engagea sa tête dans la lunette de la guillotine. Le couperet tombait déjà, au ralenti. Comme il se tenait sur le dos, il le voyait descendre.

La voiture commençait à prendre son élan. Alors il se mit à courir derrière en criant :

— Non ! Attendez ! Attendez ! Attendez !

Il n'avait jamais couru « normalement » à cause de son bras qui le freinait. Il agitait sa main valide et sa galopade disloquait tout son individu.

La Rolls s'élança superbement. Charles essayait de voir Dora, par la vitre arrière, mais elle s'était blottie dans l'angle de la grosse voiture et il ne put l'apercevoir.

Il courait toujours après la légère fumée tire-bouchonnante de l'échappement.

L'auto dévala la pente, accéléra.

— Attendez ! Non ! Non ! Attendez ! hurlait Dejallieu.

Tant qu'il courrait derrière cette voiture, le contact subsisterait. Mais la Rolls disparut dans un dernier miroitement. Charles dut s'arrêter, asphyxié par son effort. Un point au côté fouaillait sa chair comme une lame.

Il se comprima la poitrine.

Voilà, il comprenait enfin ce que Mélancolia avait ressenti, le matin du rapt. Plus rien n'importait que cette formidable misère. L'existence ressemblait à un énorme coquillage vide. Il le porta à son oreille, mais il n'entendit que le bruit de son sang ; et il était seul dans la vie, comme son sang était seul dans ses veines.

N'avait-il pas « deviné » cet instant, au *Plaza*, quand il s'était mis à pleurer sur la brève absence de Dora ? Tout était prévu depuis l'aube du monde, et tout s'accomplissait inexorablement.

Charles rebroussa chemin en fredonnant *le Beau Danube bleu* pour se retenir de hurler à la mort.

Lorsqu'il rentra chez lui, il vit le Petit Garçon, campé au milieu du salon, *les mains sur les hanches.*

L'enfant veillait sur l'absence de Dora.

Sentinelle inutile.

FIN

Achevé d'imprimer le 1ᵉʳ septembre 1984
sur presse CAMERON,
dans les ateliers de la S.E.P.C.
à Saint-Amand-Montrond (Cher)
pour le compte des Éditions du Fleuve Noir

Dépôt légal : novembre 1984.
N° d'impression : 1514-1104.

Imprimé en France